러셀의 섀도복싱과 신앙인의 터널 비전

러셀의 섀도복싱과 신앙인의 터널 비전

발 행 | 2023년 12월 28일
저 자 | 이승천
펴낸이 | 한건희
펴낸곳 | 주식회사 부크크
출판사등록 | 2014.07.15(제2014-16호)
주 소 | 서울특별시 금천구 가산디지털1로 119 SK트윈타워 A동 305호
전 화 | 1670-8316
이메일 | info@bookk.co.kr

ISBN | 979-11-410-6249-1

www.bookk.co.kr

러셀의 섀도복싱과 신앙인의 터널비전

이 승 천 지음

유홍선 님께 이 책을 헌정합니다.

목   차

들어가는 말

건전한 신앙의 중도

현대인 중에는 과학(science) 혹은 자연 과학은 이성(reason)의 산물이지만, 그리스도교(Christianity)는 비이성적인 신앙(belief)의 산물이므로 받아들일 수 없다는 이들이 많습니다. 그들의 문제는 과학과 그리스도교가 서로 다른 차원 혹은 범주에 속한다는 것을 모른다는 데 있습니다. 과학은 관찰(observation)과 실험(experimental investigation)을 통해 자연 현상을 묘사하고 이론화하는 영역인 데 반해, 그리스도교는 유일신 혹은 창조주 하나님께서 성서를 통해 인간의 본질과 인생의 의미와 목적을 계시한 영역입니다. 이 두 영역이 같은 차원이나 범주에 속한다고 여기는 것은, 마치 자연 현상인 중력이나 자력이 역사, 문화, 지역을 꿰뚫는 보편적인 원리(道, *Tao*)나 영원한 본향을 사모하는 인간의 갈망과 동일한 차원이나 범주에 있다고 간주하는 것과 같습니다. 과학과 그리스도교는 그 차원이 다릅니다. 서로 다른 범주에 속해 있습니다. 자연 현상을 궁구하기 위해선 자연 과학적 방식을 활용해야겠지만, 인간의 본질과 인생의 목적을 천착하려면 하나님과 당신의 계시를 인격적으로 신뢰하는 길을 선택해야 하기 때문입니다.

사정이 이러한데도 후자의 영역도 과학이 해결할 수 있다고 믿는 입장이 바로 **과학주의(scientism)**입니다. 자연 과학적 방식만이 유일하고 올바른 진리 탐구 방식이라는 입장입니다. 이런 입장이 과연 과학적으로 입증될 수 있을까요? 어림도 없지요. 이쯤 되면 과학주의도 신앙의 영역에 진입했다는 것을 인식할 수 있습니다. 그리스도교와 과학주의 둘 다 이성과 직관으로 분별하여 선택해야 할 신앙의 영역이지요. 이렇게 확연한 사실을 오도하는 과학주의(scientism) 신봉자들의 꾐에 놀아나는 현대인이 전 세계에 수두룩합니다. 과학은 합리적인 이성의 결과이지만, 그리스도교는 비이성적인 신앙의 결과라고 믿고 있는 것이지요. 현대 사회의 최대 비극

중 한 가지입니다. 이런 이들을 향해 독일 태생의 영국 물리학자로서 1954년에 노벨물리학상을 수상한 막스 보른(Max Born)이 일갈합니다.

"그러나 형이상학적인 문제들이라는 게 존재한다. 그것들은 무의미하다고 선언하거나 인식론과 같은 다른 이름으로 부르는 것으로는 처리할 수 없는 문제들이다. 내가 반복해서 말했듯이, 그것들은 참으로 '**물리학을 넘어선**' 문제들이며 **믿음의 행위**를 요구하기 때문이다. 우리는 이 사실을 솔직한 것으로 받아들여야 한다. 세상에는 불쾌감을 주는 신자들 두 부류가 있다. 터무니없는 것을 믿는 사람들과, 저 '**믿음**'을 버리고 "**과학적인 방법**"으로 대체해야 한다고 믿는 사람들이다."(Yet there are metaphysical problems, 'which cannot be disposed of by declaring them meaningless, or by calling them with other names, like epistemology. For, as I have repeatedly said, they are '**beyond physics**' indeed and demand **an act of faith**. We have to accept this fact to be honest. There are two objectionable types of believers: those who believe the incredible and those who believe that '**belief**' must be discarded and replaced by "**the scientific method**.") ("Natural Philosophy of Cause and Chance", 1949)

유대인 물리학자인 보른이 형이상학적 문제들은 물리학의 범주를 넘어설 뿐만 아니라 믿음을 요구한다면서 이 사실을 정직하게 수용해야 한다고 주장한 것에 주목해 보세요. 그리고 그는 이 믿음의 범주 속에 두 가지 양극단이 존재한다고 보았습니다. 비이성적인 것들을 믿는 자들과 과학주의에 빠진 자들이라는 양극단의 '신자들'이지요. 그는 오른쪽과 왼쪽에 있는 이 양극단의 신앙 사이에 합당한 것(the reasonable)을 믿는 것과 건전한 믿음(sound beliefs)을 추론할 수 있는 여지가 충분히 있다고 보았습니다. 보른은 이렇게 건건한 "믿음, 상상력 및 직관"(Faith, imagination, and intuition)이란 영역들이 다른 인간 활동과 마찬가지로 과학의 진보에 결정적인 요소들로 기여한다고 인식했습니다. 이성과 감성이 통합된 신앙은 과학을 비롯한 다양한 인간 활동에 건전한 열매를 맺게 해 줍니다.

이 책은 이러한 건전한 믿음을 진작하는 의도로 집필되었습니다. 비이성적인 것들을 믿는 오른쪽과 과학주의를 신봉하는 왼쪽으로 치우치지 않고 건전한 신앙의 중도를 걷기 위해서입니다. 종교 개혁자 마르틴 루터는 인류가 말을 타고 가는 주정뱅이와 같다고 말했습니다. 말의 오른쪽으로 떨어진 다음에는 꼭 말의 왼쪽으로 떨어진다는 것이지요. 이런 지적은 그리스도인들에게 그대로 적용됩니다. 예컨대 미신적이고도 비합리적인 것을 믿은 채 마녀사냥에 몰두하던 그들은 과학이 발전하기 시작하자, 그것을 맹신하기 시작하여 초자연적인 신앙적 측면을 무시하는 극단을 취합니다. 그러다가 정신을 차리고는 과학과 학문의 성과를 폄훼한 채 근본주의 신학에 경도됩니다. 오른쪽 극단에 근본주의 신학이 있다면, 왼쪽 극단에 과학주의자들이 버티고 있습니다. 그래서 이 책에서는 건전한 신앙의 중도를 모색하기 위해 먼저 대표적인 과학주의자인 버트런드 러셀의 종교 에세이 하나를 심층적으로 다룹니다. 그는 "왜 나는 기독교인이 아닌가?"("Why I Am Not a Christian?", 1927)라는 강연 혹은 에세이로 지난 100년 동안 수많은 그리스도인과 불신자들을 오도했기 때문입니다. 다음으로 그리스도인들이 취한 근본주의적 행태 중 몇 가지를 상고합니다. 과학과 신앙과의 관계를 기점으로 인문학, 문화, 정치, 직업, 세계관 및 선교와 같은 주제들이 지난 세월 동안 신앙과 어떻게 관련되었는지를 고찰합니다. 모쪼록 삶의 제반 영역에 대해 성화된 분별력을 발휘하여 건전한 신앙적 입지를 마련하고자 하는 모든 이들에게 이 글들이 사고의 지평을 여는 신선한 자극제가 되기를 빕니다.

이승천
(이메일: ljs051@naver.com
블로그: hubil-centre.tistory.com)

1부 러셀의 섀도복싱: 버트런드 러셀의 복음서 읽기

1. 책 읽기의 기본원리: 오독은 문맥 읽기 실패의 결과

하나님의 계시로 형성된 성경은 기본적으로 문학 작품입니다. 그 문학적 측면을 고려한다는 말은 우선 각 책이 어떤 종류의 '문학'(literature)인지 주목하는 것입니다. 역사서인지, 시가서인지, 예언서인지, 서간문인지 구분하고 그 장르에 맞게 이해해 가야 합니다. 그렇게 함으로써 그 책의 저자가 자기의 글을 어떻게 읽어주기를 바라는지 식별하게 됩니다. 잠언을 읽고 이해하는 방식과 역사서를 읽고 이해하는 방식은 달라야 하지요. 예컨대 잠언 3:5 을 보면, 마음을 다해 하나님을 신뢰하고 자기 명철을 의지하지 말라는 권면이 등장합니다. 그런데 2:1-5 을 보면, 전심을 다해 명철을 찾으라는 명령이 제시됩니다. 이 모순을 어떻게 이해해야 할까요? 살다 보면 자기 명철을 의지하지 않아야 할 때가 있고, 자기가 활용할 명철을 힘써 찾아야 할 때가 있지요. '첫인상'이라는 자기 명철은 잘못된 것일 가능성이 크지만, 다양한 정보를 견주어 가며 형성한 명철은 중요한 결정의 토대가 되기도 합니다. 이렇듯 잠언에는 그 실용적인 성격상 모순되는 표현들이 자주 등장합니다. 바로 이것이 잠언이라는 장르의 특성입니다. 역사서는 그것과 다릅니다. 예컨대 마가복음 15:40-16:1 을 보면 예수님의 십자가 처형과 매장과 빈 무덤을 목격한 세 여인의 이름이 등장합니다. '막달라 마리아와 야고보의 어머니 마리아와 또 살로메'였지요. 남자 제자 증인은 한 명도 없고 당시 사회에서 무시당하고 신임받지 못하던 여인 세 명만 증인으로 등장하는 이 상황을 어떻게 이해해야 할까요? 전설이나 소설이 아니라 실제 발생한 역사를 기록했다는 것이지요. 예수님의 십자가 죽음과 부활을 역사적인 사실로 기록한 것입니다. 물론 이 사실을 믿는 것은 다른 차원의 문제입니다.

성경 읽기에 있어 장르에 대한 인식 다음으로 중요한 요소는 문맥에 대한 고려입니다. 미국 IVP(InterVarsity Press) 편집장을 지내고 20 세기 그리스도교 세계관의 아버지로 알려졌던 제임스 사이어가 "사리 분별이 뚜렷한 책 읽기를 위해 필요한 원리 한 가지" ("an important principle of responsible reading")를 아래와 같이 제시한 적이 있습니다.

"우리는 항상 글쓴이의 정신에 근거해서 글을 읽어야 하며, 그 구절과 적합한 문화적, 지적 준거 안에서 글쓴이가 실제로 무엇을 말했는가를 주목해야 한다. 즉 훌륭한 독자는 항상 그 본문이 속해 있는 원래의 역사적, 문화적 문맥 가운데서 그것의 의미를 이해한다."(We should always read in the spirit of the writer, pay attention to what the writer has actually said in the cultural and intellectual framework natural to the text. That is, a good reader always sees the text in terms of its original historical and literary context.) ("Scripture Twisting", 1980)

일반적으로 독서할 때 문맥을 고려한다고 하면, 우선 근접 문맥(그 본문 앞과 뒤 혹은 그것이 속한 장)과 좀 더 넓은 문맥(그 본문이 속한 책 전체)을 살피는 것을 의미합니다. 그렇지만 사이어는 여기에다 한 가지를 덧붙입니다. 그 책 전체의 지적이고 문화적인 준거를 주목해야 한다는 것이지요. 이 말을 다르게 표현한다면, 그 책 전체의 세계관(worldview)을 살펴야 한다는 것입니다. 이 원리는 성경을 읽을 때도 그대로 적용됩니다. 앞에서 언급한 두 문맥뿐 아니라, 성경적 세계관에 주목해야 합니다. 연면한 역사를 통해 히브리인들이 기록한 성경 속에 나타난 세계관은 우리나라나 세계 다른 문화가 드러내는 세계관과도 확연한 차이를 보입니다. 그래서 성경적 세계관에 대해 마음 문을 열고 주의 깊게 성경을 읽지 않으면, 온갖 방식으로 오독하게 됩니다.

사이어가 제시하는 두 가지 예를 들어 보겠습니다. 먼저 바울과 바나바가 루스드라에서 복음을 전할 때의 상황입니다(사도행전 14장), 그들은 그 청중 가운데 나면서부터 앉은뱅이 된 사람을 주목하게 되었습니다. 그에게 구원받을 만한 믿음이 있는 것을 보고, 바울이 큰 소리로 "네 발로 바로 일어서라"(10 절)라고 외치자 그 사람이 일어나 걷게 되었습니다. 그때 청중들의 반응이 어떠했을까요? "신들이 사람의 형상으로 우리 가운데 내려오셨다"(11 절)라고 외치면서, 바나바를 제우스로 바울을 헤르메스라고 불렀습니다. 심지어 제우스 신당의 제사장까지 합세하여 소와 화환들을 갖고 와서 제사 지내려고 했지요. 그때 두 사도의 반응이 어떠했습니까? 옷을 찢으며 외쳤지요. "여러분이여 어찌하여 이러한 일을 하느냐 우리도 여러분과 같은 성정을 가진 사람이라 여러분에게 복음을 전하는 것은 이런 헛된 일을 버리고 천지와 바다와 그 가운데 만물을 지으시고 살아 계신 하나님께로 돌아오게 함이라"(15 절) 이 사건에는 두 가지의 세계관이 드러납니다. 자기들 목전에서 일어난 기적을 루스드라 사람들은 헬라 종교 세계관으로 해석했지만, 두 사도는 결연히 일어나 유대/그리스도교 세계관으로 도전했던 것이지요.

다음은 미국의 요가협회 회장이었던 스와미 사치타난다의 사례입니다. 그는 샌프란시스코의 한 강당에서 운집한 청중들에게 연설하면서 산상수훈 중 한 구절을 인용했습니다. "마음이 청결한 자는 복이 있나니 그들이 하나님을 볼 것임이요"(마태복음 5:8) 잠시 후 그는 이 구절을 이렇게 풀이했습니다. "그렇습니다. 자기의식을 정화하는 사람들은 복이 있습니다. 왜냐하면 그들은 자신들을 하나님으로 보게 될 것이기 때문입니다."("Yes, blessed are those who purify their consciousness, for they shall see themselves as God.") 어떻게 이런 오독이 발생하게 되었을까요? 스와미 사치타난다는 하나님과 사람 사이에는 궁극적인 차별이 없는 세계관을 가지고 있었기 때문입니다. 그 준거(frame of reference) 안에서 각 사람은 본질적으로 "신성을 지닌"(divine) 존재입니다. 그러므로 만일 우리가 의식을 정화하고, 경험적으로 우리가 누구인지를 깨닫게 된다면, 우리 영혼이 진실로 "우주의 영혼"(the soul of universe)이라는 사실을 파악하게 된다는 것입니다. 즉 우리 각자가 "하나님"(God)이라는 말이지요. 여기에서 '하나님'이라는 단어의 개념이 변화된 것을 알아차리셨나요? 범신론(pantheism)적 세계관을 지닌 스와미 사치타난다의 하나님은 "비인격적인 우주 자체의 본질"(the impersonal essence of the universe itself)을 가리킵니다. 결코 성경적인 세계관 속의 하나님, 즉 아브라함과 이삭과 야곱의 하나님이자 예수 그리스도의 아버지가 아니지요.

사이어는 이 세계관의 혼동이야말로 모든 종류의 성경 오독의 주된 원인(the major cause)이거나 주된 결과(the major result)라고 주장합니다. 먼저 앞에서 든 두 예와 같이 성경이 제시하는 준거를 파악해서 그것으로 특정 성경 본문의 의도를 인지하지 않고, 자기 선입견(preconceived notion)이나 세계관으로 그 본문의 의미를 재단해서 오독하는 경우가 있습니다. 혼동된 세계관이 오독의 원인이 된 경우입니다. 그렇게 되면 그 오독이 성경에 대한 자기 선입견이나 세계관을 강화하는 결과를 낳아, 다른 성경 본문의 진의를 파악하는 것이 더 요원한 일이 됩니다. 즉 혼동된 세계관이 오독의 결과가 되는 것이지요.

이상에서 논의한 바와 같이 책을 읽을 때 그 내용을 오해하는 원인은 그 책의 장르상의 특징에 주목하지 않거나 문학적인 문맥을 간과하거나 부적합한 세계관으로 접근하기 때문입니다. 지난 세월 동안 명멸한 숱한 이단들이 잘못된 길로 접어든 것은 이러한 세 가지 영역 모두에서, 혹은 적어도 그것들 중 한 가지 영역에서 잘못된 접근법을 취했기 때문이었습니다. 성경에 대해 노골적으로 공격한 시도들도 그친 적이 없었지만, 그것들도 이러한 세 가지 영역 중 한 가지 이상에서 오류를 범한 것이 드러났을 뿐입니다. 이번엔 그 시도 중 한 가지만 살펴보겠습니다. 영국의 철학자요 수학자이자 노벨문학상(1950)을 받은 문필가인 버트런드 러셀(1872-1970)이 그 주인공입니다.

2. 버트런드 러셀의 복음서 오독

2.1. 하나님의 존재(The Existence of God)

그의 책 중에 "왜 나는 기독교인이 아닌가?"("Why I Am Not a Christian?", 1927)라는 종교 에세이 모음집이 있습니다. 이 책 속에는 책 제목과 똑같은 제목의 강연 원고가 가장 먼저 나옵니다. 그는 먼저 그리스도인에 대한 정의를 내립니다. 그리스도인이라는 의미가 과거와 현재가 각각 다르다고 언급하면서, 아우구스티누스와 토마스 아퀴나스 시대에는 그 단어가 엄정하게 제시된 모든 신조를 온 힘 다해 믿는 자를 가리켰지만, 현대에는 그 순수한 의미(a full-blooded meaning)가 퇴색되어 버렸다고 주장하지요. 그리하여 현대적 의미에서 그리스도인이란 하나님과 불멸을 신뢰하고, 예수를 신은 아니더라도 최소한 가장 선하고 지혜로운 인간(the best and wisest of men)으로 믿는 자라는 정의를 내립니다. 이 정의부터 문제가 다분히 있지만, 그것에 대한 논의는 나중으로 미루겠습니다. 그 후에 그는 하나님의 존재에 대한 자기 생각을 전개합니다. 특히 가톨릭이 하나님의 존재를 증명하는 논증으로 제시하는 것 다섯 가지를 아래와 같이 정리해서 논평하지요.

(1) **제 1 원인 논증(The First Cause Argument)**: 하나님을 이 세상의 제 1 원인, 즉 궁극적인 원인으로 여긴다는 논증입니다. 이 문제를 두고 고민하던 러셀은 존 스튜어트 밀의 자서전 속에서 그 해결책을 찾았습니다. "아버지는 내게 '누가 나를 만들었는가?'라는 질문은 답할 수 없는데, 그 이유는 그 질문이 즉각적으로 '누가 하나님을 만들었는가?'라는 더 진전된 질문을 암시하기 때문이라는 점을 가르쳐 주셨다."(My father taught me that the question, 'Who made me?' cannot be answered, since it immediately suggests the further question, 'Who made God?') 그래서 제 1 원인에 대한 논증에는 오류가 있다고 반박하지요. 하나님이라는 존재가 제 1 원인이 없이 존재할 수 있다면, 이 세상이라는 존재는 왜 그 원인이 없이 존재할 수 없느냐는 것이지요.

----->제 1 원인 논증은 중세 그리스도교의 대표적 신학자인 토마스 아퀴나스가 사용했던 논증입니다. 모든 것에는 원인이 있기 마련이기에 그 모든 것의 원인을 거슬러 올라가게 되면, 그 인과관계의

가장 첫 번째 원인에 도달하게 되는데 그 원인은 하나님이어야 한다는 주장이지요. 그런데 러셀은 밀의 영향을 받아, '누가 하나님의 원인이 되었는가?'라는 질문을 던지고 있습니다. '누가 하나님을 만들었는가?'라는 질문은 하나님은 만들어진 존재라는 전제 혹은 세계관에 기초하고 있습니다. 그렇지만 만일 하나님이 누군가 혹은 무엇에 의해 만들어졌다면, 더 이상 하나님이 아니지요. 사전적 개념상으로 하나님은 "이 세상의 창조자이자 주관자"(the creator and ruler of the world)이기 때문입니다. 자존(自存)하는(uncaused) 존재이지요. 바로 그것이 '제일원인'의 의미이기도 합니다. 결국 이 '제일원인 논증'은 순환성(circularity)을 품고 있습니다. 즉 "하나님이 존재하는 것을 어떻게 아느냐? 하나님이 제일원인이기 때문이다. 그렇다면, 하나님이 제일원인인 것을 어떻게 아느냐? 하나님이시기 때문이다." 일반적으로 이런 식의 순환논법은 논리의 오류로 인식되지만, 궁극적인 실재나 문제에 대해선 그렇지 않습니다. 마치 수학에서 공리가, 합리주의에서 이성이, 경험주의에서 실험과 관찰이 묻지도 따지지도 않고 궁극적 권위로 수용되는 것과 같은 이치입니다. 공리, 이성 및 실험과 관찰이 각각의 영역에서 기반이요 토대가 되기 때문이지요. 제일원인 되는 하나님은 그리스도교의 기반이요 토대입니다. 러셀이 마지막으로 언급한 대로, 결국 문제는 하나님이 제 1 원인인가, 아니면 이 세상이 제 1 원인인가입니다. 그리스도인은 전자를, 무신론자는 후자를 믿고 있는 것이지요. 그런데 무신론자 중에는 그리스도인을 향해, "하나님이 이 세상을 만들었다면, 하나님은 누가 만들었지?"라고 조롱하듯 질문하면서, 마치 그들에게 어퍼컷을 날렸다고 생각하는 이들이 적지 않습니다. 사실은 누워서 침 뱉기 한 셈이지요. 그들에게는 러셀의 마지막 문장의 앞뒤를 바꾼 게 약이 되겠지요. "이 세상이 제 1 원인 없이 존재할 수 있다면, 왜 하나님은 제 1 원인 없이 존재할 수 없지?"

　(2) **자연법 논증(The Natural Law Argument)**: 자연계에 존재하는 중력이나 인간 세계에 존재하는 도덕법을 보면 그 법의 부여자로서 하나님이 존재한다는 논증입니다. 이러한 주장에 대해 러셀은

아인슈타인의 이론이나 원자 활동에 대한 지식에 따르면, 자연계의 법칙이란 것은 "그저 우연에서 출현할 법한 부류에 속한 것의 통계적 평균치"(statistical averages of just the sort that would emerge from chance)에 불과하고, 도덕법이라는 것도 그저 인간적인 관습(human conventions)에 해당한다고 반박하지요.

----->자연법칙에 대한 그의 견해에 대해서는 나중에 논평하기로 하고, 도덕법을 인간적인 관습으로 여긴 점에 주목해 봅시다. 그의 견해는 C. S. 루이스가 지적한 것처럼 도덕법은 좌측통행 혹은 우측통행과 같은 관습이라기보다는 구구단과 같은 실제 진리에 해당한다는 점을 간과한 것입니다. 전자는 시대에 따라 얼마든지 달라질 수 있지만, 도덕법은 후자와 같이 시간이 아무리 흘러도 달라지지 않지요. 이렇게 보는 데는 두 가지 이유가 있습니다. 첫째는, 어느 시대나 어느 나라의 도덕법은 다른 시대나 다른 나라의 도덕법과 거의 차이가 없고 그 도덕법을 관통하는 동일한 법칙이 존재하기 때문입니다. 예컨대, 부모를 공경하고, 이웃을 선대하며, 진실을 선양하는 것은 시대와 지역과 문화를 초월해서 존중받는 도덕입니다. 둘째는, 어떤 개인이나 어떤 사회의 도덕이 다른 개인이나 다른 사회의 도덕보다 낮다고 판단할 때, 기준이 되는 도덕법이 존재하는 법이기 때문입니다. 그 제 3 의 도덕법이 바로 '참 도덕'이 되는 것이지요. 예컨대, 알렉산더 솔제니친의 도덕이 이오시프 스탈린의 도덕보다 낮다고 말할 수 있는 것은 인간의 생각과는 독립적으로 존재하는 '참 도덕'이 존재하기 때문입니다. 이 도덕은 어떤 옷을 입느냐, 무엇을 먹느냐, 어떻게 인사하느냐와 같은 관습적 문제들과는 다른 차원에 존재합니다. 자연법 논증은 이러한 도덕법이 하나님의 존재에 기원을 둔 것이라고 주장하는 것이지요.

(3) **설계 논증(The Argument from Design)**: 이 세상의 모든 것들은 우리가 그 속에서 살아갈 수 있도록 설계되어 있다는 논증입니다. 이런 주장에 대해 러셀은 다윈 이후로 드러난 바와 같이, 환경이 생물들에게 적응하는 게 아니라, 생물들이 환경에 적응해 왔다는 점에 주목하면서, 이 세상에 그런 설계가 존재한다는 증거가

없다고 반박하지요. 만일 그런 설계를 한 전지전능한 존재가 있다면, 어떻게 그 수백만 년 동안에 케이케이케이(the Ku-Klux-Klan)나 파시스트(the Fascists) 같은 이들이 준동하는 세계를 만들 수 있단 말인가라는 점입니다.

-----〉잘 알려진 대로 다윈은 무작위적인 유전자 변화(random genetic change)와 자연도태(natural selection)라는 두 과정을 믿었습니다. 이것들로 인해 낮은 형태의 생명체에서 더 높은 형태의 생명체가 출현해서 진화하는 것이 가능해졌다는 것이지요. 이 과정에서 생물들이 환경에 적응해 왔다고 말할 수 있습니다. 그렇지만 무생물계 혹은 무기 물질의 세계(the inorganic world)는 진화의 대상이 아니라, 이 세상의 생명을 지탱하도록 완벽하게 설계된 것처럼 보였습니다. 지난 수십 년간 천문학적 탐구를 통해 이 세상에서 생명이 가능하도록 미세하게 조정된 수많은 우주적인 상수들(cosmic constants)이 발견되었다는 점에 주목해 보세요. 예컨대, 천문학자인 휴 로스는 우주가 생명체에게 호의적으로 작용할 수 있도록 적소(適所)에 배치되어야 할 요소가 무려 100 가지 이상(지난 20년간 꾸준히 증가해 온 숫자)이나 된다는 점을 제시한 바 있지요.

게다가 생물의 차원에 대해서 보더라도, 생명체는 다윈이 알고 있던 것보다 훨씬 더 복잡합니다. 그야말로 정보의 바다(oceans of information)를 포함하지요. 예컨대, 인간 세포 하나는 '정보 문제'('information problem')라고 부를 만큼이나 많은 정보를 포함하고 있습니다. 몇 개의 백과사전의 분량에 해당하는 양이니까요. DNA를 한번 생각해 보세요. 그 안에는 문자에 해당하는 'nucleotides', 단어에 해당하는 'codons' 혹은 'triplets', 문장에 해당하는 'genes'(유전자), 문단에 해당하는 'operons', 장(章)에 해당하는 'chromosomes', 책에 해당하는 'living organisms'(생명체)로 구성된 문자 메시지를 포함하고 있습니다. 그래서이겠지요. 많은 이론가가 이제는 우연(chance)이란 요소가 자연발생설[abiogenesis, 생물은 무생물에서 저절로 생겨날 수도 있다고 주장하는 학설로서, 아리스토텔레스 이후 많은 학자가 믿어 왔으나 파

스퇴르의 실험으로 부정됨]을 설명한다는 입장을 내버린 채, 이렇게 매우 복잡한 시스템을 '자기 조직화'(self-organization)하도록 지원해 준 외래 자연법칙을 찾고 있기까지 합니다. 예컨대, 제임스 왓슨(James Watson)과 함께 DNA 이중 나선 구조를 발견하는 공로를 세운 프랜시스 크릭(Francis Crick)은 외계인들(extraterrestrials)이 지구에 생명의 씨앗을 뿌렸다고 주장했지요. "정향 범종설"(定向 汎種說, "directed panspermia theory")로 불리는 이 이론은 생명체가 생명이 없는 것(non-life)에서 형성되는 것이 불가능하다는 사실을 깨달은 그의 고육지책이었습니다. 그렇다고 문제가 해결되는 것이 아니지요. 그 외계인들의 존재 자체에 대해서도 현재로선 아무런 과학적 증거가 존재하지 않을 뿐 아니라, 그들이 존재한다고 하더라도 그 기원은 자연발생설로 설명될 수는 없으니까요. 그야말로 프라이팬 피하려다 불에 빠진 격(jumping from the pan into the fire)입니다. (D. Groothuis, "New Dictionary of Christian Apologetics" 참조)

다른 한편으로, 진화의 법칙은 얼마든지 전체 설계의 일부로도 이해될 수 있기 때문에, 이 설계 논증은 더 정교한 형태로 재규정될 수 있습니다. 예컨대, 연속의 규칙성을 강조하는 시간 기반 모형(a time-based framework)에 따르면, 특정 행동과 연관된 적절한 기본 정보가 제시되기만 하면 그 행동을 완전하고도 정확하게 예측할 수 있지요. 이러한 사실은 순전히 무작위적인 변화를 주장하는 이론을 반증할 뿐 아니라. 관찰된 패턴을 지배하는 마음 혹은 디자이너가 존재한다는 사상을 뒷받침합니다. 그렇다고 해서 이런 입장이 진화론을 부정하자는 것은 아닙니다. 시나브로 무신론으로 진화해 버린 이데올로기로서의 자연주의적 진화론이나, 과학적 증거를 제시하지도 못하면서 생명의 기원을 운위하는 화학 진화론은 마땅히 부인해야겠지만, 엄정한 과학적 사실로 인정된 진화론의 내용은 얼마든지 수용할 수 있지요. 그렇게 되면 이 설계 논증은 생물학적 진화 과정을 하나님이 마련해 둔 전체 설계의 일부로 보면서, 생명에 대한 그리스도교적 관점과 현대 과학의 가르침을 조화시키는 섬세한 작업의 일환으로 볼 수 있습니다.

그리고 악의 문제에 관해서는 전통적으로 두 가지 논증이 제시된 바 있습니다. 첫째는 아우구스티누스가 주장한 "자유의지 논증"("free will defence")입니다. 하나님이 인간을 자유로운 행위자(free agents)로 창조하셨지만, 인간이 하나님을 배반한 결과 도덕적인 악이 생겼다는 것이지요. 즉 도덕적인 악은 하나님이 아니라 인간이 책임져야 할 영역이라는 것입니다. 물론 이렇게 말하면 인간의 자유와 하나님의 예지와 능력(God's foreknowledge and power)과의 관계에 대한 질문으로 이어질 수 있지만, 그리스도교는 전자와 후자 모두 엄연한 사실이라고 주장하면서 그 두 가지의 관계는 "파동-입자 이원성"(Wave-particle duality) 문제와 같은 이율배반(antinomy)의 차원이라고 지적합니다. 둘째는 "대의" 논증("greater good" argument)입니다. 자연적인 악과 도덕적인 악 두 가지 다 결국에는 더 큰 신성한 목적을 이루기 위해 기여한다는 것이지요.

(4) **도덕 논증(The Moral Arguments for Deity)**: 칸트가 주장한 것으로서, 하나님이 존재하지 않는다면 옳고(right) 그름(wrong)이 없을 것이라는 논증입니다. 러셀은 만일 옳고 그름 사이에 존재하는 차이가 하나님의 명령에 의한 것이라면, 하나님이 선하다는 선언은 의미가 없다고 주장하지요. 옳고 그름이 존재한 것이 하나님을 통해서였을 뿐 아니라 그 옳고 그름은 본질상 논리적으로 하나님보다 먼저 존재해 있다는 점을 인정해야 하기 때문이라는 것입니다. 그렇다면 이 세상을 만든 하나님에게 명령을 내린 더 우월한 하나님이 존재했거나, 어떤 영지주의자들의 주장처럼 하나님이 보지 않았을 때 악마가 세상을 만들었다는 입장을 취할 수 있다고 반박합니다.

----->그렇습니다. 이 도덕 논쟁은 임마누엘 칸트가 신의 존재에 대한 다른 논증들에서 드러난 치명적인 결함들을 제시한 후 처음 제기했습니다. 칸트는 여전히 신을 믿었고, 비록 신의 존재가 논리

적이고 이성적으로 증명될 수는 없지만, 그것은 필수적인 가정(a necessary postulate)이라고 주장했습니다. "무엇이든지 남에게 대접을 받고자 하는 대로 너희도 남을 대접하라"(마태복음 7:12)라는 황금률과 그것에 준하는 명령들은 정언적 혹은 단언적인(categorical) 도덕법으로서, 어디로부터인가 비롯되었고 그 기반이 있기 마련이므로, 그 도덕법의 제정자가 존재한다는 것이지요. 그러므로 그 제정자가 바로 하나님이고, 우리는 그가 존재한다는 사실을 간주하고 가정해야 한다는 것이지요. 그렇지 않으면 모든 도덕 체계는 무너져 허튼소리로 간주될 수밖에 없다고 보았습니다. 칸트는 이 도덕적 논증이야말로 가능한 한도 내에서 하나님이 존재한다는 것을 '증명'한다고 보았습니다. 그래서 이 도덕이 말이 되려면 하나님의 존재(the existence of God), 인간의 자유(human freedom) 및 사후의 삶(life after death) 혹은 불멸(immortality)을 가정해야 한다고 역설했습니다. 왜냐하면 하나님이라는 도덕법 제정자가 없는 상태에서는 도덕적 의무(moral duty)에 복종할 이유도 없기 때문이지요. (E. D. Cook, "New Dictionary of Christian Apologetics" 참조)

이 칸트의 주장에 대해 러셀은 하나님이 도덕법을 명령하셨기 때문에 그것이 옳은 것이라면, 논리상 그 도덕법이 하나님보다 선재한 것으로 보아야 하므로 하나님보다 더 우월한 하나님이 하나님에게 그 명령을 내린 것이나 악마가 세상을 만든 것으로 보아야 한다고 주장합니다. 이런 논리 전개가 과연 타당한 것일까요? 칸트의 요지는 '도덕적 권위의 기반'(the basis of moral authority)이 하나님이라는 것인데, 왜 러셀은 그 기반을 논의하는 것이 필연적으로 하나님보다 더 우월한 하나님의 존재나 악마의 세상 창조라는 개념을 동반해야 한다고 강변하는 것일까요? 그저 간단하게 도덕법의 기반이란 존재하지 않는다든지, 혹은 인본주의자답게 단도직입적으로 하나님이 아니라 인간이 도덕법의 척도라고 주장하면 될 일을 말입니다. 하나님보다 더 우월한 하나님이라니, 도대체 어떻게 기반 아래 또 다른 기반이 존재할 수 있다는 말입니까? 악마가 세상을 창조했다니, 도대체 어떻게 악의 화신인 그가 자기를 대적하는 도덕법이 굳건히 자리 잡고 있는 이 세계, 방방곡곡에서 진선미가 넘실거리는 이 세상을 창조할 수 있다는 말인가요? 러셀과 배짱이 맞은 당시 청중들은 상상력이 춤을 추는 이런 언설을 접하고 즐거워했을지 모르지만, 그의 논리가 자가당착에 빠져 버린 것도 도무지 인식하지 못했을 것입니다.

(5) **불의의 교정을 위한 논증**(The Argument for the Remedying of Injustice): 이 세상 속에 정의를 구현하기 위해 하나님의 존재가 요구된다는 논증입니다. 러셀은 과학적으로 보면 이 우주에서 우리가 아는 세상은 이 세상이라는 샘플뿐인데, 여기에 불의가 있다면 다른 곳에서도 불의가 있을 가능성이 크다고 반박하지요. 더구나 이 세상에 불의가 만연한 것을 지금껏 경험했다면, 정의가 이 세상을 다스리는 게 아니라고 가정하는 게 합리적일 테고, 이런 상황은 신이 존재하지 않는다는 논증이 된다고 반박하는 것입니다. ----->이 세상에 불의가 널리 퍼져 있다는 사실이 하나님의 존재를 부정하는 도덕적 논증이 된다는 러셀의 주장이 과연 얼마나 설득력이 있을까요? 하나님이 존재한다면 온 세상이 정의로 넘쳐야 할 텐데, 불의가 곳곳에 자리 잡고 있으니 하나님이 부재한 것이 분명하다는 거지요. 그러나 정의 혹은 도덕 원리의 기반이 하나님인 것은 맞지만, 정의가 부재한 세상의 현 상황이 하나님의 부재를 증명하는 것은 아닙니다. C. S. 루이스가 언급한 대로, 세상을 창조하고 이끌어 가는 철저히 선한 존재(a wholly good Being)인 하나님과 세상의 불행(the world's miseries)은 서로 모순되지 않습니다. 불의에 의한 세상의 불행은 하나님 부재의 결과가 아니라 자유로운 의지를 가진 인간이 선택한 결과이기 때문입니다. 정의의 기원이 되는 하나님께서 자유로운 인격을 지닌 인간을 창조하셨으나, 그 인간이 정의를 좇지 않고 불의를 행한 것이지요. 불의를 저지르는 주체가 인간이므로 인간이 정의와 도덕법을 무시한 데 대한 책임을 지는 게 마땅합니다. 따라서 이 책임을 묻는 심판을 집행할 하나님이 존재하는 것입니다. 정의와 도덕법이 타당한 것이 되려면 자유,

사후의 삶 및 하나님의 존재를 상정해야 한다고 칸트가 말한 대로입니다. 그리고 불의가 아무리 성행해도, 정의가 반드시 승리한다는 점을 놓쳐서는 안 됩니다. 정의가 원형(original)이고 불의는 그것의 왜곡된 모습(a mere perversion)에 불과하기 때문입니다. 비유하자면 정의가 나무(the tree)라면 불의는 나무에 붙어 기생하는 담쟁이덩굴(the ivy)에 불과하지요(C. S. 루이스).

하나님의 존재를 증명하는 논증들을 이런 식으로 다루면서 러셀은 대부분의 사람이 하나님을 믿는 것은 지적 논증(intellectual arguments)에 의한 것이 아니라 단지 어릴 때부터 교육받았기 때문이라고 주장합니다. 그다음으로 가장 중요한 이유는 "안전에 대한 소망"(the wish for safety), 즉 우리를 돌보아 줄 큰 형(a big brother)이 존재한다는 느낌이라고 지적하기까지 합니다.

-----〉첫째 주장부터 살펴보겠습니다. 사람들이 하나님을 믿는 것이 지적 논증에 의한 것이 아니라는 주장이 사실일까요? 사실상 무언가 혹은 누군가를 믿을 때, 아무리 간략하고 단순한 형태라도 추론이나 논증 과정(reasoning)을 거치지 않는 경우란 없습니다. 우리가 주목하지 못할 뿐이지, 이런 논증 과정을 피할 수는 없습니다. 참이 아니라(untrue)고 인식한 것을 믿을 수는 없으니까요. 사실상 어릴 때부터 존경하는 권위자로 인정한 부모님으로부터 하나님에 대해 교육받았기 때문에 믿는다는 것도 나름대로 하나의 논증이라고 보아야 할 것입니다. 우리는 어릴 때부터 장성해서까지 부모나 교사와 같이 신뢰할 만한 권위자들로부터 많은 것들을 듣고 배우면서, 그것들을 참이라고 인식하면서 성숙해 가기 때문입니다. 그것이 아주 지혜롭고 효과적인 방식이기 때문에, 사람들 대부분이 적어도 20년간을 가정과 학교에서 보내지요. 그런데 만일 어떤 사람이 자기가 직접 보고 경험한 것만을, 그것도 엄격한 자신의 지적 논증을 통한 것만을 믿겠다고 한다면, 그가 확보하는 지식의 양은 그야말로 보잘것없을 것이고 그 지식의 내용이란 것도 신뢰하기가 힘들 것입니다. 엄정한 지적 논증이 불필요하다는 말이 아니라, 특정한 논증 방식만을 절대시해선 안 될 뿐 아니라 그 논증의 방식과 과정

이 다양하다는 점도 인식해야 한다는 말이지요. 예컨대, 어릴 때 권위자들로부터 하나님에 대한 교육을 받아 하나님을 믿은 사람이라도 장성하면서는 얼마든지 나름대로 다양한 지식과 경험에 근거한 지적 논증의 과정을 거쳐 그 믿음을 심화해 갈 수도 있습니다. 특히 과학과 이성이 주름 잡고 있는 근대식 교육 환경에서 러셀과 같은 교사를 만난다면, 초자연적인 존재인 하나님을 믿고 초자연적인 계시인 성경을 신뢰하고 사는 그리스도교인 학생이 얼마나 다양한 지적 논증을 거치면서 자기 믿음을 점검해 가야 할까요?

둘째 주장도 한번 살펴보겠습니다. 하나님을 '큰 형'으로 비유한 것은 러셀다운 인식입니다. 하나님에 대한 그의 지적, 영적 인식의 그릇 크기를 드러내는 비유이지요. 하나님을 창조주나 구세주나 심판주나 아버지(어머니)로 보는 것은 차치하고라도, 피난처, 산성, 요새, 반석, 방패, 목자로 바라볼 수 있는 안목도 결여하고 있습니다. 그렇게 놀랍지는 않습니다. 지금까지 하나님의 존재에 대해 그가 논의한 내용을 통해서도 얼마든지 예상할 수 있는 시각이니까요. 그러니까 러셀은 그리스도교인들이 하나님을 믿는다고 해 봐야 그저 안전 보장용으로 믿을 뿐이고, 그 혜택이라고 해 봐야 단지 집안에서 '큰 형'이란 존재가 동생에게 베풀어 줄 수 있는 다소간의 안전감일 뿐이라고 인식하고 있는 것이지요. 자신이 서 있던 서구 문명의 기반으로서 무려 2천 년을 연면히 이어온 그리스도교 신앙의 대상인 하나님과 그리스도인들을 깎아내리고 조롱하고 있는 것입니다.

그리스도교를 향해 이렇게 종작없는 논의들로 반박한 이 인물의 시각을 어떻게 대해야 할까요? 우선 C. S. 루이스의 말을 활용해서 말하자면, 여러 장소와 여러 시대와 여러 사람을 섭렵해 본 지혜로운 그리스도인들은 소위 위대하다는 사람의 "글과 확성기에서 억수같이 쏟아지는 허튼소리"(the great cataract of nonsense that pours from the press and the microphone)에서 자유로울 수 있다는 점을 주목합시다. 그리고 러셀과 같이 영국 출신 수학자인 존 레녹스의 말도 함께 기억해 둡시다. "난센스란 유명한 과학자가 언급한 경우라도, 그것들이 과학의 주장이라고 일반 대중이 추정한다고 하더라도, 여전히 난센스인 채로 남아 있다."(Nonsense remains nonsense, even when spoken by famous scientists, even though the general public assumes they are statements of science.) 비록 러셀이 '20 세기의 레오나르도 다 빈치'나 '현대의 볼테르'로 불리더라도, 그가 말한 난센스는 난센스일 뿐입니다.

2.2. 그리스도의 성품(The Character of Christ)

러셀은 그리스도의 성품을 이야기한다면서, "악한 자를 대적하지 말라 누구든지 네 오른편 뺨을 치거든 왼편도 돌려대며"(마태복음 5:39)라는 성구를 인용합니다. 그러더니 이것은 새로운 원리가 아니라 노자나 붓다가 이미 말한 내용이라면서, 그리스도인들이 사실상 수용하지 않는 원리라고 주장하지요. 그 후에 아래와 같은 마태복음 세 구절을 더 언급하면서, 이것들은 탁월한 원리요 가르침이지만 자기도 따르지 못하듯이 그리스도인들도 실행하지 않는 것이라고 지적합니다.

"비판을 받지 아니하려거든 비판하지 말라"(마태복음 7:1)
"네게 구하는 자에게 주며 네게 꾸고자 하는 자에게 거절하지 말라"(마태복음 5:42)
"네가 온전하고자 할진대 가서 네 소유를 팔아 가난한 자들에게 주라"(마태복음 19:21)

----->먼저 마태복음 5:39 의 의미를 제대로 이해하려면 이 구절이 38-42 절의 문맥, 혹은 38-48 절의 문맥 속에 포함되어 있다는 점을 간과해선 안 됩니다. 예수님은 38 절에서 먼저 구약에서 실행된 응보의 원리(the principle of retribution)를 언급합니다. '렉스 탈리오니스'(the *lex talionis*)로 알려진 이 원리는 "눈은 눈으로, 이는 이로 갚으라."로 요약되는데, 정의를 규정하고 복수를 억제하는 목적이 있었습니다(출애굽기 21:22-25, 레위기 24:19-20, 신명기

19:21). 악인에게 그 저지른 행위에 걸맞은 형벌을 가할 뿐 아니라, 희생자에게도 그 당한 희생만큼의 보상을 받되 그 이상의 복수를 하지 않도록 제한하는 법적 원리였던 것이지요. 이 원리에서 더욱 중요한 차원은 이런 법의 집행이 제사장이나 재판장 앞에서만 가능했다는 점입니다(신명기 19:17-18). 피해자가 자기 판단대로 이 법을 집행할 수 없었다는 말입니다.

예수님은 이 합당하고 공정한 원리를 부정하지 않으면서, 39-42절을 통해 일상생활 중에 경험하는 개인적인 관계 속에서 적용할 수 있는 원리 한 가지를 제시합니다. "악한 자를 대적하지 말라"(do not resist an evil person.)는 '보복 금지'(non-retaliation)의 원리입니다. 악의 화신인 사단은 마땅히 대적해야 하지만(에베소서 6:13, 베드로전서 5:9, 야고보서 4:7), 우리에게 개인적으로 악한 일을 행한 사람에게 맞서서 보복하지 말라는 말입니다. 그러면서 4가지 구체적인 악행 사례와 그 대응 방식을 소개합니다.

(1) '우리 뺨을 치는 것'--->폭행이라기보다는 모욕을 가한 자(욥기 16:10, 예레미야애가 3:30)에게 더 모욕하도록 허용하기.
(2) '우리를 법정에 고소하는 것'--->소소한 이득을 바라고 법의 힘을 빌리는 자에게 그가 감히 요구하지 못한 겉옷까지 내어주기.
(3) '우리를 강제적인 일에 복무하도록 하는 것'--->자기 짐을 5 리 떨어진 곳으로 옮기는 일을 강제하는 로마 군인에게 10 리까지 옮겨 주겠다고 자원하기.
(4) '우리에게 돈을 빌리는 것'--->거절하지 말고 주기.

예수님이 말씀하신 반응 방식에는 과장법(hyperbole)이 활용된 것이 분명합니다. 예컨대, 모욕을 받고 나서 더 진전된 모욕을 자청하는 것이나, 겉옷을 빼앗는 것이 구약 시대에 인도적인 견지에서 금한 항목(출애굽기 22:25-27)인데도 그런 비인도적인 피해를 자청한다는 게 말이 안 되지요. 이 가르침을 준 예수님도 그렇게 처신하지 않았습니다. 요한복음 18:22-23 에 보면 대제사장에게 심문받던 예수님을 한 경비병이 때리자 더 쳐보라고 머리나 몸을 더 내밀지 않고 바로 그 부당함에 항의하지요. 예수님은 우리가 'doormat', 즉 '학대받아도 가만히 있는 사람'이 되길 원하지 않습니다. 게다가 우리에게 강제하면서 우리 시간과 노력을 좀먹는 악인에게 더 많은 시간과 노력을 자원해서 내주는 것이나, 우리에게 무언가 의수히 빌리려는 악인에게까지 묻지도 따지지도 않고 다 내어주라는 말은 삶을 포기하라는 말과 다름없습니다. 이것들은 분명 같은 장에서 이미 언급된 '오른 눈 빼어 내기'나 '오른손 찍어 내기'(5:29-30 절)와 같은 차원의 권면일 것입니다. 그 권면의 의도가 조만간 우리가 모두 불구자 되기를 전망하는 것이 아니듯이, 위의 4 가지 사례들도 융통성 없이 사무적이고도 문자적으로(with wooden, unimaginative literalism) 수용하라는 뜻이 아니겠지요. 예수님은 바리새인이 시도할 법한 법적 엄정함으로 말하기보다는 지혜로운 교사가 사용할 법한 과장법을 공생애 내내 수도 없이 구사했기 때문입니다.

그러니까 이런 과장법 표현을 문자 그대로 실행하느냐, 실행하지 않느냐를 따지는 것은 지극히 피상적인 독해일 수밖에 없습니다. 그 대신 그 표현들 속에 내포된 예수님의 의도를 읽는 게 무엇보다 중요하겠지요. 그 4 가지 표현들 모두 '개인적인 보복 절대 불가'를 극적으로 천명합니다. 즉 우리의 오른 눈이나 오른손을 손상하는 한이 있더라도 오른 눈과 오른손으로 절대 범죄 하지 말라는 것이 예수님의 의도였듯이, 왼뺨을 돌려대고 겉옷까지 내어주고 10 리까지 가 주며 무조건 퍼 주는 한이 있더라도 우리에게 악을 행한 자에게 절대 보복하지 말라는 것이 예수님의 뜻입니다.

38-42 절의 '보복 불가'가 예수님의 소극적인 제안이었다면, 이어지는 5:43-48 에서 예수님은 적극적인 권면을 펼칩니다. 한마디로 "너희 원수를 사랑하라"(love your enemies, 44 절)입니다. 왼쪽 뺨도 돌려대라는 예수님의 권면이 노자와 붓다가 지적한 가르침이라며 평가절하하던 러셀에게 묻고 싶습니다. 자기 원수를 사랑하라는 교훈을 어디에선가 접한 적이 있느냐고. 이것은 인류 역사상 전무후무한 가르침입니다. 이 엄청난 선언이 눈앞에 드러나 있었지

만, 러셀은 그냥 지나쳐 버렸습니다. 아마도 말도 안 되는 교훈의 연속이라고 생각해서 이 '중대 선언'을 주목할 필요를 느끼지 않았거나, 잠깐 주목했어도 그건 과장법이라고 치부해 버렸겠지요. 심지어 그리스도인 중에도 이런 실수를 범하는 경우가 허다하니까요. 앞에서 등장한 4 사례들은 말도 안 되는 사례라고 단정하면서 그것들 속에 담긴 교훈[보복 절대 불가]을 간과하는 한편, 이 '중대 선언'은 과장법이라고 치부하여 그 의미[적극적인 사랑]를 축소하는 실수 말입니다. 예수님의 가르침의 핵심이 "네 이웃을 네 자신 같이 사랑하라"(마태복음 22:39)라는 말씀에 담겨 있다고 모든 그리스도인이 고백합니다. 그렇지만 '네 이웃' 중에는 반드시 '원수'라는 대상도 포함됨을 잊어선 안 됩니다. 5:43-44 절 말씀이 이 진실을 열어 밝힙니다. "또 네 이웃을 사랑하고 네 원수를 미워하라 하였다는 것을 너희가 들었으나 나는 너희에게 이르노니 너희 원수를 사랑하며 너희를 박해하는 자를 위하여 기도하라"

결국 러셀은 나무만 보고 숲은 보지 못하는 어리석음을 범한 셈입니다. 존 스토트가 지적한 대로 5:38-42 절에서 "수동적인 보복 절대 불가"(Passive non-retaliation)를 권면한 데 이어 43-48 절에서 "적극적인 사랑"(Active love)을 천명하고 있는 예수님 교훈의 숲은 간과한 채, 39 절과 42 절 두 사례를 들어 예수님의 가르침이 진부할 뿐 아니라 그리스도인들이 불이행하는 원리에 불과하다고 깎아내리고 있지요. 이런 상황에서 유머러스한 상황을 창작해 내기도 합니다. 즉 자기는 39 절에 근거해서 당시 신실한 그리스도인이었던 영국 총리(아마도 스탠리 볼드윈이었을 것)에게 가서 그의 한쪽 뺨을 치라는 조언은 하지 않는다면서, 그 이유를 그가 그 말씀을 비유적인 의미로 여기고 있을 것이기 때문이라고 하지요. 앞으로 갈수록 더 드러나겠지만, 러셀은 이 글 속에서 특정 성구를 언급하면서 그 문맥이나 성경 전체의 흐름을 따지는 경우가 없습니다. 그래서이겠지요. "왜 나는 기독교인이 아닌가?"라면서 그가 제시한 이유라는 게 하나같이 허공을 치기 일쑤입니다.

"비판하지 말라"(마태복음 7:1)를 탁월한 가르침으로 인용하면서도, 그 이유를 밝히는 대신에 그것이 기독교 국가의 법정에서 인기가 없다는 점과 자기가 아는 많은 판사 중 아무도 그 가르침에 역행한다고 느끼지 않는다고만 지적합니다. 그 구절이 재판하는 법정의 판사들을 가리키는 게 아니라, 그리스도인 사이에서 서로에 대한 개인적인 책임에 대해 지적하고 있다는 점은 그 문맥이 밝히 드러내고 있지요. 가혹하고 지나치게 비판적인 검열관처럼 굴거나(1-2 절), 자기는 너그럽게 봐주면서도 남을 책망하는 데 발 빠른 위선자처럼 굴지도 말며(3-4 절), 먼저 자신을 교정한 후에 남의 허물을 바로 잡아 주는 형제(5 절)가 되라는 문맥이지요(존 스토트). "네 소유를 팔아 가난한 자들에게 주라"(마태복음 19:21)라는 가르침을 인용하는 것도 마찬가지입니다. 자신의 많은 재물이 우상이 되어버린 '특정한'('모든'이 아니라) 부자 청년에게 제시한 예수님의 '특수한'('보편적'이 아니라) 명령이라는 문맥이 고려되거나 언급되지 않은 채, 그저 탁월한 가르침이지만 많이 실행되지 않는 것이라고만 언급하지요. 그에게서 한 수 배워보겠다고 시작한 이 작업이 여간 실망스럽고 당혹스러운 게 아닙니다.

2.3. 그리스도의 가르침에 존재하는 결점들(Defects in Christ's Teaching)

러셀은 이 항목에서 예수가 역사상 존재했는지가 아주 의심스럽다면서 만일 그렇다고 하더라도 그에 대해 알 수 있는 것은 아무것도 없다고 단정하지요. 그래서 역사적인 문제는 차치하고, 복음서에 존재하는 그리스도의 언급 중 최고의 지혜로 인정할 수 없는 것들을 예로 들었습니다. 우선 예수가 그 당시에 살아 있던 사람들이 죽기 전에 자기의 재림이 영광 중에 이루어질 것이라고 믿었다고 단정했습니다. 그 사실을 증명하는 많은 구절이 있다면서, 그가 인용한 구절 두 가지가 있지요.

"이스라엘의 모든 동네를 다 다니지 못하여서 인자가 오리라"(마태복음 10:23)

"여기 서 있는 사람 중에 죽기 전에 인자가 그 왕권을 가지고 오는 것을 볼 자들도 있느니라"(마태복음 16:28)

　예수의 초기 제자들도 그렇게 믿었다면서, 바로 이 사실이 예수의 많은 도덕적인 가르침(moral teaching)의 근간을 이룬다고 역설했습니다. 그러면서 한 구절 더 예로 들지요. "내일 일을 위하여 염려하지 말라"(마태복음 6:34)라는 말씀입니다. 러셀은 예수가 재림이 가까웠기 때문에 모든 일상적인 일들이 중요하지 않기 때문에 그렇게 언급했다고 판단합니다. 한 발 더 나아가 초기 그리스도인들은 그리스도로부터 재림이 임박했다는 점을 듣고 수용했기 때문에, 예컨대 정원에 나무를 심는 것과 같은 일도 삼갔다고 강변합니다. 그러면서 이 점에서 그리스도는 다른 사람들만큼 지혜롭기는커녕 가장 지혜로운 자가 될 수 없다고 결론짓지요.

-----〉이 대목에서 러셀의 근본적인 문제가 등장합니다. 역사적으로 예수님은 그 존재 자체가 의심스러우며 그에 대해 알 수 있는 것은 아무것도 없다고 러셀이 단언하는 대목입니다. 그러면서도 복음서 이야기를 그대로 받아들여 그 속에 나타난 예수님의 모습에 진지한 관심을 표명하고 있다고 언급하지요. 그런데 러셀이 예수님의 역사성을 반박하면서 내놓은 증거는 무엇일까요? 아무것도 없습니다. 예수님이 역사적 인물로 존재했다는 것은 그리스도인이든 아니든 거의 모든 현대 서구 학자들이 보편적으로 인정하는 사실인데도, 어떻게 이렇게 무모한 주장을 입에 담고 글로 기록할 수 있을까요? 예컨대 고고학자이자 듀크 대학교의 유대교학 명예 교수인 에릭 마이어스는 한마디로, "나는 예수의 역사성을 의심하는 주류 학자를 알지 못한다."라고 지적합니다. "세부 사항은 수 세기 동안 논쟁의 대상이 되어 왔지만, 진지한 사람이라면 누구도 예수가 역사적 인물이라는 점을 의심하지 않는다."라고 덧붙이지요. 독일의 무신론자 신약 학자인 게르트 뤼데만조차도 십자가형으로 예수가 죽은 것은 논쟁의 여지가 없다고 밝혔습니다. 그와 같은 비판적인 역사가가 의심의 여지가 없다고 말하는 고대 역사의 사실은 아주

희귀하기 때문에 예수님의 역사성은 확고하기만 합니다. 사정이 이러하니 러셀의 입장에 동조할 서구 학자를 찾기란 하늘의 별 따기입니다. 굳이 찾아보자면, 역사적인 예수는 존재하지 않지만, 바울이 예수 신화(a Jesus myth)를 개발하기 위해 허구적인 지상 '역사'를 창조해 내는 게 필요했다고 끈질기게 주장하는 G. A. 웰스의 목소리만 외롭게 울릴 뿐입니다.

-그리스도교 내부 자료-

예수 그리스도의 역사성 문제에 대한 우리의 논증을 진행하기 전에, 역사가들이 활용하는 작동 원리 한 가지를 제시하겠습니다. 미국의 신학자이자 목사인 그레고리 A. 보이드는 "사람들이 일반적으로 상습적인 거짓말쟁이가 아니기 때문에, 일반적으로 역사가들은 역사 자료의 거짓이나 비신뢰성을 증명하는 입증책임은 역사가에게 있다는 전제를 품고 작업한다. 그런 가정이 없었다면, 고대 역사에 대해 우리가 알고 있는 것은 거의 없을 것이다." (리 스토로벨, "예수는 역사다") 예수님의 십자가를 예로 들어 보겠습니다. "예수께서 다시 크게 소리 지르시고 영혼이 떠나시니라"(마태복음 27:50) 기독교인들은 특히 예수님의 십자가 처형이 복음서의 역사적 본문에 근거하기 때문에, 그것의 역사성을 증명할 책임이 없습니다. 오히려 이 예수님의 십자가 처형이 단지 꾸며낸 이야기라는 것을 증명하는 것은 역사가들의 몫입니다.

그러나 이 원리를 완전히 뒤집고는, 기적이 일어났거나 어떤 선언이 예수님에게서 비롯되었다는 것을 기독교인이 확실히 증명해야 한다고 주장하는 "예수 세미나"와 같은 일부 진보적인 신학자들이 존재했습니다. 이는 마치 형사소송법상의 사건에서 검찰이 합리적 의심의 여지가 없는 입증책임을 지고 있음에도 불구하고, 그 책임을 피고인에게 요구하는 경우와 동일합니다. 터무니없고 말도 안 되는 일이지요.

이 원칙을 염두에 두면서, 굳이 그럴 필요는 없지만 기독교 변론 목적으로 복음서의 역사성을 증명해 봅시다. 그것을 증명하기 위해서는, 복음서 본문에 대해 역사성에 관한 3가지 테스트를 적용해야 합니다. (1) 서지학적인 테스트로서, 텍스트의 독창성을 따지는 것입니다. (2) 내부적인 증거 테스트로서, 역사서의 신뢰성을 검토하는 것입니다. (3) 외부적인 증거 테스트로서, 다른 출처에 의해 그 역사서를 확증하는 것입니다.

(1) *서지학적인 테스트.* 이 테스트는 "지금 가지고 있는 텍스트가 원래 기록된 것"인지 여부만 확인하는 것과 관련이 있습니다. 원본 원고가 없기 때문에 다음 질문들을 고려해야 합니다. 얼마나 많은 원고가 살아 남아 있는가? 이러한 사본은 얼마나 신뢰성이 있고 일관성이 있는가? 원본과 현존 사본 사이의 시간 간격은 얼마나 되는가?

신약성경의 필사본 권위에 관해서 말하자면, 그 자료의 풍부함이 다른 고전 본문의 현존 필사본과 극명한 대조를 이룹니다. 투키디데스(기원전 460-400년)가 저술한 "펠로폰네소스 전쟁사"의 경우, 우리가 구할 수 있는 사본은 단 8개뿐이고, 그것들의 연대는 그가 저술한 지 거의 1,300년이 되는 서기 900년경입니다. 헤로도토스의 역사 필사본도 마찬가지입니다. 그것들은 수도 부족하고 기록 연대도 늦습니다. 기원전 343년경에 아리스토텔레스가 저술한 "시학"은 현재 49개의 필사본만 존재합니다. 가장 오래된 사본조차도 서기 1100년(거의 1,400년의 간격)의 것입니다. 호메로스가 쓴 "일리아스"는 현존하는 필사본이 643개에 불과하지만, 그래도 필사본의 권위 면에서는 신약에 이어 두 번째이지요.

이러한 고전 본문의 희소성에 비하자면, 신약의 사본은 2009년 현재 20,000부 이상이 존재합니다. 메츠거가 "신약 자료의 양은 고대의 다른 저작에 비해 거의 당황스러운 수준이다."라고 말한 것은 과장이 아닙니다. 그것들의 원본 저작 일자와 현존하는 가장 오래된 사본 사이의 간격이 너무 적어서 아무도 다음과 같은 스티븐 닐의 주장을 부정할 수 없습니다. "신약에 대해서 우리는 다른 어떠한 고대 작품보다 훨씬 더 우월하고 신뢰성 높은 사본을 가지고 있다." 초기 파피루스 사본의 예를 들어 보자면 이렇습니다. AD 130년에 기록된 존 라일랜즈 사본, AD 155 년에 기록된 체스터 비티 파피루스, AD 200 년에 기록된 보드머 파피루스와 같은 것들이 존재하지요. 이 사본들이 그리스도 시대와 현존하는 후기 사본 사이의 간격을 메웠습니다. 그러므로, 프레드릭 케년 경이 언급한 대로, "신약성경의 신빙성과 일반적 완전성은 모두 최종적으로 확립된 것으로 간주될 수 있습니다." F. F. 브루스는 이중 잣대가 작동되고 있다고 주장합니다. "어떤 고전학자도 현재 우리가 사용 중인 헤로도 토스나 투키디데스의 초기 사본들이 원본보다 1,300 년 이상의 것이므로, 그 진위가 의심스럽다는 주장에 귀를 기울이지 않으려 하기 때문입니다."(Josh D. McDowell, "More Than a Carpenter")

(2) *내부적인 증거 테스트*. 이 테스트는 원본 기록이 신뢰할 수 있는지뿐만 아니라 어느 정도 신뢰할 수 있는지를 결정하는 것과 관련이 있습니다. 역사 및 문학 영역을 연구할 때는, "호의적인 해석은 문서 자체에 부여되어야 하는 것이지, 비평가가 가로채서 자신의 것으로 삼을 수는 없다."라는 아리스토텔레스의 선언을 따라야 합니다. 이 말은 비평가들이 호의적인 해석을 자기 것으로 주장할 수 없고 도리어 문서 자체가 그것을 자기 것으로 주장할 수 있다는 지극히 정당한 진술입니다. 다른 말로 하자면, 변증가 존 W. 몽고메리가 언급한 대로, 사실적 부정확성이나 모순이 저자의 자격을 박탈하지 않는 한, 역사적 문서의 주장 속에 오류나 사기가 있다고 가정해서는 안 된다는 말입니다. 앞서 언급한 그레고리 A. 보이드의 진술도 같은 점을 지적하고 있습니다.

진실을 말할 수 있는 증인의 능력은 기록된 사건에 대해 증인이 지리적으로나 시간상으로 얼마나 근접해 있었는가에 의해 결정됩니다. 이 원리를 예수님의 생애와 가르침에 관한 신약성경의 기록에 적용하면, 그 저자들이 진리를 말할 수 있는 놀라운 능력을 이해할 수 있습니다. 그들은 그리스도의 가르침이나 실제 사건의 목격자였거나, 그리스도의 사도들로부터 비롯된 것으로서 그들 사이에서 회람된 목격자들의 보고 내용을 주의 깊게 조사했습니다(누가복음

1:1-3, 요한일서 1:1-3). 이에 덧붙여, 그리스도에 대한 이러한 설명은 그 저자들과 동시대에 살았던 사람들의 평생에 잘 알려져 있었습니다. 그 동시대인들은 그 기록의 정확성을 확인하거나 반박할 수 있는 위치에 있었습니다. 그렇기 때문에 사도 바울은 자기 청중들에게 그리스도에 관한 일반적인 지식을 일깨워 줌으로써, 그들이 복음에 대한 자기 설명을 받아들이도록 확신을 품고 설득했습니다 (사도행전 2:22, 26:24-26). 더욱이 F. F. 브루스가 언급한 대로, "제자들은 부정확성을 감수할 여유가 없었습니다[사실을 고의로 조작하는 것은 말할 것도 없고]. 그렇게 하기를 너무 좋아하는 사람들이 그 사실을 즉시 폭로할 수 있었기 때문이지요."

누가복음이 그 적절한 예가 됩니다. 누가의 역사적 정확성을 인정하는 사람 중에는 자유주의적인 학자들과 보수적인 학자들이 많이 포진해 있습니다. 존 맥레이가 언급한 대로입니다. "그는 박학하고, 설득력이 있고, 그의 헬라어는 고전적인 품격을 갖추고 있으며, 그의 글에는 학자의 풍모가 있다. 거듭된 고고학적인 발견에 따르면 누가는 자기가 말해야만 했던 것에 대해 정확하다." 특히 독일 역사학파에 소속된 학자로서 위대한 고고학자 중 한 사람인 윌리엄 램지 경이 누가의 저작의 탁월성을 인정한 것은 놀라운 일입니다. 초기에 그는 사도행전이 서기 50 년이 아니라 서기 2 세기 중반의 산물이라는 현대적 비판에 영향을 받아 소아시아사 연구에서 주목할 만한 책이라고 생각조차 하지 않았습니다. 그의 조사가 한창 진행됨에 따라, 그는 누가의 저작물의 가치를 인정하고 그 역사적 세부 사항이 세심하게 정확성을 유지하고 있다는 점을 인정하지 않을 수 없었습니다. 급기야 "누가는 일류 역사가이다. (…) 이 저자는 가장 위대한 역사가 중 한 사람으로 자리 잡아야 한다."라고 결론지었습니다. 마침내 그는 사도행전이 2 세기가 아니라 1 세기 중반에 속함을 인정했는데, 이것은 "세부 사항에 대한 책의 정확성"에 근거한 것입니다.

(3) *외부적인 증거 테스트.* 이 테스트는 "다른 역사적 자료가 문서 자체의 내부 증언을 확인하거나 부인하는지"를 판단하기 위한

것입니다. 저는 영화 "God's Not Dead 2"에 나오는 법정 장면의 인용문이 복음서 기록에 관한 외부 증거의 규모를 나타내기에 충분할 것이라고 믿습니다. 영화 속에서 "예수는 역사다"의 저자인 리 스트로벨은 세속 역사가들의 확증을 언급함으로써 복음서의 신뢰성을 변호합니다. 한 변호사에게서 "제가 예수 그리스도의 존재를 증명하도록 도와 주시겠습니까?"라는 질문을 받았을 때, 리 스트로벨은 BC와 AD의 구분을 지적하며 다음과 같이 말합니다.

리 스트로벨: 그 외에도 역사가 게리 해버마스는 예수에 대한 39개의 고대 자료를 나열합니다. 그중에서 그는 삶에 대한 가르침, 십자가 처형 및 부활에 관한 100개 이상의 보고된 사실들을 열거하고 있습니다. 사실상 예수의 처형에 대한 역사적 증거는 너무나 강력하여 세계에서 가장 유명한 신약 학자 중 한 사람인 독일의 게르트 뤼데만은 십자가형의 결과로 예수가 죽은 것은 의심의 여지가 없다고 말했습니다. 게르트 뤼데만과 같은 비판적인 역사가가 논쟁의 여지가 없다고 말하는 고대 역사의 사실은 아주 희귀합니다. 그중 하나가 바로 예수 그리스도의 처형이지요.
변호사: 실례합니다만, 당신은 신자가 아니십니까?
리 스트로벨: 말씀하신 대로 성경을 믿는 기독교인입니다.
변호사: 그러면 이 점 때문에 예수가 존재했을 가능성을 추정하는 과정에서 부풀리게 되지 않습니까?
리 스트로벨: 그렇지 않습니다. 부풀릴 필요가 없으니까요. 우리는 성경 이외의 비기독교 자료에서 예수에 대한 기본 사실을 재구성할 수 있으며, 게르트 뤼더만은 무신론자입니다. 다른 말로 하자면, 기독교에 전혀 호의적이지 않은 출처를 통해서만으로도 예수의 존재를 증명할 수 있다는 것입니다. 불가지론적 역사가인 바르트 에르만은 우리가 좋든 싫든 예수가 존재했다고 말했습니다. 저는 그것을 이렇게 풀어 설명합니다. 예수의 존재를 부인한다고 해서 그 증거들이 사라지는 것은 아닙니다. 그것은 다만 아무리 많은 증거가 있어도 당신을 설득할 수 없을 것이라는 점을 증명할 뿐입니다.

-성경의 궁극적 권위-

그렇지만 기독교인들이 성경의 궁극적인 신뢰성을 믿는 또 다른 이유가 있습니다. 우리가 성경이 신성한 영감과 궁극적인 권위를 가지고 있음을 믿는 것은, 교회의 가르침이나 그 저자나 독자의 주장 때문이 아니라 바로 예수 그리스도의 말씀 때문입니다. 존 스토트가 언급한 대로, 그리스도께서 성경의 권위를 승인하셨기 때문에, 기독교인들은 그리스도의 권위와 성경의 권위가 "함께 서거나 함께 무너진다"라고 결론을 내릴 수 있습니다. 이런 추론은 일부 비평가들이 순환 논증이라고 반박하는 것입니다. 즉 다음의 예들과 같이 양쪽 주장이 사실상 같은 주장을 하고 있다는 것이지요. '모든 이들이 BTS를 사랑한다. 왜냐하면 그들이 인기가 많기 때문이다.' / '그 법을 준수해야 한다. 왜냐하면 그 법을 어기는 것은 불법이기 때문이다.' / '미국은 살기에 가장 좋은 곳이다. 왜냐하면 그곳이 그 어느 나라보다 살기 좋은 곳이기 때문이다.' 그러나 성경의 경우는 다른 차원에 있고, 주의 깊게 조사해 보면 다른 이야기가 전개됩니다. 우리는 처음부터 성경이 하나님의 영감으로 형성되었다고 그리스도께서 말씀하셨기 때문에 성경에 접근하지 않습니다. 대신에 우리는 그것을 그리스도에 대해 제 1 세대 기독교인들이 증거한 내용을 포함하는 역사적 문서가 편집된 것으로만 읽습니다. 그것이 신성한 영감으로 형성되었다고 간주할 필요가 없습니다. 그러나 그것을 읽어 가면서, 우리는 점차 그리스도를 믿는 신앙을 갖게 됩니다. 그러나 우리가 신뢰하는 그리스도께서는 성경의 권위를 인정하시면서, 우리 안에 성경에 대한 새로운 이해를 심어 주십니다. 이제 우리는 성경이 하나님의 영감을 받았다는 확신을 품은 채 성경으로 돌아가는 것이지요.

   설령 이런 논의가 일종의 순환 논증이라고 치더라도, 성경의 권위나 신빙성에 대한 우리의 입장을 옹호할 필요는 없습니다. 지금까지 많은 학자들이 주장한 것처럼, 이러한 종류의 순환성은 세계관이나 궁극적인 헌신의 문제를 다룰 때 피할 수 없는 문제이기 때문입니다. 존 프레임이 지적한 바와 같이, 합리주의자들이 이성에 호소함으로써 그들의 합리주의를 옹호하는 것과 똑같이, 기독교인들은 성경적 틀에 호소함으로써 기독교 세계관을 주장합니다. 이런 사정은 경험론자들이 감각 경험에 호소함으로써 경험론을 옹호해야 하는 처지에 놓인 것과 마찬가지입니다. 존 프레임이 지적한 대로, "철학과 삶의 모든 부면에서 사정이 그러합니다." 그리고 레슬리 뉴비긴이 언급한 대로, "이 순환성은 모든 근본적인 사고의 특색입니다." 그렇기 때문에 우리가 할 수 있는 최선은 왜 우리의 근본적인 생각이나 세계관이 삶의 모든 측면에서 우리에게 의미가 있는지 다른 사람들에게 보여주는 것입니다. 아마도 이것이 C. S. 루이스가 다음과 같은 말을 할 때 의도한 요점일 것입니다. "내가 해를 볼 수 있기 때문만이 아니라, 그것으로 모든 다른 것들을 보기 때문에 해가 떴다는 것을 믿듯이 나는 기독교를 믿는다."

-그리스도교 외부 자료-

여기에서는 예수님의 역사성에 대해 그리스도교 외부에서 발견할 수 있는 자료 몇 가지만 더 소개하겠습니다. 이미 언급한 역사가 게리 해버마스가 "역사적인 예수"(The Historical Jesus)의 한 장에서 이 주제에 대해 나눈 것 중에서 고른 내용입니다.

■**타키투스(Tacitus, 56-117).** 고대 세계에서 가장 정확한 역사가 중 한 명으로 꼽히는 로마의 타키투스는 자기가 네로 황제의 소행이라고 비난한 로마의 대화재에 대해 이렇게 언급합니다.

"결과적으로 네로는 그 보고서를 없애기 위해, 죄를 덮어씌워 대중이 그리스도인(Christians)이라고 부르는 가증한 혐오스러운 계급에게 가장 절묘한 고문을 가했다. 그 이름의 유래가 된 크리스투스(Christus)는 티베리우스 통치 기간 총독 중 한 명이었던 본디오 빌라도의 손에 극심한 형벌을 받았으며, 이렇게 잠깐 억제된 가장 독버섯 같은 미신이 악의 근원인 유대뿐 아니라, 세계 각지에서 비롯된 끔찍하고 수치스러운 모든 것들이 활동을 펼칠 중심이 되어

인기를 끄는 로마에서도 다시 발발했다."["연대기"("Annals"), 15:44]

　여기에는 본디오 빌라도 치하에서 '극형'을 받은 크리스투스(그리스도를 뜻하는 라틴어)와 그의 이름을 딴 그리스도인들에 대한 언급이 포함되어 있습니다. 유대에서 시작되어 로마로 전파된 그 '미신'은 예수님의 부활이었을 가능성이 높지요.

　■**요세푸스**(Josephus, 37/38-97). 플라비우스 요세푸스는 유대인 혁명가였지만 유대인 반란 때 로마에 충성하기로 하고 목숨을 구한 인물입니다. 그는 역사가가 되어 네로의 뒤를 이은 베스파시아누스 황제의 후원을 받아 일했습니다. 90년대 초에 쓰인 그의 책 "유대 고대사"("Antiquities")에는 흥미로운 두 구절이 있습니다. 첫 번째는 "그리스도라 불린 예수의 형제"(20:9)인 야고보를 언급한 것이고, 두 번째는 훨씬 더 명백하면서도 논란의 여지가 있는 내용입니다:

"이 무렵에 예수라는 지혜로운 사람이 있었다. 그를 사람이라고 부르는 것이 합당하다면 말이다. 왜냐하면 그는 놀라운 업적을 이룬 사람이었기 때문이다. (...) 그는 그리스도였다. (...) 그는 신성한 선지자들이 이것들과 그에 관해 만 가지나 되는 놀라운 일들을 예언한 대로 제 3일에 다시 살아나서 그들에게 나타났다." ("유대 고대사", 18:3)

　그리스도교적인 맥락 밖에서 살았던 요세푸스가 예수님에 대해 이런 말을 했을지 의심스러워 한 학자들이 많았습니다. 이러한 우려에도 불구하고 그 본문 대부분을 진본으로 받아들이는 데에는 여러 가지 합당한 이유가 있습니다. 예수님을 언급한 것에 대해 만족할 만한 원문상의 증거가 있고, 이 본문이 요세푸스의 문체로 기록되었을 뿐 아니라 문법적으로나 역사적으로나 문맥에 맞고, 그 중 몇 단어는 그리스도인에게서 나온 것이 아닐 가능성이 높으며, 이 책 20 장에서 예수님에 대해 언급한 것이 위의 언급 내용을 전제로 하는 것으로 보이기 때문입니다.

■정부 관리. 그리스도인이 아닌 다른 출처로는, 직업상 일반인이 알 수 없는 공식 정보를 얻을 수 있는 독특한 위치에 있던 고대 정부 관리들이 있습니다. 두 사람의 기록을 살펴보겠습니다.

(1) 소(小) 플리니우스(Pliny the Younger, 61-113). 로마의 작가이자 행정가였던 소(小) 플리니우스는 112 년경 트라야누스 황제(Emperor Trajan)에게 보낸 편지에서 초기 그리스도교 예배 관습에 대해 이렇게 설명합니다:

"그들은 어느 일정한 날에 날이 밝기 전에 모이는 습관이 있었는데, 그때 그들은 신에게 하듯이 그리스도에 대한 찬송을 번갈아 가며 불렀습니다. 그들은 맹세함으로써 자기들을 결집시켰습니다. 이는 어떤 범죄 행위를 하기 위함이 아니라, 사기나 절도나 간통을 하지 않기를, 약속을 지키고, 위탁받은 물건을 내놓도록 요구받을 때 거절하지 않기를 서약하는 것이었습니다. 그 후에는 흩어졌다가 다시 모여 음식을 먹되 평범하고 무해한 종류의 음식을 먹는 것이 그들의 관습이었습니다."["서간집"(Letters), 10:96]

이 본문은 신약성경의 여러 부분을 확증해 줍니다. 가장 주목할 만한 것은 초기 그리스도인들이 예수님을 하나님으로 숭배했다는 사실입니다. 그들의 행위는 또한 예수님의 강력한 윤리를 드러냅니다. 애찬과 성찬에 대한 언급도 있습니다. 같은 편지의 후반부에서 플리니우스는 예수님과 그의 추종자들의 가르침을 "과도한 미신"(excessive superstition)과 "전염성 있는 미신"(contagious superstition)이라고 부르는데, 이는 그리스도교의 믿음과 예수 부활을 선포하는 것을 의미할 수 있습니다.

(2) 트라야누스 황제(Emperor Trajan, 53-117). 이 편지에 대한 답장으로 트라야누스 황제는 그리스도교인 처벌에 대해 다음과 같은 지침을 내립니다:

"이 사람들을 찾아서는 안 되며, 그들이 비난을 받고 유죄가 밝혀지면 반드시 처벌해야 한다. 그렇지만 당사자가 자신이 그리스도인이 아니라고 부인하고 그렇지 않다는 증거를 제시하면(즉, 우리의 신들을 숭배함으로써) 이전에 의심을 받았을지라도 회개했다는 근거로 용서해야 한다."["서간집"(Letters), 10:97]

이것은 초기 로마 정부가 그리스도교를 어떻게 보았는지에 대해 약간의 빛을 비춰줍니다. 그리스도인들은 로마 신을 숭배하지 않았다는 이유로 처벌을 받아야 했지만, 박해에 제한이 없는 것은 아니었습니다.

노만 L. 가이슬러는 이런 증거들을 비롯하여 복음서 기록을 보완하고 확인하는 다양한 비그리스도교 자료들을 소개한 후 다음과 같이 간략히 요약합니다[이것들은 주로 1 세기의 그리스, 로마, 유대, 사마리아 자료에서 나온 것임.]. (1) 예수님은 나사렛 출신이다. (2) 지혜롭고 고결한 삶을 살았다. (3) 유월절에 본디오 빌라도 치하에서 팔레스타인에서 십자가에 못 박혀 유대 왕으로 추대되었다. (4) 제자들은 그가 3 일 후에 죽은 자 가운데서 살아났다고 믿었다. (5) 그의 정적들은 그가 '마술'(sorcery)이라고 부르는 특이한 업적을 수행했다고 인정했다. (6) 그의 작은 제자 무리가 빠르게 번성하여 로마까지 퍼졌다. (7) 그의 제자들은 다신교를 부정하고 도덕적인 삶을 살았으며 그리스도를 신으로 숭배했다. 이런 비그리스도교 자료들은 복음서에 나타난 예수님에 대한 중대한 정보들을 확증해 줍니다.

러셀에 대한 논의를 시작하면서 그리스도인에 대한 그의 정의에 문제가 다분히 있다는 말씀을 드렸습니다. "하나님과 불멸을 신뢰하고, 예수를 신은 아니더라도 최소한 가장 선하고 지혜로운 인간(the best and wisest of men)으로 믿는 자"라는 정의 말입니다. 지금까지 논의한 예수님의 역사성에 비추어 볼 때, 러셀의 이 정의가 과연 성경적으로나 역사적으로 합당한 것일까요? 비성경적일 뿐 아니라 반역사적인 왜곡된 정의에 불과하지요. 초기 그리스도인들이 그토록 가혹한 고난을 감내해야 했던 이유가 예수님을 하나님의 아들, 즉 온 세상을 구원할 유일한 주님으로 믿었기 때문이 아니라 그저 가장 선하고 지혜로운 선생으로 인정하였기 때문이었을까요? 그의 정의에는 예수님을 신성은커녕 역사성이 없는 허구적인 존재로 설정해 두고 그 존재의 선함과 지혜로움의 가치마저도 이리저리 폄훼하려는 의도가 엿보입니다. 결국 "왜 나는 기독교인이 아닌가?"에서 러셀이 다루는 '그리스도'와 '그리스도인'은 허수아비들입니다. 그것들을 향해 그가 열심히 섀도복싱을 하는 것이지요.

-마태복음 6:34 의 의미-

다음으로 러셀이 제기한 세 구절에 대해 상고해 보겠습니다. 이것들을 비롯한 여러 구절에서 밝힌 대로, 예수님은 자기가 당시 제자들의 생애 중에 재림할 것이라고 믿었고 제자들도 그렇게 믿었다는 것입니다. 그러므로 그들은 정원에 나무 심기와 같은 일도 삼가며 살았다는 것입니다. 우선 러셀이 주장하는 대로 "내일 일을 위하여 염려하지 말라"(마태복음 6:34)라는 구절이 예수님이 자신의 임박한 재림 때문에 일상적인 일들이 중요하지 않다는 취지로 권고한 말일까요? 그 구절의 문맥은 도리어 그 반대를 지적하고 있지요. 6:25-34 의 문맥에서 예수님은 제자들에게 '너희의 삶이나 몸에 대해 염려하지 말고 먼저 하나님의 나라와 그의 의를 구하라'(25, 33 절)라고 권고합니다. 25 절을 여는 '그러므로'는 이런 권고의 근거가 그 이전 구절들에 있다는 점을 일러줍니다. 즉 19-24 절에서 이미 썩을 것과 썩지 않을 것, 빛과 어둠, 하나님과 재물(mammon) 중에 각각 어느 것이 상대적으로 유용한가를 파악했으니, 그 분별한 내용을 바탕으로 무엇보다 먼저 하나님의 나라와 하나님의 의를 추구하는 삶을 영위하라고 명령하고 있는 것이지요. 그렇게 되면 제자들이 필요한 모든 것을 하나님이 공급해 주실 것이기에(33 절 하반절), **내일 일을 걱정하지 말라**(34 절)는 것입니다. 여기 어디에 예수님의 임박한 재림에 대한 언급이나 암시가 있나요? 더구나 그것 때문에 일상적인 일은 중요하지 않다는 지적이 있나요? 한마디로 사실무근 혹은 견강부회지요.

신약 속에 예수님의 재림이 임박했다는 구절이 존재하는 게 사실이지만(마태복음 23:33, 야고보서 5:8-9), 그 재림에 대한 기대나 믿음으로 인해 당시 제자들이 일상생활을 제대로 감당하지 않고 살았다는 것은 지나친 억측입니다. 일부 미성숙한 이들이 무절제하게 살면서 일을 만들기도 했지만(데살로니가후서 3:11), 그런 자들에게도 조용히 일함으로 자기 먹을 것을 자기가 벌라는 명령이 주어집니다(3:12). "누구든지 일하기 싫어하거든 먹지도 말게 하라"(데살로니가후서 3:10)라는 것이 바울 사도의 사역 기조였기 때문입니다. 그 정신을 본보이기 위해 그는 누구에게도 짐이 되지 않기 위해, 수고하면서 밤낮으로 일했습니다(데살로니가후서 3:8). 예수님의 재림에 대해 예수님과 사도들이 가르친 내용을 정리해 본다면, 그 핵심은 비록 재림이 임박했지만, 그 정확한 시점은 하나님 외에 아무도 알 수 없고(마태복음 24:36) 마치 도적처럼 임하기 때문에(마태복음 24:43-44) 늘 깨어 신실하게 삶을 영위하라는 것이었습니다(마태복음 24:42, 25:13, 데살로니가전서 4:11-12).

-마태복음 10:23 의 의미-

다음으로 마태복음 10:23("이스라엘의 모든 동네를 다 다니지 못하여서 인자가 오리라")이 과연 러셀이 주장한 대로인지 한번 상고해 보겠습니다. 이 구절은 10:5-23 의 문맥 속에 존재합니다. 이 문맥은 두 부분으로 나눌 수 있습니다. 즉 10:5-15 과 16-23 입니다. 앞부분은 예수님의 갈릴리 사역 맥락 내에서 벌어지는 즉각적인 상황 전개를 다루고 있고, 뒷부분은 사도들이 예수님의 부활 이후에 더욱 광범위한 선교 사역에 참여할 때 전개될 나중 상황을 가리키고 있습니다. 17-18 절을 참고해 보세요. "사람들을 삼가라 그들이 너희를 공회에 넘겨주겠고 그들의 회당에서 채찍질하리라 또 너희가 나로 말미암아 총독들과 임금들 앞에 끌려가리니 이는 그들과 이방인들에게 증거가 되게 하려 하심이라" 밑줄 친 단어들만 주목해 보아도, 5-6절에서 '이방인의 길'이나 '사마리아인의 고을'로 가지 말고 '이스라엘 집의 잃어버린 양'에게 가라는 명령에서는 기대할 수 없는 다른 상황을 다루고 있음을 알 수 있지요. 이제 사도('보냄 받은 자'란 의미)라고 일컬음 받은 제자들에게 국내 선교를 명하시면서, 이에 덧붙여 예수님은 장차 연속될 전 세계적인 선교 과정에서 제자들이 당할 미증유의 고난을 예견하고 경고할 뿐 아니라 위로해 줍니다. 즉 성령께서 내주해 주심으로 도와주실 것과, 결국 온전한 구원이 임할 것을 믿고 끝까지 인내하라고 권고한 것입니다.

이렇게 한 단락 속에 두 가지의 시간대가 연속되거나 중첩된 가르침이 존재한다는 관찰이 타당한 것일까요? 우선은 이 본문의 병행 구절인 마가복음 6:7-13과 누가복음 9:1-6을 보세요. 마태복음 본문의 전반부 내용은 있지만, 그 후반부는 등장하지 않습니다. 그러니까 마태는 서로 비슷한 주제를 가진 내용을 함께 모아 기술하는 방식을 취하고 있는 것이지요. F. F. 브루스에 의하면 이런 것이 마태복음에서는 흔한 일입니다. 마태복음은 아래처럼 각각 비슷한 말로 끝나는(7:28, 11:1, 13:53, 19:1, 26:1을 참고) 5개의 대단락 안에 대부분의 예수님의 가르침을 배열해 두고 있기 때문입니다

(1) 산상수훈(5-7장)의 끝-7:28("예수께서 이 말씀을 마치시매 무리들이 그의 가르치심에 놀라니")
(2) 제자들의 선교에 대한 가르침(10장)의 끝-11:1("예수께서 열두 제자에게 명하기를 마치시고 이에 그들의 여러 동네에서 가르치시며 전도하시려고 거기를 떠나가시니라")
(3) 비유들로 이루어진 장(13장)의 끝-13:53("예수께서 이 모든 비유를 마치신 후에 그곳을 떠나서")
(4) 친교하는 제자들의 삶에 대한 가르침(18장)의 끝-19:1("예수께서 이 말씀을 마치시고 갈릴리를 떠나 요단강 건너 유대 지경에 이르시니")

(5) 서기관들과 바리새인들과 미래에 대한 예수님의 가르침(23-25장)의 끝-26:1("예수께서 이 말씀을 다 마치시고 제자들에게 이르시되")

이 점을 고려한다면, 이 5개의 대단락에서 진행되는 가르침들은 시간의 진행에 따른 내용이라기보다는 주제에 따라 저자인 마태가 배열한 모음집(collections)이라고 보는 게 타당합니다(R. H. 스타인). 지금 다루고 있는 본문의 경우(밑줄 친 부분)도 이런 패턴에 속하지요. '제자들의 선교에 대한 가르침'이라는 주제에 맞게 국내 선교와 확장된 세계적 선교 상황에 대한 예수의 권면이 서로 연속되거나 맞물려 있는 것입니다.

이제 문제는 10:23에서 문자적으로 '이스라엘 동네들을 완결하다'('complete the towns of Israel')라고 번역할 수 있는 표현과 '인자가 오다'('the Son of Man comes')라는 표현의 의미입니다. '이스라엘 동네들'이란 말은 지리적인 표현이므로, '이스라엘 동네들을 완결하다'라는 말은 이스라엘 각 동네에서 복음을 전하는 것을 의미할 것입니다. '인자가 오다'라는 말은 다니엘 7:13["내가 또 밤 환상 중에 보니 인자 같은 이가 하늘 구름을 타고 와서 옛적부터 항상 계신 이에게 나아가 그 앞으로 인도되매"]과 직결됩니다. **인자가 땅으로 오는 것이 아니라, 권세를 받기 위해 하나님께로 나아오는 것**을 의미하지요. 이렇게 해석할 수 있는 것은 예수님이 '인자'라는 특별한 용어(신성과 메시아 직무와 직결된 용어)를 썼고, 자신이 미래에 누릴 영광을 나타내기 위해 '인자가 오다'라는 표현을 자주 사용했기 때문입니다. 예컨대 아래의 마태복음 26:64은 다니엘 7:14을 반영하는 구절로서 예수님이 부활한 후에 자신의 정당성을 인정받으면서 하늘과 땅의 모든 권세를 부여받은 것을 가리킵니다. 아래의 마태복음 25:31은 19:28과 동일한 맥락에서 예수님이 최후의 심판을 집행하게 될 것을 지적하지요.

■마태복음 26:64["예수께서 이르시되 네가 말하였느니라 그러나 내가 너희에게 이르노니 이후에 인자가 권능의 우편에 앉아 있는 것과 하늘 구름을 타고 오는 것을 너희가 보리라 하시니"]
〈---다니엘 7:14["그에게 권세와 영광과 나라를 주고 모든 백성과 나라들과 다른 언어를 말하는 모든 자들이 그를 섬기게 하였으니 그의 권세는 소멸되지 아니하는 영원한 권세요 그의 나라는 멸망하지 아니할 것이니라"]
■마태복음 25:31["인자가 자기 영광으로 모든 천사와 함께 올 때에 자기 영광의 보좌에 앉으리니"]
===19:28["예수께서 이르시되 내가 진실로 너희에게 이르노니 세상이 새롭게 되어 인자가 자기 영광의 보좌에 앉을 때에 나를 따르는 너희도 열두 보좌에 앉아 이스라엘 열두 지파를 심판하리라"]

그렇다면 결국 23절의 관심사는 예수님이 어느 특정 시점에 재림하는가가 아닙니다. 도리어 이스라엘을 포함한 세계 방방곡곡에서 선교는 계속 진행된다는 점과 예수님이 예언된 인자로서 온 세상의 권세를 받게 되는 것이 선교에 중대한 추진력을 공급해 준다는 점에 있다고 할 것입니다(R. T. 프랜스, N. T. 라이트). 먼저 선교의 본질은 영토적인 '오고 감'(from-to)이 아니라, 전 세계 모든 지역과 민족 집단 속과 그것들 너머로 확산해 가는 것입니다(앤드류 월스). 그야말로 동시다발적으로 "예루살렘과 온 유대와 사마리아와 땅끝까지 이르러"(both in Jerusalem, and in all Judea and Samaria, and even to the remotest part of the earth, 사도행전 1:8) 예수님의 증인이 되는 것이지요. 그러니 23절의 문자 그대로, 예수님께서 재림하실 때까지 이스라엘 각 동네에도 복음 전하는 이가 존재할 것입니다. 다음으로 지난 세월 동안 하나님의 선교에 있어 '인자의 오심'이 얼마나 중대한 추진력으로 작동했는지 한번 돌아봅시다. 마태복음 28:19-20에 기록된 '대위임령'(the Great Commission)이 그 사실을 열어 밝히고 있지요. 그 명령 완수의 관건은 하늘과 땅의 모든 권세를 부여받은 예수님(28:18), 즉 하나님 앞으로 '나아온 인자'에게 달려 있다는 것입니다. 이 선교가 마감될 즈음에 인자 예수님이 영광 가운데 재림할 것입니다(마태복음 24:14). 할렐루야!

-마태복음 16:28 의 의미-

다음으로 마태복음 16:28("여기 서 있는 사람 중에 죽기 전에 인자가 그 왕권을 가지고 오는 것을 볼 자들도 있느니라")이 과연 러셀이 말한 대로인지도 간단히 살펴보겠습니다. 이 구절은 16:21-28의 문맥 중에 있습니다. 21 절의 "이때로부터"라는 표현을 통해 예수님의 사명이 결정적 새 국면을 맞게 됨을 일러줍니다. 그 사명의 지리적인 초점은 예루살렘이 되고 그 성격은 십자가와 부활로 규정되므로, 이제부터 예수님은 죽음을 향한 행진에 참여하게 될 것입니다. 그런데 예수님은 자기를 좇는 제자들에게도 십자가를 지고 사는 삶을 기대하시고 명령합니다(24 절). 십자가를 진다는 것은 기본적으로 하나님의 일에 순종하는 것(23 절)이기에, 공개 처형(public execution)의 자리에까지 나아갈 수도 있다는 의미입니다. 제자들에게 다른 길은 존재하지 않습니다. 오직 예수님을 위하여 자기 목숨['프쉬케', '생명'(life) 혹은 '영혼'(soul)이란 의미]을 잃는 길뿐입니다(25 절). 그러면 그 목숨을 다시 찾아 누리게 됩니다. 이 목숨은 온 천하(the whole world)보다 더 소중합니다(26 절). 이러한 진실이 드러날 때가 도래합니다. 바로 인자 예수님이 아버지 하나님의 영광에 싸여 천사들을 거느리고 왕과 심판자로 다시 임하여 제자들의 헌신을 갚아줄 때입니다(27 절). 그다음에 러셀이 언급한 28 절이 등장하지요.

문자적인 번역을 지향하는 영어 성경인 NASB 는 이 구절을 이렇게 번역합니다. "진실로 너희에게 말하노니, 여기 서 있는 사람들 중에는 인자가 자기 왕국에 오는 것을 보고 난 후에 죽을 사람도 있다."(Truly I say to you, there are some of those who are standing here who will not taste death until they see the Son of Man coming in His kingdom.) 앞에서 마태복음 10:23 에 대해

논의할 때 다룬 내용과 유사한 상황이 소개되고 있지요. '인자가 자기 왕국에 온다'는 것은 그가 부활 이후에 하나님으로부터 왕권을 부여받는 상황을 가리키고 있습니다. 즉 부활하신 "예수께서 나아와 말씀하여 이르시되 하늘과 땅의 모든 권세를 내게 주셨으니"(마태복음 28:18)라고 밝히 드러낸 대로입니다. 결국 예비적인 의미에서는 제자들이 그다음 주에 일어날 예수님의 변모 사건(trans-figuration, 17:1 이후 참조)을 통해 '인자가 자기 왕국에 온다'는 것을 맛보겠지만, 더욱 완전한 의미에서 그 전모는 예수님의 부활, 승천 및 천국 통치에서 밝히 드러날 것입니다.

이상에서 러셀이 '그리스도의 가르침에 존재하는 결점들'이라는 항목에서 논의한 내용을 상고해 보았습니다. 신구약을 꿰뚫는 안목과 신학적 지식이 없이는 그 의미를 파악하기 힘든 성구들을 경솔하게 다루고 피상적으로 해석하는 그의 견강부회가 놀랍습니다. 더구나 절대다수의 서구 학자들도 인정하는 예수님의 역사성을 어벌쩡하게 부인한 채, 4복음서와 같은 역사적 저술이 버젓이 존재하는데도 그에 대해 알 수 있는 것은 아무것도 없다고 강변하는 그의 무모함을 어떻게 이해해야 할지 난감할 뿐입니다. 아마도 후자의 무모함이 전자의 견강부회의 원인이었을 듯합니다. 예수님을 허구적인 인물로 이해했으니 그를 소개하는 복음서도 소설처럼 읽었을 테지요. 사실상 소설도 그렇게 독해하면 안 되지요. 그 속에 등장하는 중요한 용어나 표현에 주의를 기울이고, 다층적인 문맥을 통해 인물과 사건의 의미를 짚어 가고 헤아려 가야 하지요. 그렇게 다변적인 문맥의 존재 덕에 소설이 개연성 있는 진실을 드러낼 수 있으니까요. 러셀의 명성에 거품이 잔뜩 껴 있다는 느낌을 지울 수 없습니다.

2.4. 도덕적인 문제(The Moral Problem)
이 항목에서 러셀은 그리스도에게 한 가지 가장 심각한 결점이 있다고 지적합니다. 그것은 그리스도가 지옥을 믿었다는 점입니다. 자비심이 심오한 사람이라면 영원한 형벌(everlasting punishment)

을 믿을 수 없겠지만, 그리스도는 영원한 형벌을 진정으로 믿었고 자기 가르침에 귀 기울이지 않는 사람들에게 거듭 보복적인 분노(a vindictive fury)를 가했다면서 이것은 최고의 탁월성이라고 볼 수 없다는 것입니다. 이런 그리스도의 태도는 소크라테스와 비교된다면서, 소크라테스는 자기의 말을 듣지 않는 사람들에게 화를 내지 않고 훨씬 현인답게 온화하고 우아한 태도를 보였다고 주장하지요. 그리스도의 이런 면모를 드러내는 것으로 아래의 첫 두 구절을, 그의 심판 장면이 담긴 것으로 그다음 세 구절을 더 인용합니다.

"뱀들아! 독사의 새끼들아! 너희가 어떻게 지옥의 심판을 피하겠느냐?"(마태복음 23:33)
"누구든지 말로 성령을 거역하면 이 세상과 오는 세상에서도 사하심을 얻지 못하리라"(마태복음 12:32)
"인자가 그 천사들을 보내리니 그들이 그 나라에서 모든 넘어지게 하는 것과 또 불법을 행하는 자들을 거두어 내어 풀무 불에 던져 넣으리니 거기서 울며 이를 갈게 되리라"(마태복음 13:41-42)
"저주를 받은 자들아 나를 떠나 마귀와 그 사자들을 위하여 예비된 영원한 불에 들어가라"(마태복음 25:41)
"만일 네 오른손이 너로 실족하게 하거든 찍어 내버리라 네 백체 중 하나가 없어지고 온몸이 지옥에 던져지지 않는 것이 유익하니라"(마태복음 5:30)

이런 구절을 언급하면서, 러셀은 지옥 불이 죄에 대한 형벌이라는 교리는 잔인한 교리(a doctrine of cruelty)로서 이 세상 속에 잔인함을 초래했고 이 세상에 잔인한 고통을 겪는 세대를 안겨주었다면서, 그의 복음서 저자들이 그를 표현한 대로 이해한다면 그리스도가 이런 상황에 대해 부분적으로 책임을 져야 한다고 강변합니다. 그 후에 덜 중요한 내용이라면서 두 가지 상황을 더 언급합니다. 2천 마리 돼지 몰살 사건(마태복음 8:28-34)과 열매 맺지 않는 무화과나무가 저주받은 사건(마가복음 11:12-21)입니다. 마귀들을 돼지 속으로 보내기로 선택한 것은 그 돼지들에게 불친절한 처사였고, 제철이 되지 않았다고 무화과를 저주한 것은 아주 흥미로운 이야기라고 논평합니다. 그러면서 러셀은 지혜나 미덕의 차원에서 그리스도가 역사상 다른 인물들만큼 높은 위치를 점할 수 없다고 느낀다면서, 자기는 붓다와 소크라테스를 예수보다 우위에 두어야 한다고 주장하지요.

----> 이미 살펴본 대로, 성경은 예수님이 부활한 이후에 하늘과 땅의 모든 권세를 부여받았을 뿐 아니라, 장차 온 세상을 심판하게 된다는 점을 밝히고 있습니다. 그 심판의 결과 영생을 누릴 사람과 지옥에 처하게 될 사람이 나뉩니다. 이 항목에서는 우선 지옥에 대한 예수님의 가르침부터 다루어 보겠습니다. 성경에서 정죄 받은 죄인이 지옥에서 처하게 될 운명을 다룰 때 가장 중요한 두 가지 문제는 형벌의 성격과 지속 기간에 관한 것입니다. 첫째, 지옥에 관한 성경의 이미지를 문자 그대로, 혹은 비유적으로 받아들여야 하느냐는 것입니다. 둘째, 저주받은 자들이 지옥에서 끝없이 고통을 받는가, 혹은 결국 존재하지 않게 되느냐는 것입니다. 이 두 문제를 다루는 데 있어 역사적으로 세 가지 입장이 두드러졌습니다.

-지옥에 대한 성경의 가르침-

첫째, **문자적 해석**(a literal interpretation)을 지지하는 사람들입니다. 그들은 지옥에 대한 성경의 가르침이 회개하지 않는 자들이 의식적으로 영원한 고통을 겪는 물질적 불의 장소를 묘사한 것으로 이해합니다. 즉 그들의 육체는 영원히 불타고, 깊은 어둠 속에서 영원히 벌레에게 먹히며, 고통, 공포 및 슬픔 속에서 통곡할 것입니다. 예수님이 다른 어떤 성경 인물보다 지옥에 대해 더 많이 말씀하셨다고 지적하면서[마태복음 5:22, 10:28, 13:42, 50, 18:9, 22:13, 25:41, 마가복음 9:47-48, 데살로니가후서 1:9, 유다서 1:7, 15 참조], 하나님이 자신의 거룩함과 공의에 비추어 정당한 심판으로 저주받은 자에게 이러한 육체적 고통을 가하신다고 주장합니다. 이러한 문자적 해석은 기독교 전통에서 다수의 견해로, 테르툴리아누스, 아우구스티누스와 같은 교부들과 18 세기 개신교 신학자 조나단 에

드워즈의 명시적인 지지를 받았습니다. 그렇지만 전통적 해석이 중요한 역할을 하지만, 성경의 해석 문제를 결정하는 최종적인 중재자(the final arbiter)가 될 수는 없지요.

둘째, **은유적인 견해**(a metaphorical view)를 지지하는 사람들입니다. 그들도 지옥이 실재하는 장소라고 주장하지만, 지옥의 상징을 문자적으로 해석하는 것은 오도된 것이며 성경적 주장의 진정한 의미를 정당하게 파악한 것이 아니라고 경고합니다. 그 상징들은 형벌의 정확한 성격보다는 임박한 심판의 심각성과 그에 수반되는 지옥의 공포를 전달하기 위한 것이었다고 보지요. 이 지지자들은 특히 '불붙는 못'의 이미지(요한계시록 19:20, 20:10-15, 21:8)와 완전한 어둠의 이미지(마태복음 8:12, 22:13, 25:30) 사이의 불일치에 주목합니다. 그들이 주의를 기울이는 중요한 점은, 그 이미지들이 지옥이란 곳을 회개하지 않은 사람들이 하나님의 존재로부터 영원히 버려진 채 의식적이고 지속적인 고통을 당하는 현실로 그림으로써 사람들을 진지하고 사려 깊게 해 준다는 점입니다. 이러한 해석은 16세기 개혁자 장 칼뱅, F. F. 브루스 및 빌리 그레이엄의 지지를 받았습니다.

셋째, '**영혼절멸론**'(annihilationism) 혹은 '**조건부 불멸론**'(conditional immortality)을 지지하는 사람들입니다. 그들은 지옥 교리가 악인들의 끝없는, 의식적인 고통을 포함한다는 생각을 거부합니다. 그들은 지옥에 대한 상징들이 영원한 고통보다는 회개하지 않은 자들의 파멸(dissolution) 혹은 소멸(extinction)을 가리킨다고 주장하지요. 지옥은 요한계시록 2:11, 20:6, 14에 언급된 '둘째 사망'으로서, 불특정 기간의 보복적 고통이 끝나면 악인은 멸망하고 단순히 존재하지 않게 된다는 것입니다. 그들은 또한 '둘째 사망'(요한계시록 20:14; 21:8)과 '멸망'(데살로니가후서 1:8-9, 베드로후서 2:1-3, 3:6-7)과 같은 용어들이 끊임없는 의식적인 고통보다는 하나님의 분노 때문에 악인들이 미래에 소멸할 것을 암시한다고 주장합니다. 결국 이 견해를 지지하는 사람들의 주요 목표 중 하나는 영원한 의식적인 고통이 부당하다는 반대 의견에 응대하는 것입니다. 이러한 견해는 클레멘스, 오리겐, C. S. 루이스, 필립 E. 휴스 및 존 스토트의 지지를 받았습니다. 참고로 로마 가톨릭교회의 '연옥설'(doctrine of purgatory) 또한 영원한 고통이 많은 죄인들에게 불균형한 형벌이라는 생각에 부분적으로 기반을 두고 있습니다.

이 세 가지 견해, 그 어느 것이라도 성경을 높이 존중하는 이들의 지지를 받는 게 당연합니다. 교회 역사를 통해 각각의 해석을 지지하는 신뢰할 만한 신학자들이 존재했을 뿐 아니라, 그 견해들 모두가 지옥이란 현실이 하나님의 사랑을 거부할 수 있는 인간의 자유로 인해 존재하게 될 가능성으로 냉철하게 인식하기 때문입니다. 지옥의 문제와 더불어 성경의 종말론 문제를 다룰 때는 독단적인 태도를 취하기보다는 잠정적이고 겸손한 입장을 견지하는 것이 지혜롭습니다. 하나님의 구속(救贖) 역사가 진행 중인 이 시점에서 우리 모두에게 "지금은 거울로 보는 것 같이 희미"(고린도전서 13:12)한 상황일 뿐, 그 역사와 관련된 모든 신비를 온전히 이해할 수 있는 계시와 지식을 가지고 있지 않기 때문입니다. 그런데도 우리가 확실히 아는 것은 이것입니다. 현재로선 지옥의 신비한 공포를 가르치는 비유만 부여되어 있어 그 구체적인 실상은 희미하고 불완전하게 이해할 수밖에 없지만, 하나님의 형상대로 창조되어 그와 함께 교제하게 되어 있는 사람들이 하나님의 존전에서 추방되는 지옥이란 현실은 진실한 실체라는 점입니다. (E. 무어, "New Dictionary of Christian Apologetics")

이런 확신의 근거는 무엇보다도 예수님의 거듭된 선언입니다. 러셀이 주로 참고하고 있는 마태복음만 보더라도, 앞에서 언급된 구절에서 지옥이란 현실을 거듭 언급하신 것 외에도, 예수님은 그 심판에 따르는 고통을 강조하기 위해 "거기서 슬피 울며 이를 갈게 되리라"라는 상투적인 문구를 무려 여섯 번이나 사용했습니다(8:12, 13:42, 50, 22:13, 24:51, 25:30). 예수님과 성경의 권위를 인정하는 이라면 결코 간과할 수 없는 종말론적인 실상이지요. 그렇다면 어떤 사람들이 지옥에 거하게 될까요? 신약에서 발견할 수 있는 대략적인 단서들은 아래와 같습니다.

■형제에게 노하고 모욕하는 자(마태복음 5:22), 불법을 행하는 자(마태복음 13:41), 악인(마태복음 13:49), 위선자(마태복음 24:51), 악하고 게으르고 무익한 종(마태복음 25:26, 30), 하나님을 모르는 자와 우리 주 예수의 복음에 복종하지 않는 자(데살로니가후서 1:9), 음란한 자(유 1:7), 경건하지 않은 자(베드로후서 3:7, 유 1:15), 거짓 선지자(베드로후서 1:1-3), 마귀와 그 졸개들(마태복음 25:41, 요한계시록 20:10), 생명책에 기록되지 못한 자(요한계시록 20:15)=비겁한 자들과 신실하지 않은 자들과 흉악한 자들과 살인자들과 음행하는 자들과 점술가들과 우상 숭배자들과 거짓말하는 모든 자들(요한계시록 21:8).

즉 지옥은 마귀와 그 졸개들 및 거짓 선지자들은 물론이지만, 하나님 대신 우상을 섬기는 자들과 이웃에게 온갖 악행과 불법을 가하는 자들이 직면하게 될 현실입니다. 이들은 모두 하나님이 제정해 두신 도덕법을 정면으로 거스르는 **선택**을 자행한 이들입니다. 하나님의 형상대로 지음받았지만, 하나님을 경외하며 살기보다는 하나님 대신 자기가 **선택**한 대상을 섬기면서 오직 자기 유익만을 절대시하는 **선택**을 한 자들이지요. 과연 이들에게 하나님과 함께 영생을 누리는 천국이 합당할까요? 아니, 과연 이들이 그런 상태를 원하기나 할까요? 자기 생명 다하는 날까지 하나님을 대적하고 자기이익만을 추구하던 **선택**을 했던 이들이 말입니다. 그 마지막 날, 마지막 순간에라도 돌이켜 하나님을 경외하는 **선택**을 하기만 하면 사후에 천국을 누릴 수 있다는 점을 성경은 밝히 천명하고 있지요(누가복음 23:40-43). 그러므로 팀 켈러의 지적대로 지옥은 "**자유롭게선택된** 우주의 영원한 슬럼가"("the freely chosen eternal slum of the universe")입니다. 지옥은 결코 예수님이 천국을 선택한 사람들을 강제해서 보내는 곳이 아닙니다.

러셀의 말대로 예수님은 지옥을 믿었습니다. 문자적으로 '영원한' 형벌이 될지는 확실하지 않지만, 자비심이 심오한 사람이라면 그것을 믿을 수 없다는 말을 틀렸습니다. 인격적인 어느 대상이 끝까지 기어코 자기 의지를 따라 **선택**하겠다는 것을 존중하는 게 자비심 없는 처사인가요? 더구나 예수님이 자기 가르침에 귀를 닫고 있는 이들에게 보복적으로 거듭 분노를 가했다는 것은 예수님에 대한 명예훼손이지요. 자기에게 악행을 가하는 이들에게 '보복 절대 금지'를 가르친 예수님은 평생 그렇게 사시다가, 급기야 십자가에서 그 지극한 악행을 당하고도 보복은커녕 그 악한들의 용서를 하나님께 빌기까지 했지요(누가복음 23:34). 러셀에게는 "뱀들아 독사의 새끼들아 너희가 어떻게 지옥의 판결을 피하겠느냐"(마태복음 23:33)라는 예수님의 언명이 그 내용과 어조 측면에서 마음에 걸렸던 모양입니다.

역시 문맥에 대한 무지가 문제지요. 여기서 '너희'는 누구일까요? 러셀의 주장대로 그저 예수님의 가르침을 좋아하지 않는 사람들에 불과할까요? 그들은 서기관과 바리새인들로서 당시 온갖 사회적인 특혜와 존경을 누리면서도, 온갖 외식을 떨며 "천국 문을 사람들 앞에서 닫고 자기들도 들어가지 않고 들어가려 하는 자도 들어가지 못하게 하는" 종교인들이었습니다(마태복음 23:13). 그 문맥(23:13-36)을 보면 예수님은 7가지 '화'(woe)의 형태로 그들을 비판합니다. 점증하는 이 '화'는 일곱 번째(29-31)에 이르러서는 하나님께 대항하는 그들의 위선적인 반역이 절정에 달합니다. 그리하여 오랫동안 들끓던 심판이 마침내 그들 위에 떨어질 수밖에 없음을 선언하는 매서운 구절들(32-36)로 이어지지요. 러셀이 인용한 구절이 바로 여기에 자리 잡고 있습니다. 사실상 그들을 향한 이 '화'는 예루살렘에 미칠 재앙(37-39)에 대한 예언의 배경을 이루기까지 합니다. 러셀은 이렇게 자기들뿐 아니라 자기 민족 전체를 파멸에 빠뜨린 이 종교 지도자들에게 예수님이 '가장 좋은 어조'(the best tone)로 뭐라고 말하기를 바랄까요?

-성령을 거역하는 죄의 의미-

성령을 거역하는 죄로 러셀이 언급한, "누구든지 말로 성령을 거역하면 이 세상과 오는 세상에서도 사하심을 얻지 못하리라"(마태복음 12:32)라는 구절의 당사자도 바로 이 바리새인들입니다. 그 문맥(13:22-37)을 보면 예수님이 "귀신 들려 눈멀고 말 못 하는 사람"(22 절)을 고쳐 주자, 현장에 있던 사람들이 "이는 다윗의 자손이 아니냐"라며 놀라는 반응을 보입니다(23 절). 예수님이 약속된 메시야가 아니냐는 것이지요. 그렇지만 바리새인들은 "이가 귀신의 왕 바알세불을 힘입지 않고는 귀신을 쫓아내지 못하느니라"(24 절)라고 강변하지요. 성령의 권능으로 이루어진 기적을 귀신 왕의 힘이 일구어낸 역사라고 모독한 것입니다. 예수님은 이런 반응이 얼마나 무지하고 악독한 거짓인지를 논박합니다(25-29). 첫째, 사단은 자기 세력을 공격하지 않는다(25-26). 둘째, 귀신을 쫓아내는 사람 중에 바리새인들도 있는데, 그들도 사탄과 짝을 맺고 있는가?(27) 셋째, 예수님이 '하나님의 성령'의 권능으로 영적인 악을 공격하는 것은 '강한 자'인 사탄이 패배하고 '하나님 나라'가 이미 임한 표시다(28-29).

러셀이 문제 삼은 12:32 절은 이러한 문맥을 근거로 읽어야 합니다. 31 절의 "성령을 모독하는 것"(blasphemy against the Spirit)과 동일한 차원인 "성령을 거역하는 것"(speaking against the Holy Spirit)은 하나님의 역사를 하나님의 원수인 사단에게 돌림으로써 성령을 모독하고 대적한 죄악입니다. 일시적인 과오로 인해 저지른 죄악이 아니라 하나님 혹은 성령의 역사를 모독하고 대적하겠다는 확고하고 끈질긴 의지의 발현이지요. 이런 죄악을 지속적으로 범하는 자들은 자기가 죄를 범하고 있다는 것도 깨닫지 못합니다. 자기 양심의 목소리와 성령의 자극과 암시를 지속적이고도 의도적으로 짓누르기 때문입니다. 이런 사람들이 직면해야 할 더욱 심각한 문제는 용서가 올 수 있는 바로 그 통로를 차단했기 때문에 용서받을 길이 없는 것이지요. 성령의 주요한 사역이 바로 '죄와 의와 심판에 대하여 세상의 잘못을 깨우치는 것'(요한복음 16:8)인데,

그것을 사단적인 것이라고 고집한다면 어떻게 회개해서 용서받을 수 있을까요? N. T. 라이트가 비유한 대로, 남은 유일한 물병에 독이 들어 있다고 선언하는 순간, 그 사람은 자기를 갈증으로 죽어가도록 정죄하는 것입니다. ("Once you declare that the only remaining bottle of water is poisoned, you condemn yourself to dying of thirst.")

러셀이 지적한 대로 이 구절을 오독한 나머지 자기가 성령을 대적하는 죄를 지었기에 도무지 용서받지 못할 것이라며 지나치게 고뇌한 사람들이 많을 수는 있었겠지만, 그들은 이런 죄를 범한 이들이 아닙니다. 하나님께서 이루신 일을 고의로 사단의 사역으로 돌리고 성령이 일구어낸 기적을 끈질기게 마귀의 짓으로 대체하는 일은, 그토록 자기 삶을 민감하게 돌아보는 그리스도인들이 범할 죄악이 아니지요. 그들이 처한 고뇌는 문맥을 좇아 말씀의 의미를 잘 살피지 못한 불찰의 결과이거나, 그들에게 성경을 잘못 가르친 목회자들의 과오 탓입니다. 그런데 러셀은 이 구절 때문에 이런 신자들의 마음속에 '그런 두려움과 공포를 예수님이 심었다'면서 '자기 본성에 적절한 친절함을 품은 사람'이라면 그렇게 하지 않았을 것이라고 강변하지요. 자기가 예수님의 말씀을 오독한 것도 모자라, 귀신 들려 보지도, 듣지도 못한 사람을 구원한 후 그것을 사단의 짓이라고 강변하는 이들의 사악한 죄악을 밝히고 그들을 경고하는 예수님을 친절함이라곤 찾아볼 수 없는 무정한 인물로 매도하다니요! 성경에 대한 무지가 낳은 후안무치한 행태지요.

-무화과나무 저주 사건의 의미-

러셀이 예수님의 불친절한 처사라며 지적한 게 두 가지 더 있습니다. 돼지 2천 마리가 한꺼번에 몰살당한 사건(마태복음 8:28-34)과 무화과나무가 열매를 맺지 않았다고 저주받은 사건(마가복음 11:12-21)입니다. 그러면서 러셀은 지혜나 미덕의 차원에서 예수님이 역사상 다른 인물들보다 못하다면서, 이런 측면에서 붓다와 소크라테스가 예수님보다 더 우월하다고 주장하지요. 먼저 무화과

나무 사건부터 관찰하겠습니다. 예수님께서 열매 맺지 못한 무화과 나무를 저주하신 것은 종교의식에 대한 관심으로만 분주할 뿐 참으로 기도하는 자가 없던 당시 성전을 예수님께서 청결하게 하신 사건과 겹칩니다. 더구나 성전에서 동물을 파는 자들과 환전상들이 자리 잡고 있던 곳은 이방인들이 와서 고요한 묵상과 기도를 하며 하나님을 발견할 수 있도록 마련된 '이방인의 뜰'(the court of the Gentiles)이었습니다. 예수님께서 말씀하신 그대로입니다. "기록된 바 내 집은 **만민이 기도하는 집**(A HOUSE OF PRAYER FOR ALL THE NATIONS)이라 칭함을 받으리라고 하지 아니하였느냐 너희는 강도의 소굴을 만들었도다"(마가복음 11:17). 이 구절의 '만민'은 헬라어로 'ethne'로서 '이방인들'이나 '모든 족속'을 의미하지요. 즉 당시 유대인들은 종교적 관습과 율법주의에 매몰된 채 자기들만 참된 마음의 변화라는 열매를 맺지 않은 게 아니라, 하나님을 두려워하여 당신을 찾고 구한 이방인들의 구도 과정도 막아선 이들이었습니다. 이들에 대한 임박한 심판의 전조로 예수님께서는 열매 맺지 않은 무화과나무를 활용하셨던 것이지요. 누가복음 13:5-9 에 기록된 대로 예수님께서 삼 년 동안 열매 맺지 않은 무화과에 대해 발하신 저주가 '말로 한 비유'(a spoken parable)였다면, 이 사건은 "극적인 행동으로 보인 비유"(a dramatic acted parable)였습니다 (N. T. 라이트, F. F. 브루스). 즉 유대인들에게 임박한 심판을 계시하는 "비유적 행동"(a parabolic act)이었던 것입니다(R. H. 스타인).

성경 본문을 정확하게 이해하기 위해서는 질문 던지기(예: 육하원칙)가 아주 유용합니다. 그냥 읽고 넘어가던 본문도, 다각도로 질문을 하면서 접근해 보면 이전에 주목하지 않았던 많은 정보를 드러내 주기 때문입니다. 대부분의 성경 공부가 질문하기를 그 중심에 두고 있는 이유가 바로 여기에 있습니다. 그래서 이 마가복음 본문에 대해 몇 가지 질문을 던져 보겠습니다. 언제 이 사건이 발생했는가? --->이튿날[예수님께서 약속된 메시야로 나귀 새끼를 타고 예루살렘 입성하신 그다음 날]. 어디에서 이 사건이 벌어졌는가? --->베다니에서. 누가 이 사건에 등장하는가? --->예수님과 제자들. 왜 예수님께서는 그 무화과나무에 접근하셨는가? ---〉시장해서 그 나무에서 무엇인가를 찾기 위해, 찾으신 그 무엇인가는 무엇이었는가? ---〉열매였을 것. 어떻게 그 나무에 열매가 있을 것이라고 기대하셨는가? ---〉그 나무에 잎사귀가 무성해서. 여기에서 또 다른 질문이 생깁니다. 무화과나무는 잎사귀가 무성하면 열매가 맺히는가? 그렇지 않다면 예수님께서 그 잎이 무성한 나무에서 열매를 찾으셨을 리가 없을 것입니다. 이 본문에 대해 이러한 질문들을 던지지 않았다면, 이런 예수님의 처지를 이해할 수 없었을 것입니다. 그리고 이 마지막 질문을 한 덕에 다른 참고 자료들을 들추어 볼 필요가 생깁니다. 그 결과, 무화과나무에 대해 아래와 같은 중요한 정보가 드러나지요.

[무화과(無花果)는 이름 그대로 꽃이 없는 나무다. 사실상 꽃이 없이 없는 게 아니라, 열매 속에 숨어 있다. 그래서 은화과(隱花果)에 속한다. 주목할 점은 무화과는 열매가 잎보다 먼저 나거나 거의 동시에 난다는 것이다. 잎이 나고 꽃이 핀 후에 열매가 맺히는 일반 나무들과는 다른 점이다. 그렇지만 우리나라 개나리도 꽃이 핀 후에 잎이 난다는 점을 고려해 보라. 무화과는 열매 속에 꽃이 피어 있으니, 개나리와 같은 경우라고 볼 수 있지 않은가. 그러니까 잎이 무성한 무화과라면 반드시 열매가 나 있어야 한다. 중동 지역의 무화과는 한 해에 두 번 열매가 맺힌다. 이스라엘에서 건기가 시작되는 유월절 경에 맺히는 첫 열매를 히브리어로 '파게'(팔레스타인 아랍어로는 '탁쉬')라고 부른다. 아직 제대로 익지 않은 파란색을 띤 조그만 무화과이다. 이 '파게'는 우기 동안 과일을 먹지 못하던 유대인들이 건기를 맞아 처음 접하는 열매로서, 우리나라 춘궁기처럼 먹을 것이 충분하지 않았던 시대에는 참 소중한 먹거리였다. 미가 7:1 에 나오는 '처음 익은 무화과'가 바로 이 파게일 게다.

(미가 7:1) "재앙이로다 나여 나는 여름 과일을 딴 후와 포도를 거둔 후 같아서 먹을 포도송이가 없으며 내 마음에 사모하는 처음 익은 무화과(a first-ripe fig)가 없도다"

이 첫 열매는 일정 기간 자라다가 저절로 떨어지므로, 그 나무의 주인들도 행인들이 그것 먹는 것을 막을 이유가 없었다. 그런데 이 열매는 이때로부터 약 6주 후에 본격적으로 열리는 무화과인 '테에나'의 전조인 셈이다. 만일 이 '파게'가 없고 잎만 무성한 나무라면 결국엔 '테에나'가 열리지 않기 때문이다. 예수님께서 직면하신 무화과나무의 상태가 바로 그러하였다.]

이 사건이 발생한 시기와 장소도 간과할 수 없습니다. 먼저 시기에 대해 묵상해 보겠습니다. 12절의 '이튿날'이 가리키는 것은 예수님께서 나귀 새끼를 타고 예루살렘 성전 입성하신 그 이튿날이었습니다. 즉 예수님께서는 구약에서 약속된 메시야(왕)로 그 전날 예루살렘에 임하신 것입니다. "시온의 딸아 크게 기뻐할찌어다 예루살렘의 딸아 즐거이 부를찌어다 보라 네 왕이 네게 임하나니 그는 공의로우며 구원을 베풀며 겸손하여서 나귀를 타나니 나귀의 작은 것 곧 나귀새끼니라"(스가랴 9:9) 그러므로 이 시점 이후에 예수님께서 취하신 언행은 왕의 권위를 띤 것으로 봐야 합니다. 무화과나무를 저주하신 것도 그 맥락에서 살피는 게 바른 독법이겠지요. 장소에 대해서도 살펴 보겠습니다. 12절에는 베다니(Bethany)라고 되어 있지만, 1절에는 예수님께서 당도하신 곳이 "예루살렘 가까이에, 곧 올리브 산에 있는 벳바게(Bethphage)와 베다니(Bethany) 가까이"였다고 밝히고 있습니다. 베다니는 예루살렘에서 2km(요한복음 11:18)밖에 되지 않는 거리에 있었고, 벳바게는 그 옆 동네였습니다. 예수님께서 자주 들르신 베다니는 마르다와 마리아와 살던 곳이었지요. 그런데 이 두 동네는 무화과나무가 많은 동네로 널리 알려졌습니다. 베다니라는 지명이 무화과를 의미하는 히브리어 '테에나'라는 단어와 집(혹은 마을로 풀이될 수 있음-김동문 작가)을 가리키는 '베이트'라는 단어의 합성어로서 '무화과 마을'이라는 의미이기 때문입니다. 벳바게라는 지명도 마찬가지입니다. 무화과의 첫 열매인 '파게'라는 단어와 '베이트'라는 단어의 합성어로서, '첫 무화과 마을'이라는 뜻이지요.

이상의 연구 내용을 정리해 보겠습니다. 그 무화과나무는 비록 당시에는 '테에나'를 맺을 제철이 아니었으나 잎이 무성한 것으로 보아 '파게'를 맺고 있어야 했습니다. 이 첫 열매가 없으니 나중의 온전한 열매는 난망했습니다. 그야말로 "땅만 버리는"(use up the ground, 누가복음 13:7) 나무에 불과해서 찍어 내 버리는 게 마땅했던 것이지요. 그렇지만 예수님께서는 이 쓸모없는 나무를 열매 맺지 못한 채 자족하고 있던 당대의 이스라엘 민족을 경성(警醒)하는 도구로 활용하셨습니다. 여기에서 아이러니가 성립됩니다. 아무 짝에도 쓸모없던 이 무화과나무가 역사상 수많은 세대의 그리스도인들에게 열매 맺지 못하는 신앙생활의 비참한 실상을 일깨워주고 회개로 이끌어 주는 최고의 도구로 활용되었다는 점입니다. 결국 '예수님께서 아무런 죄가 없는 무화과나무를 저주하신 게 말이 되느냐?'라는 도전은 관련 성경 본문에 대한 정치한 독해와 그 문맥 살피기에 실패한 설익은 시도에 불과합니다. 그런 도전을 한 이들도 그리스도인들과 마찬가지로 자신을 돌아보아야 할 처지에 놓여 있습니다. 돈이나 권력이나 명예나 인기의 잎사귀만 무성한 상태냐, 혹은 그런 잎사귀와는 무관하게 성숙한 성품과 아름다운 선행의 열매가 풍성한 상태냐를 스스로 판단해야 합니다. 이미 하나님 나라의 왕으로 군림하신 예수 그리스도 앞에서 판단 받기 위해 서기 전에 이런 자기 성찰에 임하는 게 지혜로운 처사입니다. 저주받은 무화과나무의 "소리 없는 아우성"을 들을 귀가 있는 자가 복됩니다.

-돼지 2천 마리 몰살 사건의 의미-

다음으로 돼지 몰살 사건을 살펴보겠습니다. 러셀의 말을 그대로 옮기면, "귀신들을 돼지들 속에 넣어 두고 그것들이 언덕을 치달아 바다로 몰려가도록 한 것은 분명 돼지들에게 아주 친절한 일은 아니었다. 그(예수님)는 전능한 존재이기 때문에, 귀신들을 간단히 사라지도록 할 수 있었다는 점을 기억해야 한다. 그렇지만 그는 귀신들이 돼지들 속으로 보내기를 선택한(chooses) 것이다." 우선 짚고 넘어가야 할 점은, 귀신들을 돼지들 속으로 보낸 것은 예수님의 능동적인 선택(active choice)이 아니었다는 것입니다. 그 귀신들이 호소한 것을 허용해 주었을(permit) 뿐이지요. 그 귀신들도 이미 알고 고백했듯이, 그 당시가 그들을 온전히 처단할 심판의 때가 아니었기 때문입니다(29절). 예수님이 그 당시 귀신들을 즉각적으로 처단하지 않은 것을 러셀이 문제 삼은 것은 하나님의 심판 계획에 대한 무지에서 비롯된 오해지요. 다음으로 분명히 지적해야 할 점은 돼지들이 바다에 몰살된 것은 귀신들의 책동이었지, 예수님께서 취하신 행동이 아니었다는 것입니다. 귀신들이 돼지들 속으로 들어가도록 허용한 것과 돼지들이 몰살된 것은 차원이 전혀 다른 문제이지요. 예수님은 귀신들에게 돼지들을 다 죽이라고 명령하지 않았습니다. 예수님이 왜 2천 마리나 되는 돼지들이 졸지에 몰살되기를 원했을까요? 그 많은 귀신이 마침내 그 귀신 들린 자에게 취할 행동을 돼지에게 퍼부었을 뿐이지요. "도둑질하고 죽이고 멸망시키는 것"(steal and kill and destroy, 요한복음 10:10)은 그들의 전매특허입니다. 예수님이 귀신들의 정신 나간 망동에 대해 책임질 이유가 없습니다.

러셀처럼 동물을 낭만적으로나 동물권(animal rights) 차원에서 바라보면서, 이 본문에서 돼지라는 동물에게 가해진 폭력에 관심을 두는 현대인이 많이 있을 줄 압니다. 더구나 경제적인 측면에 민감한 이들은 돼지 2천 마리가 가진 경제적인 가치에 주목하기도 할 것입니다. 그렇지만 신약 시대 사람들도 그런 시각과 관심사를 품고 있었을까요? 그들은 동물을 기본적으로 음식용이나 제사용으로 길렀다는 점에 유념하면서, 이 사건의 문맥을 살펴봅시다. 이 사건이 발생한 '가다라'라는 곳은 데가볼리(Decapolis, 10개의 도시라는 의미)라는 도시 중 한 곳이었습니다(마가복음 5:1, 20 참조). 그곳은 유대인에게 이방인 지역이었으므로 부정한 땅이었지요. 귀신들린 자들은 "더러운 귀신"(unclean spirits, 10:1)에 의해 통제당하던 피해자였고, 시체들의 처소인 부정한 장소(레위기 29:11 참조)에 살고 있었습니다(마태복음 8:28). 이런 요인에 덧붙여 돼지는 부정한 동물(레위기 11:7, 신명기 14:8)로서 유대인이라면 다른 사람을 위해 키우는 것조차도 시도하지 않던 차였습니다. 이런 상황에서 예수님의 등장으로 위협을 느낀 더러운 귀신들이 부정한 돼지들 속으로 들어가기를 예수님에게 청하자, 예수님은 허락해 주었습니다. 귀신들은 그 돼지들을 바다 쪽으로 몰아가 물속에 함께 빠져 몰살되었지요. 그 결과 귀신 들린 자들은 온전하게 구원받아 제정신이 들게 되었고, 그 부정한 땅은 그 더러운 귀신들로부터 해방되었습니다(마가복음 5:15 참조).

귀신들의 파괴적인 힘과 그들이 인간들에게 미치는 파괴적인 효과와 더불어 이런 것들을 죄다 무력화하는 예수님의 신성한 능력을 열어 밝히는 것이 본문의 관심사입니다. 그런데 그 땅 주민들은 이런 기적적인 구원의 역사를 전해 듣고도, 예수님이 떠나 달라고 간청했습니다. 그렇게 간청한 이유를 성경 본문은 밝히고 있지 않습니다. 경제적인 손해 때문일 수는 있어도, 러셀이 이 사건의 문제로 시사한 동물권에 대한 관심 때문으로 보이지는 않습니다. 결국 러셀이 이 사건을 두고 돼지에게 불친절한 예수님 운운하며 그의 지혜와 덕성을 폄훼한 것은, 마치 결혼식 피로연에 돼지고기 요리가 많이 포함되어 있다고 신랑이 돼지에게 불친절하다며 어리석고 덕스럽지 못하다고 따지는 것이나, 책을 만들면서 종이를 너무 많이 썼다고 그 저자가 나무에 불친절하다며 둔하고 모질다고 따지는 것과 비슷합니다. 신랑과 신부가 함께 연합하는 그 찬란한 결혼의 가치나 책 속에 담겨 있는 원숙한 지혜의 정수와 통쾌하고 신선한 안목의 유익을 볼 수 있는 눈이 없는 것이지요.

2.5. 예수님의 신성한 권위: '트릴레마'(Trilemma)

이 사건에서 러셀이 놓친 중요한 표현이 한 가지 있습니다. 귀신 들린 두 사람이 예수님을 칭한 표현입니다. 그들은 러셀이 사용하기 좋아하는 "가장 선하고 지혜로운 분"이라고 하지 않았지요. 놀랍게도 **"하나님의 아들"**이라고 불렀습니다. 귀신들에게서 나온 표현이라 곧바로 수용하기는 힘들지만, 이 표현은 나중에 제자들이 사용했고(14:33), 베드로의 신앙 고백 속에 포함되어 있었으며(16:16),

심지어는 예수님의 십자가형을 집행하던 백부장의 입술에서 터져나오기도 했습니다(27:54). 결국 귀신들이 악하고 파괴적인 존재들이지만, 영적 실재에 대한 내부 정보(inside information)를 갖고 있던 것으로 봐야겠지요. 예수님은 온 세상이 두려워하는 악한 영적 세력들을 온전히 장악하고 있는 권세자입니다. 귀신들이 돼지 속으로 들어가 물속에 빠져 죽은 것은 예수님이 장차 부활을 이루고 승천한 이후에 심판을 집행하시는 주님으로서 그들에게 내릴 처단에 대한 상징이 될 수도 있습니다. 그들은 장차 '불과 유황 못'에 던져질 것이기 때문입니다(요한계시록 20:15, 마태복음 25:41). 이 시점에서 러셀이 지금도 살아 있다면 그에게 권하고 싶은 게 있습니다. 모쪼록 그가 원했던 대로 붓다와 소크라테스에게 '가장 선하고 지혜로운 사람'들이라는 명칭을 부여하기를 바랍니다. 그가 처음에 그리스도인의 정의를 제시하면서 예수님에게 부여했다가, '도덕적인 문제'라는 이 항목을 논의하면서 결국 앗아간 그 표현 말입니다.

괜찮습니다. 예수님은 그 표현이 필요하지 않습니다. 게다가 러셀이 줄곧 오독한 성경은 예수님을 그런 인물로 규정하는 것을 절대 허락하지 않습니다. 러셀이 이 글 속에서 인용한 성구 대부분의 원전인 마태복음에서만 보더라도, 예수님은 '하나님의 아들'이었고, '주님'이었습니다(8:6, 21, 9:28, 15:25, 17:15, 20:30, 26:22, 14:28, 17:4). 러셀이 조금만 문맥에 눈을 돌렸더라면, 이 사건 전에는 예수님이 큰 풍랑 이는 바다를 잔잔하게 하는 기적을 베풀었고(8:23-27), 그 이후에는 중풍 병자의 병을 고쳤을 뿐 아니라 그의 죄까지도 용서하는 사역을 펼친 것에 주목할 수 있었을 것입니다(9:1-8). 먼저 예수님이 바람과 바다를 꾸짖은 기적의 절정은, "바다가 아주 잔잔해졌다"[it became perfectly calm. (26절)]는 점입니다. 바다에 대해 조금이라도 상식이나 경험이 있는 사람이라면, 거칠게 몰아치던 폭풍우가 아무리 갑자기 잦아들고 잠잠해진다고 하더라도, 그 후 몇 시간 동안은 파도가 계속 몰아치는 게 일반적이라고 알 것입니다. 그렇지만 이 기적의 경우에는 예수님의 명령 이후에 즉각적으로, 'dead calm', 즉 문자 그대로 쥐 죽은 듯한 고요함, 숨 막히는 고요함이 뒤를 따랐습니다. 이런 일은 "가장 선하고 지혜로운 사람"이 행할 수 있는 기적이 아니지요. 오직 하나님만이 펼칠 수 있는 기적입니다.

팀 켈러가 지적한 대로, 고대 문화에서 바다라는 존재는 멈출 수 없는 파괴(unstoppable destruction)의 상징으로서 하나님을 제외하고는 그 어떤 힘으로도 통제할 수 없는 대상이었습니다. 11 세기 덴마크 왕 카누테(King Canute)의 이야기를 들어보신 적 있나요? 신하들이 자기에게 계속 지나치게 아첨해 대자, 그는 "내가 하나님이란 말인가?"라고 묻더니 해안으로 걸어가서 "그만 멈춰라."(Stop.)라고 말했습니다. 결과는 어떻게 되었을까요? 파도는 당연히 계속 밀려왔지요. 그때 그가 한마디 합니다. "오직 하나님만이 바다를 멈출 수 있다. 나는 하나님이 아니다." 그런데 보세요. 예수님은 바다를 잠잠하게 할 때 더 높은 권위를 부르거나 그것에 의존하지 않고, 바로 오직 하나님만이 가지고 있는 그 능력을 행사할 수 있었지요. 단순히 폭풍우에 한마디만 읊조렸습니다. "쉿, 잠잠하거라."[Hush, be still. (마가복음 4:39)]

다음으로 이 사건 이후에 진행된 중풍 병자 치유 기적(마태복음 9:1-8)을 한번 살펴봅시다. 사람들이 침상에 누인 채로 데려온 중풍 병자의 믿음을 보고 예수님은 그의 죄가 용서받았다고 선언합니다(2 절). 그러자 그곳에 동석해 있던 율법학자들이 그 선언을 한 예수님이 하나님을 모독했다고 속으로 말하지요(3 절). 죄 사함을 선언하는 것은 오직 하나님만 할 수 있는 영역이니까요. 그 생각을 알아차린 예수님은 도리어 그들의 생각이 악하다고 하면서(4 절), 자기가 인자로서 죄를 용서하는 권세가 있다는 사실을 알게 하겠다면서 그 병자에게 일어나 침상을 거두어 집으로 돌아가라고 명합니다(6 절). 그러자 그는 일어나 집으로 가버렸습니다. 이 일을 목격한 무리는 두려움에 사로잡힌 채(awestruck), 하나님께 찬양을 돌리지요. 그 중풍 병자가 지은 죄는 일차적으로 하나님의 뜻에 대한 불순종이므로 오직 하나님만이 용서할 수 있었습니다. 이 기적을 통해 예수님은 자기가 다니엘 7:13-14(이전에 논의한 구절들)에서 예언된 '인자'요, 메시아요, 하나님을 대신하여 온 세상을 심판할 권세자라는 사실을 드러냈습니다. 메시야의 권세로 그 중풍 병자의 죄를 '용서하고', 즉 문자적으로 그 죄를 영원히 잊히는 저 너머로 '보내 버리고'(send away), 그런 사죄의 현실을 치유 사건을 통해 확증한 것이지요.

마태가 연이어 기록한 이 '세 가지 사건'(trio)은 예수님의 신성을 열어 밝힙니다. 예수님은 제지할 수 없는 파괴력을 가진 바다를 포함한 자연 세계를 통치하고(8:23-27), 사람들이 두려워하는 귀신들을 비롯한 영계를 장악하며(8:28-34), 사람들의 모든 죄를 사할 수 있는 능력을 보유한 신성한 존재였습니다(9:1-8). 이 '트리오'는 우리 모두에게 예수님에 관하여 '트릴레마'(trilemma), 즉 '3 자 택일의 궁지'를 제시합니다. 거짓말쟁이(Liar), 미치광이(Lunatic), 주님(Lord), 이 세 가지 중 하나를 선택해야 한다는 것입니다. 러셀이 언급한 '가장 선하고 지혜로운 사람'이라는 항목은 차지할 자리가 없습니다. 러셀이 오독한 복음서, 특히 그가 자기 글의 논의 속에서 대부분 의존한 마태복음은 이런 선택의 가능성을 거부하지요. 마태복음에서 예수님을 '랍비'('나의 스승'이란 의미)로 칭하는 경우가 없다는 점을 러셀이 알아차렸을까요? 유일한 예외는 예수님을 판 가룟 유다입니다. 오직 그만 예수님을 '랍비'로 불렀지요(26:25, 49). 그는 예수님에 대한 칭호로 예수님에 대한 자기 인식을 고백한 셈입니다. 그는 결코 예수님을 주님이라고 인정한 적이 없었습니다. 공생애 기간 내내 예수님과 함께 거하고 예수님 가장 가까이에서 말씀을 듣기도 하고 기적들을 경험했지만, 예수님을 하나님의 아들로, 주님으로 인식하지 못했던 것입니다. 결국 그는 예수님을 이 '트릴레마' 중에 거짓말쟁이나 미치광이로 결론지었겠지요. 예수님을 '은 30'(thirty pieces of silver)에 팔아 넘겼으니까요(마태복음 26:15). 그 금액은 4 개월 치 품삯이자, 죽은 노예 한 사람의 손실에 대한 보상액이었습니다(출애굽기 21:32). 마태복음은 온 세상을 향해 예수님이 유일한 하나님의 아들이요, 주님이라고 외칩니다.

2.6. 만세(萬世)와 만대(萬代)의 신비: 예수 그리스도

아직 러셀의 글 중에 4개 항목이나 더 남아 있지만, 그가 복음서를 인용하며 예수님과 그리스도교를 논의하는 것은 이번 항목으로 끝입니다. 지금까지 그의 글을 독해하면서, 생긴 궁금한 질문이 한 가지 있습니다. 그가 이 복음서 전체, 아니 마태복음만이라도 과연 몇 번이나 충실하게 트인 마음으로 읽었을까요? 이 질문이 자꾸 떠오른 이유는 그가 자기 논지를 밝히기 위해 성구를 여럿 인용했지만, 그것들이 속한 문맥에 대한 지식이나 그것을 이해하려는 관심이 전혀 없는 것이 드러났기 때문입니다. 일반 학술 저널에는 이미 출간된 책에 대해 서평 하는 공간이 있습니다. 여기에 자기 글을 게재하는 논평자는 예외 없이 먼저 그 책의 대략적인 내용을 소개한 후에 그 책이 특정 주제에 대해 어떤 시각을 취하고 있는지를 밝히는 데 주력합니다. 그 후에 그 시각에 대한 자기 안목을 개진하지요. 만일 첫째 작업이 부진하다면 어떻게 될까요? 그 서평이 그 저널에 게재될 가능성은 없습니다. 그런 점에서 제가 러셀이 쓴 글의 논평자였다면, 복음서를 인용하면서도 그 기본적인 문맥을 간과하거나 무시한 이 글에 대해 게재 불가 판정을 내렸을 것입니다. 그가 개진한 의견의 내용과는 상관없이, 서평의 기본을 무시했기 때문입니다.

복음서를 읽었다고 하지만, 예수 그리스도가 누구인지, 그리스도인이 어떤 사람인지 전혀 감을 잡지 못한 러셀을 보면서 떠오른 성구가 한 개 있습니다.

"대답하여 이르시되 천국의 **비밀**(the **mysteries** of the kingdom of heaven)을 아는 것이 너희에게는 허락되었으나 그들에게는 아니되었나니"(마태복음 13:11)

예수님이 바닷가에 모인 무리에게 '씨 뿌리는 자' 비유를 소개한 후에, 제자들이 왜 그들에게 비유로 말씀하시는지 묻자, 예수님이 선언한 내용입니다. 이 구절 중 '비밀'이란 단어는 헬라어 '뮈스테리온'으로서 '신비'라는 의미에 가깝습니다. 문자적인 번역인 NASB

에서 이 단어를 'mysteries'로 처리해 둔 이유입니다. 이 구절은 예수님이 제자들에게 그 '천국의 신비'를 아는 것을 허락해 주었다는 사실을 일깨워줍니다. 그렇지만 안타깝게도 그들은 그 '신비'를 깨닫지는 못했습니다(카일 키퍼). 예수님으로부터 거듭 하나님의 나라에 대한 교훈을 받았지만, 그들은 우둔하게도 그 의미를 놓치곤 했습니다.

예컨대, 예수님은 마가복음에서 연속된 세 장에 걸쳐 자신이 십자가를 지고 죽을 것과 그 후에 부활할 것을 언급했습니다(8:31, 9:31, 10:33). 이것을 **"삼중 수난 예고"**(triple passion prediction)라고 하지요. 그때마다 그들은 "예수님을 꾸짖거나"(rebuke Him, 8:32), "누가 가장 크냐고 쟁론하거나"(discussed with one another which of them was the greatest, 9:34), 예수님이 장차 영광을 누릴 때 자기들을 예수님의 우편과 좌편에 앉게 해 달라고 간청할 뿐이었습니다(10:37). 예수님의 거듭된 말씀에도 귀를 닫은 채, 자기들의 선입견과 욕심에만 사로잡혀 있던 것이지요. 이뿐만이 아닙니다. 마가복음 6 장에서 예수님이 빵 5 개와 물고기 2 마리로 성인 5 천 명(여자와 아이들 제외)을 먹이고, 8 장에서는 빵 7 개와 물고기 몇 마리로 4 천 명을 먹이는 기적을 베풉니다. 첫 번째 상황에서 예수님이 "너희가 먹을 것을 주라"(6:37)라고 제안했을 때, "우리가 가서 이백 데나리온의 떡을 사다 먹이리이까"(6:37)라고 응대하는 것은 자연스러운 반응이었다고 봅니다. 전대미문의 기적이 펼쳐졌으니까요. 그렇지만 얼마 지나지 않아 똑같은 상황이 발생합니다. 이때 예수님이 "내가 무리를 불쌍히 여기노라 그들이 나와 함께 있은 지 이미 사흘이 지났으나 먹을 것이 없도다"(8:2)라고 말씀하시면, "주님, 지난번에도 이렇게 많은 사람들을 먹이신 적이 있지 않습니까? 기적의 마중물이 될 만한 빵과 물고기를 한번 찾아보겠습니다."라고 응대해야 마땅하지 않을까요? 그런데도 그들은 여전히 "이 광야 어디서 떡을 얻어 이 사람들로 배부르게 할 수 있으리이까"(8:4)라는 타령만 해댑니다. 더욱 기가 막힌 것은, 그 이후에 바리새인들과 표적에 대한 논쟁을 한 예수님이 "삼가 바리새인들의 누룩과 헤롯의 누룩을 주의하라"[8;15, 그들의 교훈을 삼가라는 의미(마태복음 16:12 참조)]라고 권면하자, "제자들이 '이는 우리에게 떡이 없음이로다'라며 수군거리지요."(8:16) 이때 참다못한 예수님이 한마디 합니다. "어찌하여 너희는 빵이 없는 것을 두고 수군거리느냐? 아직도 알지 못하고 깨닫지 못하느냐? **너희의 마음이 그렇게도 무디어 있느냐**(Do you have a hardened heart?) (...) 너희가 아직도 깨닫지 못하느냐?"(8:17, 21, 새번역)

그 제자들이 왜 이다지도 마음이 무디어 있었을까요? 예수님에 대한 선입견이나 편견이나 욕심 때문이었습니다. 그런 무딘 마음을 품고서는 예수님과 3년씩이나 함께 한솥밥 먹고 살았어도 그가 누구신지, 그의 소명이 무엇인지, 자기들을 향한 그의 뜻이 무엇인지 무지할 수밖에 없었습니다. 러셀의 글 속에서도 이러한 제자들의 것과 동일한 '무딘 마음'을 엿볼 수 있었습니다. 예수님의 제자들에게 허락된 '천국의 신비'가 복음서의 형태를 띠고 죄다 그의 눈앞에 펼쳐져 있었으나, 예수님에 대한 선입견, 그리스도인에 대한 편견, 그리스도교에 대한 상투적 시각들로 물든 자기만의 안경으로 복음서를 독해한 것이 확연히 드러났기 때문입니다. 그리스도교 국가라고 부를 수 있던 영국에서 무려 1세기(1872-1970) 동안이나 살았으면서도, "만세와 만대로부터 감추어졌던 것"(골로새서 1:26-27)이었으나 복음서가 열어 밝힌 예수 그리스도라는 '신비'를 조금도 깨닫지 못한 채 이 세상을 떠난 그가 우리 모두에게 주는 교훈이 큽니다.

2.7. 정서적인 요소(The Emotional Factor)

러셀은 사람들이 종교를 수용하는 것은 지적인 논증(argumentation)과는 아무런 관계가 없다는 자기 지론을 한 번 더 언급합니다. 감정적인 근거로 종교를 수용한다고 봅니다. 종교가 사람들을 덕스럽게(virtuous) 해 준다고 말들 하지만, 자기는 그것을 인식하지 못했다고 고백하지요. 그러면서 새뮤얼 버틀러(1835-1902)가 풍자소설인 "에레혼 재방문"(Erewhon Revisited, 1901)에서 이 주장을 패러디한 것을 지적합니다. 전작인 "에레혼"(1872)에는 외딴 어느 나라에 도착한 힉스라는 사람이 그곳에서 얼마간 보낸 후 기구를 타고 그 나라에서 탈출한다는 내용이 실려 있습니다. 그런데 20년 후 그가 그 나라로 돌아와 보니 그를 하늘로 승천한 '태양의 아이'(Sun Child)로 숭배하는 새로운 종교를 발견하게 됩니다. 그는 승천 축제가 곧 열릴 것이라는 사실을 알게 되고, 그 종교의 대제사장인 핸키와 팬키 교수가 자기들은 힉스를 발견한 적이 없고 앞으로도 그렇게 되지 않기를 바란다고 서로에게 말하는 것을 듣게 됩니다. 매우 분개한 그가 그들에게 이렇게 말하지요. '이 모든 허풍(humbug)을 폭로하고 에레혼 사람들에게 나, 즉 인간인 힉스가 기구를 타고 올라간 거라고 말할 거예요.' 그렇지만 그는 이런 말을 듣고 설득당해 그곳을 조용히 떠나지요. '그렇게 해서는 안 됩니다. 왜냐하면 이 나라의 모든 도덕이 이 신화(myth)에 얽매여 있고, 그대가 승천하지 않았다는 사실을 사람들이 알게 되면 모두 사악해질 것이기 때문입니다.'

이런 지적에 덧붙여 러셀은 그리스도교를 고수하지 않으면 사람들이 더 악해진다고 말들 하지만, 자기가 보기에는 그리스도교를 고수한 사람들은 대부분 아주 사악해졌다(extremely wicked)고 주장합니다. 그러면서 종교재판(the Inquisition)의 예를 듭니다. 무려 수백만 명이나 되는 불행한 여성들(millions of unfortunate women)이 마녀로 화형당했다고 지적합니다. 그리고 종교라는 이름으로 모든 종류의 사람들에게 온갖 종류의 학대가 자행되었다고 주장합니다. 이 세상에서 이루어진 모든 도덕적인 진보가 조직화한 세계 교회의 지속적인 반대에 직면했다고 강변하기까지 합니다. 급기야 그리스도교야말로 "이 세상에서 도덕적인 발전을 가로막는 가장 중요한 대적"(the principal enemy of moral progress in the world)이라고 주장하지요.

---->러셀은 그리스도교를 믿는 것이 사람들을 덕스럽게 하는지 아니면 사악하게 하는지에 대해 논의합니다. 러셀은 후자를 절대적으로 지지하면서, 그리스도인들이 가진 믿음이란 게 허위적인 신화

(myth)에 기반을 두고 있다고 지적합니다. 이에 덧붙여 그리스도교를 믿는 사람들은 매우 사악해졌다고 주장하면서, 종교재판을 예로 듭니다. 먼저 첫째 지적부터 살펴봅시다.

-예수님의 부활/승천 사건을 믿는 지적인 이유-

러셀이 왜 "에레혼 재방문"이라는 풍자소설을 인용했을까요? 그곳 주민들이 힉스가 기구 타고 하늘로 사라진 것을 오해해서 그를 '태양의 아이'로 믿고 있듯이, 그리스도교인들도 예수님의 부활과 승천이란 속임수 때문에 그를 '하나님의 아들'로 받들고 있다고 주장하기 위해서입니다. 이렇게 상황이 전개된 데에는 그리스도교 종교 지도자들이 그런 협잡에 크게 기여했기 때문이라는 점도 시사합니다. 그리스도교인의 덕스러운 삶이란 게 이런 엉터리 신화(myth)에 근거하고 있으니 자기가 주목하지 못할 만큼 지지부진할 수밖에 없다는 것이지요. 이 신화(myth)라는 단어는 이 소설 속에서는 난센스, 근거 없는 허구라는 뜻입니다. 인문학적인 전문 용어(technical term)로 사용될 때는, "장대한 서사"(grand narrative) 혹은 "서술된 세계관"(narrated worldview), 즉 "사람들이 세상을 이해하기 위해 만들어 낸 이야기"(stories that people tell to make sense of the world)라는 의미를 띠고 있지만(J. R. R. 톨킨), 특정 문맥에서는 이렇게 거짓부렁이라는 뜻을 띠기도 합니다. 러셀은 이 항목 속에서 그리스도교 신앙의 핵심이 되는 부활과 승천도 같은 부류에 속한다고 시사하고 있지요. 예수님이 역사적인 인물이라는 점부터 의심하는 그가 예수님의 부활과 승천을 속임수라고 여기는 것은 당연합니다. 그렇지만 이미 논의한 대로 예수님의 역사성에 대한 객관적인 근거는 러셀과 같은 외로운 주장을 더욱 무색하게 만듭니다. 그리스도교의 주장에 조금도 호의적이지 않은 무신론자 역사학자들도 인정하는 역사적인 사실이니까요. 예수님의 부활과 승천도 마찬가지입니다. 그의 빈 무덤과 자기 목숨을 걸고 그의 부활을 증언한 수많은 제자의 헌신은 다른 가능성을 모색하기 힘들게 합니다. 도리어 초자연적인 세계의 존재를 열어 밝히는 상황이 됩니다.

러셀에게 이런 초자연적인 사건들의 문제는 지적으로나 논리적으로 용납할 수 없다는 점입니다. 그런데도 그리스도인들은 지력이나 논리를 활용하지 않은 채, 그저 큰 능력의 소유자(a big brother)로부터 보호받고 싶은 감정 때문에 초자연적이거나 기적적인 일들을 믿는다는 것이지요. 우선 그리스도인들이 믿을 때 지성이나 논리를 사용하지 않는다는 말이 사실일까요? 사람들 간에 지적인 정보의 양이나 논리적인 추론 능력은 서로 차이가 날 것이 분명합니다. 그렇지만 그리스도인이 기본적인 자연법칙을 모르거나 지성의 진보를 따라잡지 못해서 성경상의 역사적 사건이나 그 진술의 의미를 감정적인 차원에서 믿는다는 말은 허튼소리에 불과하지요. H. G. 웰스가 지적한 대로, 그리스도교는 예로부터 유대교와 함께 '책으로 이루어진 종교'(book religions)라고 불릴 만큼 글을 통한 교육을 중시했습니다. 두 종교가 그 험난한 역사 가운데서도 존속할 수 있었던 것은 "글을 읽을 줄 알고 교리 개념들을 이해할 수 있는 사람들"의 덕이 컸습니다. 이처럼 "개인의 지성"(personal intelligence)에 호소하는 종교가 그 이전에는 없었을 만큼, 그리스도교는 독특했습니다. 그리하여 "머지않아 야만인들이 침입하여서 서유럽 전체가 혼돈의 시기에 접어들 때도 그리스도교는 학문의 전통을 보존하는 데 중요한 역할을 하게 됩니다."("H. G. 웰스의 세계사 산책") 이런 엄연한 역사적 사실이 존재하는 데도 역사가라는 러셀이 그리스도인을 무지몽매한 사람들로 폄훼하다니 참 이상한 일이지요.

마태복음 1 장에 보면 요셉이 자기 약혼자인 마리아가 임신했음을 알고 '가만히 파혼하려'(to send her away secretly) 했습니다(19 절). 그녀의 임신을 부정의 증거로 여겼기 때문입니다. 그만한 생물학적 지식이 있었습니다. 그렇지만 꿈에 나타난 천사의 설명과 지시를 받고 초자연적인 역사가 이루어진 것을 깨닫게 되어 마리아를 아내로 맞아들이지요(20-24 절). 마태복음 28 장에 보면 안식 후 첫날에 막달라 마리아와 다른 마리아가 예수님의 무덤을 찾아갔다가 천사가 하늘로부터 내려와 무덤의 문을 열고 예수님의 부활을 확인시켜 주는 장면이 소개됩니다. 그런 상황을 접한 여인들은 "무서움과 큰 기쁨이 엇갈려서"(with fear and great joy) 급히 달려가 제자들에게 이 소식을 전해주지요(1-8 절). 만일 그 여인들이 천사의 출현과 예수님의 부활이 초자연적이고도 예상을 뒤엎는 환희에 찬 사건이었다는 점을 인식하지 못했다면, 무서움과 큰 기쁨이 함께 교차하지 않았겠지요. C. S. 루이스가 지적한 대로, "자연에 존재하는 통상적인 질서를 이해하지 못한다면, 그 질서에서 벗어나는 상황을 눈치채지도 못할 것입니다." 러셀과 같은 무신론적 유물론자는 부활과 같은 초자연적인 기적의 존재를 자기식의 논리로 설명해서 없애 버리려고 애쓰겠지만, 자연법칙에 대해 완전히 무지한 사람이라면 초자연적인 기적을 인식할 수조차 없겠지요. 게다가 예수님의 부활은 직접 목격한 증인들이 무려 5 백여 명이나 되고(고린도전서 15:1-8), 그 목격 기간도 무려 40 일이나 됩니다(사도행전 1:1-3). 이것을 집단적인 환각 상태(collective hallucination)로 설명할 수 있을까요? 심리학적인 기본 지식이 있는 사람이라면, 수백 명이나 되는 사람이 복수의 시간대와 다양한 상황 속에서 똑같은 환영을 줄곧 보는 일은 불가능하다는 것을 알 것입니다. 집단 환각설보다는 초자연적인 부활 현실이 더 개연성이 높다는 말입니다.

신약성경은 이러한 부활의 증인들이 기록한 역사서요, 서신서로 구성되어 있습니다. 그 기록에 대한 서지학적인 증거와 일반 역사 증거 및 그 저자들에 대한 내적 증거들은 그 기록의 신빙성을 더해 줍니다. 이런 역사적인 기록을 주목하지 않는다면, 우리가 어떻게 과거에 대해 알 수 있을까요? 물론 과거의 기록이 상충하는 경우도 있습니다. 구약성경 중 열왕기하에 보면 히스기야 왕 시절에 유다를 침략한 앗수르 왕 산헤립 군대 185,000 명을 천사가 나타나 하룻밤 새에 송장으로 만들어 버렸다는 기록이 있습니다(19:35). 그런데 같은 사건을 두고 역사가 헤로도토스는 수많은 쥐가 나타나 산헤립 군대의 활시위를 모두 갉아 먹었기 때문에 그들이 물러갔다고 기록하고 있지요. 지성과 논리력을 갖춘 사람이라면 어느 쪽을 선택하게 될까요? 이 경우에 후자를 택한 사람이 전자를 택한 사람을 두고 지력과 논리력이 뒤진 사람들이라고 주장할 수 있을까요? 인간 지성과 논리력의 용도와 그 한계를 깨닫고 초자연적인 세계의 존재 가능성에 대해 마음을 닫지 않은 사람이라면 도리어 후자보다는 전자 편을 들지도 모릅니다. 그 수를 알 수 없는 쥐 떼가 불쑥 나타나 앗수르 군대의 활시위만 몽땅 갉아 먹은 탓으로 그들이 물러갔다는 것은 개연성이 낮아도 너무 낮기 때문이지요. 결국 어느 쪽이 역사적 진실인지 선택하는 일은 이 기록을 읽는 독자의 지력과 세계관에 달려 있겠지요. 그렇지만 이러한 두 가지 역사 기록 모두 지력과 논리로 설명할 수 없다며 거짓부렁이로 여기는 사람도 있겠지요. 이런 인물을 어떻게 이해할 수 있을까요? 사유력(思惟力)이 떨어지거나 역사 기록을 접할 때 지녀야 할 에이비시, 즉 "호의적인 해석은 문서 자체에 부여되어야 하는 것이지, 비평가가 가로채서 자신의 것으로 삼을 수는 없다."라는 아리스토텔레스의 선언도 모르거나 무시하는 자이겠지요. 비록 자기가 역사로부터 배운 게 있다고 자랑할지라도, 그가 과거 역사에서 배운 지식은 보잘것없을 것입니다. 독불장군식의 사유력과 자기만의 방식으로 이해한 자연법칙으로 설명되는 역사적 사건이나 상황이 과연 얼마나 될까요? 러셀이 역사가이기도 하다는 점이 놀랍습니다.

-자연계의 실재에 닿지 못하는 자연법칙과 수학의 세계-

한발 더 나아가, C. S. 루이스가 지적한 대로 자연계의 물리적 실재에 대해 우리가 아는 것은 그 수학적 속성 외에는 없다는 점을 잊어선 안 됩니다. 'H₂O'라는 수(numbers)가 물이라는 물리적 실재에 대한 우리 지식의 알맹이(substance)로서 우리 정신과 그 실재를 잇는 유일한 매개체(the sole liaison)가 될 뿐, 물 그 자체의 본질(nature)은 숨겨져 있지요. 그리고 자연법칙을 언급할 때도, 자연이 취하는 실제적인 사건의 경로는 이해할 수 없다는 점도 명심해야 합니다. 무릇 자연법칙이란 어떤 사건이 일단 벌어지고 난 후 따라야 하는 패턴이지, 이 세상의 전체 역사에서 자연법칙이 만들어 내는 사건은 하나도 없기 때문입니다. 5천 원에 5천 원을 더하면 그 결과는 1 만 원이지만, 그 산수 자체는 우리 주머니에 1 원도 보태주지 못하는 것과 같습니다. 게다가 자연법칙을 통해서는 자연의 정상적인 과정을 꿰뚫어 볼 수 있거나 자연이 지금처럼 운행하는 이유를 죄다 알 수 있는 것도 아닙니다. 다른 말로 하자면 자연법칙은 본질상 '만약과 그러므로'(ifs and ands)의 세계, 즉 '만약 A 라면 B 다.'(If A, then B.)나 'C 이므로, 따라서 D 다.'(Since C, therefore D.)와 같은 형식을 취할 뿐이기 때문입니다. 여기에서 B 나 D 의 조건이나 전제가 되는 A 나 C 가 애당초 어떻게 해서 그런 특성을 띠거나 그런 상태였는지 설명하는 것은 불가능합니다. A 나 C 가 왜 A'나 C'의 특성을 띠거나 그런 상태이지 않았어야 하는 이유를 알 수가 없다는 말입니다. 무엇보다 A'나 C'에 해당하는 경우의 수가 지력이나 논리력의 한계를 넘어서기 때문이지요.

예컨대 니코스 카잔차키스의 "그리스인 조르바"에 보면, 작중 화자와 하룻밤 사랑을 나눈 아름답고 열정적인 과부 소르멜리나가, 사모하던 그녀로 인해 자살한 한 청년 때문에 마을 사람들의 미움을 받던 중 공격을 받아 참수를 당하게 됩니다. 이 사건을 복기해 보면 이렇습니다. 그 청년이 그 과부를 짝사랑합니다. 그 사랑이 받아지지 않아 자살합니다. 그것 때문에 마을 사람들이 그녀를 미워하게 됩니다. 그 미움 때문에 그녀를 공격합니다. 그 공격의 결과 그녀는 참수당합니다. 이런 사건이 현실 세상에서 발생했다고 가정한다면, 이런 질문들이 가능합니다. 그 청년이 왜 다른 여자를 사랑하지 않았을까? 그 과부가 왜 그 청년의 사랑을 받아주지 않았을까? 그 청년은 왜 계속 구애의 노력을 기울이지 않았을까? 마을 사람들이 왜 과부의 처지를 헤아리지 않았을까? 그들이 왜 과부를 공격하는 대신 추방하지 않았을까? 그들의 공격으로 왜 그 과부가 중상을 입는 것으로 끝나지 않았을까? 과부를 죽이더라도 왜 그냥 사약을 내리지 않았을까? 더 많은 질문이 가능하겠지만, 이런 몇 가지 질문에 대해서만이라도 각 상황을 꿰뚫는 합리적이고 적확한 답변을 하는 게 가능할까요? 설령 그것이 가능하다고 해도 A'나 C'에 해당하는 모든 경우의 수가 전개되지 않은 이유를 모두 파악한다는 것은 불가능합니다. 자신의 지력과 논리를 절대시하는 게 위험한 연유가 바로 여기에 있습니다.

러셀 자신도 이 글 앞부분에서 '자연법 논증'에 반박하는 중에, 자연법칙이란 "그저 우연에서 출현할 법한 부류에 속한 것의 통계적 평균치"(statistical averages of just the sort that would emerge from chance)라고 언급했지요. 즉 자연법칙은 절대적(absolute)이거나 결정론적인(deterministic) 것이 아니라 수많은 개별 사건의 통계적 행동에서 나타나는 패턴이나 규칙성을 설명한다는 것이지요. 그는 이러한 통계적 패턴은 내재적 필연성(inher-ent necessity)이나 목적론[teleology, 우주에 목적이나 설계의 증거가 있고 이것이 설계자의 존재에 대한 증거를 제공한다는 교리]의 결과가 아니라 자연계에 내재한 무작위성(inherent randomness)과 불확실성(indeterminacy)에서 비롯된다고 주장했습니다("The Scientific Outlook", 1931). 무신론자인 그가 자연계 배후에서 역사하는 하나님의 존재와 경륜을 인정할 리는 없지만, 무작위에 의하거나 불확실하게 보이는 현상들이 얼마든지 존재할 수 있음을 인정한 것이지요. 그렇습니다. 이 세상 속에는 우리의 제한된 지력과 수학적 논리 과정으로는 파악하지 못하거나 그것들을 초월하는 일들이 무수하게 많습니다. 그 속에는 러셀과 같은 인물들이 신화로 여기는 일들도 포함되어 있습니다.

이에 덧붙여 이 사건의 시발점이 된 문제에 대해서는 이런 질문을 던질 수 있습니다. 즉 그 청년이 어떻게 그 과부를 짝사랑하게 되었을까? 이렇게 그 이전 과정을 거슬러 올라가면 어떤 일이 벌어질까요? 그 모든 사건의 흐름에는 어떤 시작 시점이 존재하거나 존재하지 않거나 둘 중 하나입니다. 시작이 있었다면, 하나님의 창조(creation)와 같은 사건에 직면하게 됩니다. 시작이 없었다면, 그 본질상 과학적 사고로 파악할 수 없는 "영원한 추진력"(everlasting impulse), 혹은 "숙명"(Destiny), 즉 "우주를 계속 움직이게 만드는 비물질적, 궁극적, 일방적인 압력"(the immaterial, ultimate, one-way pressure which keeps the universe on the move)에 직면해야 하지요. 이런 시나리오는 가끔 일어나는 기적적인 사건들에만 해당하는 것이 아니라, 매 순간 우리가 직면하는 모든 사건에 적용됩니다. 14세기 영국의 신비주의 여류 작가였던 노리치의 줄리안(Julian of Norwich)이 본 환상에서 예수 그리스도가 헤이즐넛(a hazel nut) 같은 작은 물체를 손에 들고 이렇게 말했다고 합니다. "이것이 창조된 전부이다."(This is all that is created.) 너무 작고 연약해 보이는 그 물체가 어떻게 그렇게 단단하게 붙어 있는지 그녀가 의아해했다고 하지요. 그렇지만 그 조그마한 존재도 역시 창조라는 시작 시점으로 거슬러 올라가는 우주적인 실체인 셈입니다. 결국 러셀이 자기의 사유력과 논리의 기반으로 파악한 자연 세계의 궁극적 기원으로 선택할 수 있는 것은, 역설적으로 과학적 사고로는 파악할 수 없는 '영원한 추진력'이나 '비물질적이고도 일방적인 압력'뿐입니다. 그의 선택이 창조의 주관자인 하나님을 선택하는 것보다 더 합리적일까요?

-종교재판의 진실-

다음으로 그리스도교를 믿는 사람들은 매우 사악해졌다는 러셀의 주장을 살펴봅시다. 그리스도교에 대해 신랄하기보다는 편파적인 비난이지요. 더구나 그리스도교가 온 세상 모든 부류의 사람들에게 온갖 학대를 자행했고 세계의 도덕적인 발전을 막는 최대의 적이었다는 엄청난 주장을 펼치려면 그 근거를 제대로 제시해야 하지 않을까요? 사정이 이러한데도 그 사례를 단 한 가지, 즉 종교재판만 들고 있을 뿐 아니라, 그것도 과장된 정보로 포장되어 있을 뿐입니다. 그렇습니다. 종교재판은 한마디로 신성모독(a blasphemy)이자, 예수 그리스도의 복음을 배반하는 역사적 사건이었습니다. 변명의 여지가 없는 참극이었습니다. 그렇지만 러셀이 주장한 대로 그 피해자 규모가 수백만이나 되지는 않았습니다. 유럽 전체에서 진행된 재판 사례를 따지자면 희생자 수는 배로 늘 수 있지만, 일반적으로 대중들이 주목하는 종교재판인 '스페인 종교재판'을 통해 처형당한 사람의 수는 5-6천 명 정도입니다. 유럽의 종교재판의 대략적인

전모는 아래와 같습니다. [아래의 논의에는 존 딕슨의 "벌거벗은 기독교 역사"가 많이 참조되었음]

1184 년 교황 루키우스 2 세가 최초로 종교재판을 선언했으나 그로부터 50 년 뒤인 그레고리 9 세 때가 되어서야 비로소 본격적인 종교재판이 이루어졌습니다. 주로 도미니크회 신학자들로 구성된 이단 단속반이 유럽 곳곳을 다니면서 이단 의심자들을 '설득'하여 올바른 교리로 돌아오게 했습니다. 그들 중 절대다수는 간단한 보속을 행하거나 미미한 형벌을 받았지만, 끝까지 이단의 입장을 고수하는 소수의 사람은 국가 당국으로 넘겨져 화형을 당하기도 했습니다. 그런데 일반적으로 사람들이 거론하는 종교재판은 다른 유럽 지역과는 차별성을 보이면서 350 년간(1478-1834) 진행된 스페인 종교재판을 가리킵니다. 유대교에서 그리스도교로 개종한 '콘베르소'(converso) 문제를 1478 년부터 종교재판에서 다루기 시작한 그곳에서는, 1483 년 '토마스 데 토르케마다'가 대심문관으로 임명되면서 '콘베르소'를 체포하고 심문하고 처형하는 일들이 본격화됩니다. 그 이후 20 년 만에 모든 유대인이 그곳에서 추방당했습니다. 그 이후에는 마법을 포함한 온갖 종류의 이단까지 다루게 되었지요. 그들 중에는 16 세기 중엽부터 스페인으로 들어오기 시작한 개신교도들도 포함됩니다. 에드워드 피터스 교수에 의하면 이 350 년간 스페인에서 종교재판을 통해 처형된 사람이 약 5-6 천 명에 달한다고 합니다. 처벌이 가혹했던 첫 50 년간 약 2 천 명, 그 이후 300 년간 약 3 천 명 정도 된다는 것입니다. 이 숫자는 당시 이단 심문관들이 꼼꼼하게 기록해 둔 자료들이 있기 때문에 신빙성을 더합니다[50 년 전에 유럽 정부와 교회 기관들이, 1998 년에 바티칸의 '성무성성'(聖務聖部, Holy Office=현 '신앙교리성')이 연구자들에게 관련 자료들을 공개함].

종교재판의 사례를 통해 러셀은 아마도 노벨상 수상자(1979 년)인 스티븐 와인버그(Steven Weinberg)가 언급한 말을 하고 싶었을지 모릅니다. "선한 사람들이 악을 행하게 만드는 것, 그것이 종교다."(Good people doing evil takes religion.) 그가 이 말을 한 문맥을 보면, 미국에서 노예제를 지지하는 설교 때문에 남부의 '선한 사람들'(good people)이 그 반인륜적인 노예제를 편한 마음으로 영속화할 수 있었다는 주장이 등장합니다. 그렇지만 그가 놓치고 있는 지점이 있지요. 역사상 2, 5, 7, 18세기에 진행된 모든 노예제 폐지 운동(anti-slavery movement) 참여자 절대다수가 그리스도인이었다는 사실입니다. 그들이 노예제를 반대한 이유는 본질상 신학적인 것, 즉 모든 인간은 하나님의 형상대로 지은 바 된 영광스럽고 고귀한 존재라는 믿음이었습니다. 게다가 지금 논의 중인 종교재판이 아무리 참혹한 비인도적 사례였다고 해도, 역사상 비종교적인 대의에 의한 폭력 사례 앞에는 한없이 작아질 수밖에 없습니다. 이 참사들이 죄다 무신론 탓이라는 말을 하자는 게 전혀 아닙니다. 다만 무신론이 필연적으로 부도덕한 행태를 낳는 것은 아닐지라도, 무신론하에서는 인명을 신성시하는 종교에서와는 달리 이런 폭력 사태나 그 주동자의 만행이 논리적으로 허용된다는 것입니다. 러셀은 그리스도교를 매도하기 위해 단 한 가지만 예로 들었지만, 저는 6가지 사례를 들겠습니다.

첫째, 프랑스혁명(1789년) 이후에 진행된 공포정치 9개월간(1793-1794) 무의미한 재판을 받고 익사 형, 총살형 또는 단두대 참수형으로 죽임을 당한 사람이 17,000명에 이릅니다. 러셀처럼 과학과 이성을 떠받드는, 소위 계몽주의 합리주의자들로 구성된 혁명가들이 9개월간 처형한 사람의 수가 350년간 진행된 스페인 종교재판 때보다 무려 3배나 된다는 말이지요. 이 경우도 다음에 이어지는 사례에 비하면 아무것도 아닙니다. 둘째, 이 글을 쓴 러셀도 이미 목도했을 제1차 세계대전(1914-1918)으로 4년 반 만에 무려 1,500-2,000만 명이 사망했습니다. 셋째, 러셀이 곧 경험하게 될 제2차 세계대전(1939-1945)으로 6년 반 만에 무려 5,000만 명이 목숨을 잃었습니다. 넷째, 소련에서 레닌에 이어 볼셰비키 혁명을 주도해 간 이오시프 스탈린은 1,500-2,000만 명을 죽음으로 몰아넣었습니다. 다섯째, 중국에서 스탈린식의 무신론과 공산주의를 적용한 마오쩌둥은 '대약진 운동'을 진행하면서 1,000-5,000만 명의 목숨을 앗아갔습니다. 여섯 번째, 1970 년에 세상을 떠난 러셀이 경험하지 못한 사례입니다. 스위스에서 교육받은 캄보디아의 공산주의 혁명가인 폴 포트는 자신의 공포정치를 통해 그 나라 총인구 800 만 중 1/4 에 달하는 200 만 명을 죽였습니다.

이러한 사례들이 무엇을 드러내고 있을까요? 종교나 비종교가 문제가 아니라, 인간의 마음, 즉 잔인해지는 인간의 악한 성향이 문제였다는 말입니다. 지난 인류의 역사는 종교뿐만 아니라, 합리주의나 그 어떤 이데올로기도 잔인해지는 인간의 악한 성향을 막아 내지 못한다는 사실을 충격적으로 증언하고 있습니다. 알렉산더 솔제니친이 지적한 대로입니다. "선악을 나누는 경계선은 모든 인간의 마음속을 가로지른다."(The line dividing good and evil cuts through the heart of every human being.) 러셀의 주장대로 이 세상에서 도덕적인 진보가 지속되었다면('every moral progress that there has been in the world'), 어떻게 그 진보의 정점에 도달해 있어야 할 20 세기에 들어서 이렇게 동서양에 걸친 대규모의 인명 살상이 가능했을까요? 그것조차도 '조직화한 세계 교회의 지속적인 반대' 때문이었다는 말일까요? 그리스도교야말로 과거와 현재에 '이 세상에서 도덕적인 발전을 가로막는 가장 중요한 대적'이라는 러셀의 진단은 언필칭 지성과 논리를 빙자하여 떠벌리는 악의에 찬 반그리스도교적인 선전 선동에 불과합니다.

2.8. 교회가 진보를 지연시킨 과정(How the Churches Have Retarded Progress)

러셀은 교회가 도덕이라고 부르는 것을 고수하면서 그것을 무고하게 고통당하는 사람들에게 강요하고 있다고 주장합니다. 예컨대 가톨릭교회는 매독에 걸린 남자와 결혼한 순진한 소녀에게, "이것은 영속적인 성사(聖事)다. 그대는 평생 함께해야 한다."(This is an indissoluble sacrament. You must stay together for life.)라고 말한다는 것이지요. 교회는 여전히 세계의 고통을 감소시키는 모든 진전과 개선을 가로막는 대적으로서 인간의 행복과 전혀 상관없는 편협한 행동 규정들(a certain narrow set of rules of conduct)을 도덕이라고 일컬으면서 다음과 같이 강변하고 있다고 주장합니다. "인간의 행복이 도덕과 무슨 상관이 있는가? 도덕의 목적은 사람들을 행복하게 하는 게 아니다."(What has human happiness to do with morals? The object of morals is not to make people happy.)

----〉그리스도교가 권고하는 도덕이 인간의 행복과 전혀 관계없는 편협한 규정들이라는 게 사실일까요? 영어의 'morals'란 단어는 "옳고 그른 행동에 관한 원칙과 신념"(principles and beliefs concerning right and wrong behaviour)을 가리킵니다. 우리 국어사전에서도 '도덕'이란 "사회의 구성원들이 양심, 사회적 여론, 관습 따위에 비추어 스스로 마땅히 지켜야 할 행동 준칙이나 규범의 총체"를 의미합니다. 그들의 내면적 원리로 작용하면서 신과의 관계가 아닌 인간 상호 관계를 규정한다는 보충 설명도 붙어 있습니다. 그리스도교가 제시하는 도덕은 이와 다를까요? 그리스도교의 지상명령은 '하나님을 전인적으로 사랑하고 이웃을 자기 자신 같이 사랑하라.'(마태복음 22:37-40)입니다. 신과 관계되는 부분을 제외한다면 '이웃을 자기 자신 같이 사랑하라.'가 되겠지요. 이미 논의한 대로, 그리스도교가 말하는 '이웃'은 원수도 포함됩니다. 원수도 포용하며 사랑하라는 그리스도교의 도덕이 어떻게 '편협한' 행동 규정'이 될 수가 있을까요? 게다가 이것이 어떻게 '인간의 행복과 전혀 상관없다'라고 말할 수 있을까요? 성경에서 언급하는 이 사랑은 인간의 모든 미덕을 총망라한 실천적인 덕성입니다. 러셀에게 소개해 주고 싶은 아래 성구를 한번 묵상해 보세요.

"내가 사람의 모든 말과 천사의 말을 할 수 있을지라도, 내게 사랑이 없으면, 울리는 징이나 요란한 꽹과리가 될 뿐입니다. 내가 예언하는 능력을 가지고 있을지라도, 또 모든 비밀과 모든 지식을 가지고 있을지라도, 또 산을 옮길 만한 모든 믿음을 가지고 있을지라도, 사랑이 없으면, 아무것도 아닙니다. 내가 내 모든 소유를 나누어줄

지라도, 내가 자랑삼아 내 몸을 넘겨줄지라도, 사랑이 없으면, 내게는 아무런 이로움이 없습니다. 사랑은 오래 참고, 친절합니다. 사랑은 시기하지 않으며, 뽐내지 않으며, 교만하지 않습니다. 사랑은 무례하지 않으며, 자기의 이익을 구하지 않으며, 성을 내지 않으며, 원한을 품지 않습니다. 사랑은 불의를 기뻐하지 않으며, 진리와 함께 기뻐합니다. 사랑은 모든 것을 덮어 주며, 모든 것을 믿으며, 모든 것을 바라며, 모든 것을 견딥니다. 사랑은 없어지지 않습니다."(고린도전서 13:1-8, 새번역)

　서양 고전 중에 인간 행위에 관한 도덕적인 가치를 연구하는 윤리학의 고전을 하나 꼽자면, 아리스토텔레스의 "니코마코스 윤리학"이 단연 돋보입니다. 자기 아들인 니코마코스에게 헌정했다고 알려진 책입니다. 이 책 속에서 아리스토텔레스가 추구한 주요 질문은 '우리는 어떻게 살아야 하는가?'였고, 그 질문에 대한 그의 답은 행복을 추구하라는 것이었지요. 행복이야말로 인간이 추구해야 할 지고의 선이었기 때문입니다. 여기서 행복이란 단어는 **'에우다이모니아'**(eudaemonia)로서, 아리스토텔레스는 이것이 쾌락과 구별되며 "이성에 의해 지배되는 활동적인 삶"(a life of activity governed by reason)에서 비롯된다고 보았습니다. 그는 인생이란 식물이 "영양을 공급받아 성장하는 삶"(life of nutrition and growth)이나 동물이 "감각을 인식하는 삶"(a life of perception)과는 다른 면모가 있다고 보았고, 그 면모가 바로 **이성적인 요소를 갖춘 활동적인 삶**"(an active life of the element that has reason=life of the rational element)이라고 이해했습니다. 그런 삶이야말로 인간의 본성 혹은 기능, 즉 인간에게 가장 잘 어울리는 삶의 방식이라고 보았기 때문이지요. 이에 덧붙여 그는 이 행복('에우다이모니아')의 가능성을 높이기 위해 할 수 있는 일은 **'올바른 덕성'**(the appropriate virtue)**을 갖추고 실행**하는 것이라고 제안했습니다. 그것도 평생토록 그 일에 매진할 것을 주문했지요. 이때 아리스토텔레스가 한 말이 아주 유명합니다. "왜냐하면 제비 한 마리가 왔다고 여름이 온 게 아니고, 하루가 지났다고 여름이 온 게 아니며, 하루 또는 짧은 시간으로 인해 사람이 축복을 받거나 행복하게 되지는 않기 때문이다."(For one swallow does not make a summer, nor does one day; and so too one day, or a short time, does not make a man blessed and happy.)

성경에서 제안하는 실천적인 사랑의 삶이 아리스토텔레스가 제시한 '올바른 덕성을 갖추고 실행하는 삶'과 다른 것일까요? 사실상 그 사랑의 대상에 원수까지도 포함하고 있으니, 후자의 덕행보다 한 차원 더 드높은 경지이지요. 그렇다면 후자가 '에우다이모니아'라는 행복을 견인하고 있으니, 그리스도교가 지향하는 사랑의 실천은 변함없는 행복의 보증수표가 되겠지요. 복음서가 천명하는 '복음'(good news)은 일차적으로 '행복에 관한 희소식'(good news of happiness)입니다(이사야 52:7). 행복에 대해 그리스도교가 취하는 입장이라면서 소개하는 러셀의 주장은 사실무근입니다. 성경이 전하는 그 희소식은 이러합니다. 온 세상을 가장 아름답게 창조하신 후에 인간을 자기 형상대로 창조하신 하나님께서 인간에게 기대하신 것은 한마디로 경천애인(敬天愛人), 즉 하나님을 경배하고 이웃을 사랑하는 것이었습니다. 그것이 인생행로이자 행복의 길이었습니다. 그렇지만 그 길을 마다하고 인간이 택한 것은 우상과 자기 욕심에 매인 노예살이였고, 그 결말은 고통스러운 죽음이었습니다. 이 칠흑 같은 행로에 빛이 비쳤습니다. 인간의 몸을 입고 이 세상에 임한 하나님의 아들 예수 그리스도가 그 죄악의 대가를 십자가상에서 짊어지신 것이지요. 그 대가 지금이 유효했다는 것이 바로 그리스도의 부활로 드러났습니다. 이제 이 예수 그리스도를 통해 경천애인하는 새로운 삶이 열렸습니다. 지복의 길입니다.

그리고 러셀이 호기롭게 지적한 가톨릭 신자 부부의 사례는 그가 이 글 속에서 일관해서 취하는 무분별한 태도를 극명하게 드러냅니다. 그는 자극적으로 보이는 구절이나 예외적으로 돌발한 사례들에 꽂혀, 그 구절이 속한 문맥을 통해 그 의미를 이해하거나 성경 전체의 가르침을 통해 그 특정한 사례를 파악하려 들지 않습니다. "문맥 없는 텍스트는 그럴싸한 변명에 불과하다."(A text without a context is a pretext.)라는 아포리즘이 그에게는 아무런 의미가 없는 듯합니다. 그리고 규칙을 파악하지 않고는 변칙적인 것을 가려낼 수 없듯이, 어떤 주제에 대한 원리를 파악하지 않고는 그 주제에 속한 특정 사례를 제대로 해결할 수 없다는 것도 그에게는 낯선 듯합니다. 그 특정 사례를 자기 마음대로 요리할 양이면, "왜 나는 기독교인이 아닌가"란 타이틀을 걸고 이런 연설을 하거나 에세이를 작성하는 게 무슨 의미가 있을까요? 그리스도교에서는 이런 주제에 대해서 이렇게 주장하지만, 나는 그것이 이런 이유로 합당하지 않다고 보기 때문에 수용하거나 믿지 않는다는 식으로 논의가 전개되어야 하지 않나요? 그런데도 그의 경우에는 전반부의 논의가 항상 빠져 있지요.

이 항목에서 다루는 결혼 문제만 해도 그렇습니다. 교회가 사회적인 모든 진보를 지연시킨 대적이라는 중대한 논지를 전개하면서 제시한 사례는 달랑 한 가지, 가톨릭교회가 매독 걸린 남편과 결혼한 순진한 소녀에게 그와 이혼할 수 없다고 언급한 경우[그 사례 앞에 'supposing'이라는 단어가 붙어 실제 사례인지 가정적인 사례인지도 분명하지 않음]뿐입니다. 가톨릭교회가 결혼을 어떻게 이해하고 있고, 이혼을 어떻게 다루는지에 대한 논의는 아예 생략되어 있습니다. 그러면서 가톨릭교회는 그 소녀가 매독에 걸린 아이를 낳지 않도록 어떤 종류의 조치도 취해서는 안 된다고 가르친다면서, '극악무도하게 잔인한 처사'(fiendish cruelty)라고 일갈하지요. 러셀의 이런 주장이 과연 가톨릭교회나 성경이 결혼과 이혼에 대해 가르치는 바를 정당하고 합당하게 묘사한 것일까요? 가톨릭교회의 입장을 제가 언급하는 것은 부적절하다고 판단해서, 개신교의 입장만 대략 살펴보겠습니다.

"성경이 가르치는 내용을 요약하면 다음과 같은 세 가지 확언 (three affirmations)을 할 수 있습니다. 하나님은 태초에 <u>인류를 남성과 여성으로 창조</u>하셨고, 직접 <u>결혼을 제정</u>하셨습니다. 그분의 의도는 인간의 성(human sexuality)이 결혼을 통해 성취되고, 결혼은 **배타적이고 사랑이 깃든 평생의 결합**(an exclusive, loving and lifelong union)이 되는 것이었습니다. 이것이 그분의 목적입니다. 성경 어디에도 이혼을 명령하거나 권장하는 내용은 없습니다. 오히려 성경적으로 정당화될 수 있다 하더라도 신성한 규범에서 벗어난 슬프고 죄악 된 행위로 남아 있습니다. <u>이혼과 재혼</u>은 두 가지 이유로 허용됩니다(필수는 아님). 첫째, 배우자가 **심각한 성적 부도덕**(serious sexual immorality)을 저지른 경우 무고한 사람이 이혼할 수 있습니다. 둘째, 신자는 믿지 않는 배우자가 계속 동거하기를 거부하는 경우 **배우자의 방기**(the desertion of his or her unbelieving partner)에 동의할 수 있습니다. 그러나 두 경우 모두 허용은 부정적이거나 마지못해하는 조건으로 주어집니다. 배우자의 불충실을 이유로 이혼한 경우에만 재혼이 간음에 해당하지 않습니다. 불신자가 떠나겠다고 고집하는 경우에만 신자는 '구속되지 않습니다(not bound).'"(존 스토트, "Issues Facing Christianity Today", 2006)

성경에서 기본적으로 이혼을 명령하거나 권장하지 않는 이유는 하나님이 직접 결혼이란 제도를 제정하고 특정 남성과 여성을 평생 지속될 배타적인 사랑의 결합 속에 두었기 때문입니다. 이혼은 어디까지나 이 거룩한 규범에서 중대하게 일탈한 경우에만 허용되는 슬픈 예외 상황입니다. 하나님께서 의도하신 결혼의 목적 자체를 훼손하는 행위가 발생했다고 판단하기 때문입니다. 그것이 바로 배우자의 간음(adultery)과 방기(desertion)입니다. 그런데 러셀이 언급한 사례는 실제 발생한 경우로 보기가 힘듭니다. 매독에 걸린 남자에게 순진무구한 소녀가 결혼했다는 것도 의아하지만, 가톨릭교회가 이런 결혼 관계가 계속 지속되어야 한다고 지시한 것도 믿기 힘듭니다. 이런 경우는 그 부인이 원하기만 한다면, 이혼을 허용하지 않는 가톨릭교회라도 혼인 무효(annulment)의 조건으로 선언할 수 있기 때문입니다. 설령 러셀의 말대로 결혼 지속에 대한 지시가 있었다고 해도, 얼마든지 다시 그 경우를 심사하는 과정을 거쳐 혼인 무효 판정을 받을 수 있다는 말이지요. 이 기상천외한 결혼 사례가 과연 그리스도교가 그 도덕적인 가르침으로 온갖 부류의 사람들에게 불합당하고 불필요한 고통을 가하고 있다는 러셀의 주장을 얼마나 지탱해 줄 수 있을까요?

2.9. 종교의 기반을 두려워하라(Fear the Foundation of Religion)

러셀은 종교란 주로 공포에 기반하고 있다고 주장합니다. 부분적으로는 "미지의 것이 가하는 테러"(the terror of the unknown)이자, 모든 고통 속에서 우리 곁에서 지켜줄 큰 형이 있다고 느끼고 싶은 소망이라는 것이지요. 그런데 그 공포에서 잔혹한 언동이 나오기 때문에, 잔혹함과 종교가 항상 동행한다는 게 놀랄 일이 아니라고 강변합니다. 그런데 이 세상에서 우리가 과학의 도움을 입어 이런 사태들을 이해하고 관리할 수 있게 되었다고 합니다. 바야흐로 과학이야말로 우리가 이런 비굴한 두려움(craven fear)을 극복하도록 도와줄 수 있기에, "가상의 지원"(imaginary supports)이나 "하늘에 있는 우군들"(allies in the sky)을 찾지 말고 우리 자신의 노력으로 이 세상을 살기 적합한 곳으로 만들어 가자고 제안하지요.

---->종교가 공포에 기인한다는 말은 반쯤은 맞습니다. 자연에 대한 이해가 부족했던 고대인들이 자연을 신으로 여기거나 자연을 도구로 쓰는 신을 두려워해서 신을 섬겼을 공산이 크기 때문입니다. 그들에게는 홍수와 가뭄 같은 자연재해가 두려웠을 테고, 고기잡이나 농업과 같은 생업이 정상적으로 운영되는 데 바다와 하늘의 도움이 절대적으로 필요했을 테니까요. 그리스도교를 믿을 때도 공포가 작동했을 것입니다. 역사가 바트 어만에 의하면, 고대 사람들은 신들을 숭배하는 의식에 불참하면 치명적 대가가 따르지만, 그 숭배에 참여하면 실질적인 이득이 있다고 일관적으로 믿는 경향이 있었다고 합니다. 이교도들이 그리스도교의 하나님을 믿게 된 것도 같은 연유에서라고 그는 주장합니다. 즉 예수님의 사도들과 제자들이 현시한 기적과 메시지를 접하고 그리스도교의 신이 다른 어떤 신보다 권능이 더 뛰어나다고 믿게 되어 그 신의 징벌을 피하고 그

신이 그들에게 베풀어 주실 혜택을 바랐다는 것이지요. 이미 드러났지만, 공포라는 요소는 신을 믿는 과정에서 고려할 한 가지 측면에 불과합니다.

고통과 고난으로 얼룩진 삶을 영위하던 이교도들이 자신들 육신의 질병을 치유해 주고, 귀신을 쫓아내는 기적을 베풀던 전도자들에게서 영원한 형벌과 영원한 삶에 관한 메시지를 들었을 때 어떤 반응을 보였을까요? 당장에는 지옥에서 받을 고통이 천국에서 누릴 영광보다는 그들에게 훨씬 더 강력하게 다가왔을 가능성이 큽니다. 아우구스티누스도 이렇게 언급할 정도였으니까요. "그리스도인이 되겠다며 우리를 찾아오는 사람 중에 하나님에 대한 두려움에 휩싸이지 않은 이는 극히 드물거나 아예 없다." 그렇지만 그들이 시간이 흐를수록 더욱 깊이 깨닫고 체험하게 된 것은 하나님의 지극한 사랑과 은혜였고, 그가 펼쳐 주실 새 하늘과 새 땅은 그들에게 이 세상 어떤 것과도 바꿀 수 없는 무비의 소망이 되었습니다. 그렇습니다. 하나님을 무시하고 다른 우상을 섬기며 자기 욕심만 우선시한 인간의 죄악은 마땅히 징벌받아야 합니다. 공의와 도덕률이 역사하고 있기 때문입니다. 자기 죄악을 의식하고 그것에 대한 심판을 두려워하는 게 마땅합니다. 이에 덧붙여 하나님께 용서를 구해야 하지요. 그러나 하나님이 온 세상을 창조하는 중에 '빛이 있으라!' 하면 빛이 등장했고 '해와 달과 별이 있으라!' 하면 그것들이 나타났지만, 하나님이 그 세상을 바로 잡고 구원하는 과정 중에 그저 '용서가 있으라!'라고 명령만 내릴 수는 없었습니다. 하나님으로부터 비롯된 공의와 도덕법을 범한 죄인들을 용서하는 데는 그 대가를 치르는 과정이 필수적이었기 때문입니다. 그런데 하나님은 우리가 그 대가를 지불하도록 하지 않고, 당신의 아들 예수 그리스도가 **'대속(代贖)의 희생'**(substitutionary sacrifice)을 감당하도록 하심으로써 그 죄악의 대가를 온전히 치렀습니다. 다른 말로 하자면, 그의 십자가와 부활을 통해 죄인 된 우리를 **'재창조'**하신 것입니다(팀 켈러).

인생 만사에는 양면이 있습니다. 특히 미래와 연관된 것들은 죄다 그러합니다. 예컨대 보험을 드는 이유에는 두려움이라는 측면이 반드시 존재하지요. 연금 보험이든 건강 보험이든 자동차 보험이든, 그것들은 미래에 닥칠지 몰라 두려운 불행한 사태를 대비하는 도구가 됩니다. 운동을 하는 이유에도, 운동하지 않으면 장차 여러 가지 병이 자기를 엄습할 것이라는 두려움이 자리 잡고 있습니다. 심지어 결혼하는 것에도 두려움이 작동되지요. 혼자 살면 장차 외로움에 찌들어 살 테고, 노후에 아무도 자기를 돌봐 줄 이가 없을 것이라는 두려움 말입니다. 그렇지만 연금을 통해 노후 생활의 안정을 꾀하고 건강의 위기를 넘기는 여유로운 혜택은 달콤하기까지 합니다. 운동을 통해 우리 몸과 정신이 단련되어 훨씬 더 생기 있고 활기찬 삶을 누리는 긍정적인 혜택은 그 두려움을 초월합니다. 평생의 반려자와 함께 새로운 삶을 일구어가는 과정에는 그 어떠한 인간관계에서도 누릴 수 없는 깊은 만족과 심오한 기쁨이 존재하기 마련이지요. 그리스도교를 믿는 것도 마찬가지입니다. 하나님을 믿지 않을 경우에 당하게 될 사후의 징벌을 피하기 위해서라는 부정적인 측면이 작동된 것은 맞지만, 그 두려움이라는 요소는 하나님을 찾고 알고 사랑하고 그에게 복종하는 삶의 기쁨과 보람을 누리는 동안 우리 기억에서 홀연히 사라져 버리고 맙니다.

사정이 이러한데도 러셀은 그 두려움이 잔혹한 언동을 낳는다고 강변합니다. 게다가 이런 공포와 잔인한 사태들을 과학이 해결해 줄 수 있다고 지적하면서, 상상에서 비롯된 신앙의 도움을 의지하지 말고 우리 자신의 노력으로 이 세상을 가꾸어가자고 제안합니다. 먼저 종교의 기반인 두려움과 잔혹한 언동의 관계에 대해 살펴보겠습니다. 인류의 역사는 한편으로 보면 분쟁의 역사였습니다. 그중에는 종교에서 비롯된 투쟁도 적지 않았습니다. 그리스도교인과 회교도들의 싸움, 가톨릭 신자와 개신교도들과의 반목은 오랫동안 수많은 사상자를 낳았습니다. 그렇지만 잊지 말아야 할 점은 이런 경우들은 죄다 인간들의 죄악과 욕심으로 인한 비극적 사태였습니다. 종교 혹은 신앙의 대상인 신 혹은 하나님이 책임질 일이 아니라는 것이지요. 하나님의 징벌이 두려워 신앙을 품은 사람이 다른 사람과의 관계가 어떻게 진전될지 공포감에 휩싸여 그와 분쟁하게 된 상태에서, 왜 하나님이 그 두 번째 공포감과 그로 인한 분쟁에 대해서까지 책임을 져야 할까요? 이것은 미래에 대한 두려움 때문에 보험 들고, 운동하고, 결혼한 사람이 다른 사람과의 관계가 악화하여 서로 반목하게 되었을 때, 보험과 운동과 결혼에 그 탓을 돌리는 무분별함과 다를 바 없습니다.

과학이 인류 역사에 끼친 혜택은 우리가 모두 공감하는 대목입니다. 자연을 이용하여 문명의 이기들을 누리고, 숱한 질병에서 벗어나고, 이렇게 80억이나 되는 인구가 먹을 수 있는 먹거리를 마련하는 데도 과학이 혁혁한 공을 세웠습니다. 그렇지만 과학이 오용된 사례도 만만치 않았습니다. 세계대전을 통해 수천만 명의 사상자를 낳고 인류의 과도한 필요를 채우기 위해 자연을 훼손하고 대기를 오염시켜 전 지구적인 기후변화를 야기하는 데도 과학이 한몫했습니다. 그런데 보세요. 이렇게 상대적인 두 상황에서 과학은 중립적인 도구였을 뿐입니다. 다만 인간들이 그것을 선용하거나 오용했을 따름이지요. 사정이 이러한데도 러셀은 이 과학이 인류가 품은 두려움의 문제를 해결해 줄 것이므로 우리의 노력으로 이 세상을 살기 적합한 곳으로 만들자고 천진난만한 주장을 내놓습니다. 과학이 인류의 두려움에 대한 해결책이라는 그의 말도 납득하기 힘들지만, 그 과학을 오용해 온 인류의 사악한 경향성과 무한한 욕심의 역사를 못 본 체하는 그의 행태는 그의 빈약한 논리마저 무효로 합니다.

다른 한편으로 토마스 만이 지적한 대로 인간은 자신의 탄생과 죽음을 경험하지 못하는 제한적인 존재입니다. 게다가 비록 과학의 발전으로 인해 무기 화합물이 서로 결합하여 생물 화합물이 되고 이것이 생명체로 진화해 갔다는 추정까지는 제시되었으나, 이 무기 화합물의 기원이 무엇인지에 대해서 과학은 묵묵부답일 수밖에 없습니다. 그 지점은 과학의 한계를 넘어서는 단계이기 때문입니다. 사정이 이러하다면 과학을 신의 자리에 올려 두고 숭상하는 것보다는, 좀 더 겸허한 자세를 취하면서 과학을 선용할 방안을 모색해야 하지 않을까요? 즉 자신의 시원과 궁극적 귀착지에 대해 무지하다는 점을 인정할 뿐 아니라, 과학에 한계가 있다는 것과 그것을 선용하거나 오용하는 것이 궁극적으로 우리의 책임임을 깨닫는 것이 기본자세라는 말입니다. 이런 상황에서 우리 각자가 직면하게 되는 '나는 무엇인가'와 '어떻게 살 것인가'라는 질문에 결정적인 돌파구가 되는 것이 바로 초자연적인 신적 계시와 보편적인 원리 혹은 도덕률입니다. 물질을 궁극적인 기원으로 삼는 입장은 이 근원적인 질문에 답을 내놓을 수 없기 때문입니다. 물질이 신의 자리에 있으니, 그 물질적인 신에게서 어떤 의미 있는 답변을 들을 수 없는 게 당연하지요. 이 시점에서 러셀이 그토록 철저하게 오해한 성경과 예수 그리스도를 트인 마음으로 진지하게 고려해 보시길 간곡히 부탁드립니다.

2.10. 우리가 할 일(What We Must Do)

러셀이 결론으로 말합니다. "우리는 자신의 발을 딛고 서서 세상의 좋은 사실과 나쁜 사실들, 세상의 아름다움과 추한 모습들을 정당하고 바르게 보기 원한다. 세상을 있는 그대로 보고 세상을 두려워하지 않는 것이다." 그러면서 "지력으로 세상을 정복하라"("Conquer the world by intelligence")라는 방법론을 제시하고는, 난데없이 "하나님에 대한 모든 개념은 고대 동방의 폭정에서 유래된 개념이다."("The whole conception of God is a conception derived from the ancient Oriental despotisms.")라고 일방적으로 선언합니다. 자유로운 사람들에게 걸맞지 않은 개념이라는 것이지요. 이 선한 세계가 필요로 하는 것은 과거를 후회하며 그리워하거나 오래전 무지한 자들이 한 말로 자유로운 지성을 구속하는 것이 아니라, 다만 지식(knowledge)과 친절(kindliness)과 용기(courage)라고 주장하며 끝을 맺습니다.

---->이제 러셀의 글 마지막 항목에 도달했습니다. 세상을 있는 그대로 보고 두려워하지 않을 뿐 아니라, 자유로운 지성을 활용하여

세상을 정복하라고 주문하지요. 이 말은 고대 동양의 폭군 같은 신을 두려워하여 노예로 살면서 자기를 비참한 죄인이라고 여기지 말고, 자유로운 지성으로 세상을 바로 보면서 최선을 경주하여 세상을 더 낫게 만들자는 것입니다. 하나님을 동양의 폭군에 비유하다니 이제 그의 논의가 끝에 도달했다는 의미겠지요. 하나님은 존재하지 않지만, 그의 역할은 전제 통치를 펼치는 사납고 악한 임금에 불과하다는 게 러셀의 신(神) 인식입니다. 이것이 그의 말처럼 '두 발로 서서 세상을 **공정하고 정직하게** 바라본'(stand upon our own feet and look fair and square at the world) 결과일까요? 그의 신 인식의 근거에 대해선, 이전 항목들을 통해 제시된 그의 논지와 제가 제시한 논지를 비교해 보고 평가해 보시기 바랍니다.

전제 폭군인 신의 노예로 사는 삶의 대척점에 지성으로 세상을 정복하는 삶이 자리 잡고 있습니다. 러셀은 그동안 내내 '지성' 혹은 '지력'을 가리킬 때 'intellect'라는 단어를 사용해 오다가 이 항목에서만 4차례에 걸쳐 'intelligence'라는 단어('IQ 테스트'의 'I'에 해당함)만 쓰고 있습니다. 그 세부적인 용례는 다소 차이가 나지만 여기에서는 서로 비슷한 의미로 사용되며, 후자의 의미는 본능적인 행동과 반대되는 개념, 즉 생각하고 추론하고 이해할 수 있는 능력입니다. 지금까지 전개된 러셀의 논지로 보건대, '지성으로 세상을 정복하라'는 말은 아마도 지식과 과학의 힘으로 세상의 모든 문제를 해결해 가라는 의미겠지요. 그런데 과연 이것들로 세상의 문제들이 다 해결될 수 있을까요? 이 글을 쓸 당시의 러셀이 이미 경험했던 제1차 세계대전은 이런 생각이 얼마나 천진난만했는지를 온 천하에 드러내었습니다. "H. G. 웰스의 세계사 산책"에는 그 전쟁에 대해 이런 논평이 나오지요.

"전쟁이 일어나고 불과 몇 달 만에 **현대 과학기술의 발달**(the progress of modern technical science)이 전쟁의 본질을 얼마나 근본적으로 바꾸어놓았는지가 확연하게 드러났다. **자연과학**(physical science)은 인류에게 **힘**(power), 곧 철을 다루는 힘, 거리를 뛰어넘는 힘, 질병을 극복하는 힘을 주었다. 그러나 그 힘을 올바로 사용하는지, 아니면 그릇되게 사용하는지는 **도덕 및 정치에 관한 인류의 지성**(the moral and political intelligence of the world)에 달려있다. 그런데 파괴와 저항 모두 할 수 있는, 전례 없이 강한 힘을 손에 쥐게 된 유럽 각국 정부는 여전히 **구태를 벗지 못하고 증오와 의심에 가득 찬 정책**(antiquated policies of hate and suspicion)들을 펴고 있었다. 전쟁은 전 세계의 소모전으로 바뀌었다. 승자와 패자 모두에게 관련된 문제들에 비해 훨씬 엄청난 손실을 안겨주었다."

4년 반 만에 무려 약 2천만 명이 살육되는 대재앙을 낳은 것이 과연 누구의 책임일까요? 단언하건대 인간에게 그토록 막강한 힘을 부여해 준 지식과 과학은 아무런 잘못이 없습니다. 오롯이 그 힘을 오용한 인간의 책임입니다. 그렇다면 왜 인간이 그 지식과 과학기술을 오용했을까요? 스스로 생각하고 추론할 수 있는 지성이 없어서가 아니었습니다. 도리어 다른 사람들을 증오하고 의심하는 원초적 감정에 온전히 사로잡힌 채, 어느 것이 옳고 그른가를 냉철하게 헤아리는 분별력뿐 아니라 옳은 길을 선택해서 실행하는 결단력이 없어서였습니다. 이것이 바로 웰스가 지적한 '도덕 및 정치에 관한 인류의 지성(the moral and political intelligence of the world)'이란 표현이 함의하는 내용입니다. 지성적 활동에는 안내자나 나침반이 필요합니다. 온 세상이 인정하는 도덕률입니다. 국제적인 상황에서는 여기에다 정치적인 고려가 가미되겠지요. 러셀의 문제가 바로 여기에 있습니다. 그의 지성은 그저 고삐 풀린 '자유로운 지성'(free intelligence)에만 머물러 있을 뿐, 보편적인 원리와 구체적인 삶의 현실이 가미된 '도덕적이면서도 정치적인 지성'(moral and political intelligence)에까지 진화되지 못했습니다. 세상을 있는 그대로 보겠다는 말과는 달리 사안마다 편견과 아집으로 물든 색안경으로 바라보며 속단하기 일쑤고, 인류의 자산으로 전수된 과거 언명의 의미를 겸허하게 헤아리기보다는 죄다 무지의 소산으로 여기는 게 그의 지성의 두드러진 면모이지요. 더욱 심각한 문제는 근거 없는 본능적 증오와 의심이 그의 평생 하나님, 그리스도 및 그리스도인에 대한 그의 지성적 활동에 재를 뿌리고 있었다는 점입니다.

2.11. 러셀의 근원적인 문제: 자기가 몰랐던 영역에 대한 무지

러셀이 "왜 나는 기독교인이 아닌가?"에서 다룬 그리스도와 그리스도인은 그의 머릿속에서 지어낸 허상이었습니다. 그의 근원적인 문제는 자기가 무엇을 모르고 있는지에 대해 무지했다는 데 있습니다. 수학자, 철학자, 역사가로 알려진 그가 각 분야에서 뛰어난 역량을 발휘한 것은 분명해 보이지만, 이 글로만 판단해 보건대 그는 그리스도교와 그 신학에 대해서는 무지했습니다. 그의 얄팍한 성경 지식과 투박하고 종작없는 논리를 미루어 보건대, 자기에게 수학과 철학과 역사에 대한 지식이 얼마간 있다는 이유로 성경이나 그리스도교 신학을 얕잡아 보고 그것들을 탁월하게 파악했다고 여긴 듯합니다. 그 같은 경우를 "소크라테스의 변론"에서 소크라테스가 지적하고 있지요. 그가 정치가와 시인과 장인을 찾아가 면담해 본 결과, 그들 각각 많은 사람에게 지혜롭다고 여겨지고 자신들도 각각 자기를 지혜롭다고 자부하지만 정작 그들이 지혜롭지 못하다는 것을 깨닫게 되었다고 하지요. 어떻게 그런 결론에 도달하게 되었을까요? 비록 그들이 정치, 시, 기술 면에서는 소크라테스가 모르는 것들을 알고 있었지만, 그것들을 알고 있고 주목할 만한 기술을 가졌다는 이유로 "가장 중요한 다른 일에서도 자기들이 가장 지혜롭다고 주장했으며, 이러한 과오는 그들의 지혜마저 무색하게 만들어버렸기" 때문입니다. 모든 사람은 무지합니다. 다만 무지한 분야가 각각 다를 뿐이지요. 소크라테스가 만난 그들뿐 아니라, 러셀도 이 엄연한 사실에 무지했습니다.

그에게 성경이나 그리스도교 신학에 대해 조금의 상식이라도 있었다면, 과연 그리스도인이라는 의미가 과거와 현재가 각각 다르다고 주장할 수 있었을까요? 옛날에는 그 단어가 모든 신조를 믿는 자를 가리켰지만, 현대에는 그 '순수한 의미'(a full-blooded meaning)가 퇴색되어 예수 그리스도를 하나님의 아들이 아니라 인간 중에서 가장 뛰어나고 지혜로운 자라고 믿는 자를 의미한다고 말입니다. 그 근거가 의심스럽고 지극히 주관적인 견해에 불과한 그리스도인이라는 정의를 자신의 과녁으로 정해 두고는 비판의 화살을 쏘아댔지요. 예수님이 하나님의 아들로서 이 세상의 죄인들을 구원하기 위해 오신 구세주라는 게 그리스도교의 핵심 신조라는 점은 다른 종교인들도 다 알고 있습니다. 삼위일체라는 단어까지는 언급하지 못하더라도, 그 예수님이 젊은 나이에 십자가에 달려 죽었고, 사흘 만에 부활한 것을 그리스도인들이 믿는다는 점을 모르는 현대인들이 얼마나 될까요? 그런데도 현대판 그리스도인에 대한 러셀의 정의에는 십자가도 부활도 등장하지 않습니다. 더구나 예수님의 신성(神性)조차도 양보 사항에 불과합니다. 그가 인용한 복음서가 예수님의 신성과 십자가 죽음과 부활 사건을 두드러지게 묘사하고 있다는 점을 파악하지 못한 것이 과연 올바른 독해라고 할 수 있을까요? 이런 왜곡된 독해를 바탕으로 전개된 그리스도교 비평이라는 게 무슨 의미가 있겠습니까? 그가 이런 그리스도교 핵심 교리들을 믿지 않았다고 비판하는 게 아닙니다. 이해하는 것과 믿는 것은 차원이 다르지요. 다만 분별력을 가지고 자연스럽게 읽으면 이해되는 복음서의 핵심을 주목하지 않은 채, 그리스도와 그리스도교인들을 비판하기에 열을 올린 그의 무분별 해악을 지적하는 것입니다.

사정이 이러하니 그의 논지 속에 '확증편향'이 물씬 묻어나는 것은 당연합니다. 그의 가치관이나 신념에 의하면 예수의 신성, 십자가 사건 및 부활 사건은 논의할 가치조차 없었습니다. 왜냐하면 그는 애당초 예수님이 역사적으로 존재했는지조차 의심스럽고, 설령 그가 실재했어도 그에 대해 아무것도 모른다고 여겼기 때문입니다. 그래서 그는 다루기 어려운 역사적인 질문에 관해서는 관심이 없고, 다만 복음서를 있는 그대로 독해하면서 그 속에 나타난 예수님에 관해 관심을 가진다고 강변하지요. 그러면서도 그가 관심을 둔 것은 단지 자기가 보기에 '매우 지혜로운'(very wise) 말이라고 여겨지지 않는 복음서 여러 구절을 자평한 것에 불과합니다. 그러한 시도에서도 일반적인 독해의 원리를 좇아 그 구절의 문맥을 고려해서 그 의미를 이해하려는 노력을 기울인 흔적은 찾아볼 수 없고, 부차적이고 지엽적인 문제에만 매달립니다. 그는 마치 소고기 무한리필 전문점에 가서 소고기 실컷 먹을 생각은 하지 않고, 상추, 깻잎, 호박잎 같은 쌈 채소와 김치, 양파, 버섯, 마늘 같은 밑반찬만 먹으면서 투정하는 어린아이와 같습니다. 그는 복음서(Gospels)를 읽으면서도 복음이 무엇인지 관심도 없었고, 처음부터 끝까지 등장하는 하나님의 나라 혹은 하늘나라라는 영적 현실은 거들떠보지도 않았으니까요. 도리어 그 핵심 주제들에 비하면 부차적이거나, 그것들에 의해서만 올바로 해석될 수 있는 문제들에만 매달렸지요. 숲은 보지 않고 특정 나무에게만 초점을 맞추는 전형적인 예라고 할 수 있습니다.

문제는 이런 인물의 유명세 때문에 전 세계의 많은 이들이 그리스도교를 등지게 되거나 아예 그리스도교를 바라보지도 않게 되었다는 데 있습니다. 이 글을 담고 있는 책(이 글과 동명의 제목)을 자기 인생의 책으로 꼽는 사람도 있을 정도니까요. 우리나라에서는 2014년에 세상을 떠난 가수 신해철 씨가 그러했습니다. 고등학교 시절에 이 책, 특히 이 글을 읽고 큰 감동을 받았기 때문입니다. 이 책으로 인해 자기 신앙을 버리지는 않았다고 했지만, 그가 자기 신앙을 어떻게 이해하고 있었는지는 알 길이 없습니다. 비록 젊은 나이에 작고(46세)했지만 우리나라 많은 젊은이에게 영향을 미친 그였기에, 그를 통해 이 책을 접한 이도 적지 않았을 것입니다. 특히 2005년 11월에 그가 "낭독의 발견"이란 TV 프로그램에 출연해서 자기 인생의 책으로 이 책을 꼽으면서 낭독한 부분이 바로 이 글의 끝부분이었지요.

이번에 러셀의 글을 비평하면서 제가 염두에 둔 대상은 세 그룹입니다. 첫째, 신해철 씨 같이 이 책을 인생의 책으로 꼽는 이들입니다. 둘째, 그리스도교의 진리에 관해 관심을 갖고 진지하게 구도

하는 이들입니다. 셋째, 그리스도교의 교리나 신조를 어떻게 이해해야 할지 고민하는 그리스도인들입니다. 특히 이들은 그리스도교에 대해 무지한 러셀 같은 이들의 영향을 받아 그리스도교를 직간접적으로 비판하거나 공격해 대는 친구나 친지나 교사나 교수들의 피해자인 경우가 많습니다. 제 경우가 그랬습니다. 고등학교 시절에 틈이 나는 대로 기독교를 비과학적이고 무지몽매한 종교로 비난해 대던 생물 교사, 대학교 1학년 교양 과정을 밟던 시절에 시시때때로 기독교의 반지성적인 면모를 지적하며 공격해 대던 문학개론/철학개론/심리학 개론/문화인류학 교수들의 등쌀에 시달려야 했으니까요. 그들이 그토록 자신만만하고 용맹했던 건 그들의 배후에 유물론적 무신론자인 러셀 같은 저명인사가 버티고 있었기 때문이었겠지요. 그러나 이런 상황이 전화위복이 되었습니다. 그들의 지분거림 덕에 저는 그리스도교 신앙을 더 깊고 넓게 탐구할 수 있게 되었고, 트인 마음을 품은 이들에게 이 소중한 신앙의 세계를 나누겠다는 일념으로 지난 세월을 보내게 되었습니다. 모쪼록 이 "버트런드 러셀의 복음서 읽기" 에세이들이 이 세 그룹에 속한 이들에게 유효한 그리스도교 안내서 역할을 담당하길 기원합니다.

2 부 신앙인의 터널 비전

1. 과학과 신앙: 과학이 (창조) 신앙의 적이다?

1.1. 지적 자살 행위

우리나라 모든 목회자와 선교사에게 선사하고 싶은 책이 한 권 있습니다. 미국 복음주의 역사가인 마크 A. 놀의 "복음주의 지성의 스캔들"(The Scandal of the Evangelical Mind)입니다. 미국에서 1994 년에 출간되었지만, 우리나라에서는 2010 년에서야 소개되었습니다. 무려 30 년 전에 출간된 책이지만, 여전히 현재 우리나라 그리스도교 상황에 대한 적실한 진단이 등장하고 그 해결책을 지혜롭게 제안해 주는 자료입니다. 10 쪽에 달하는 한국어판 서문 중 한 곳에서 저자는 아래와 같이 주장합니다.

"따라서 미국 복음주의 사고의 심각한 문제점은 그대로 남아 있다. 여전히 복음주의자들은 주의를 흩어놓는 <u>종말론적인 공상</u>에 과민반응 하여 종말에 관한 책을 구입하는 데는 돈을 쏟아붓지만, 현재의 문제를 진지하게 분석하는 일에는 지원이 인색하다. 또한 미국의 복음주의자들은, (때로는 좌파의 그러나 훨씬 많은 경우 우파의) <u>정치화된 신앙</u>(politicized faith)에 손쉬운 먹잇감이 되어 왔다. 이런 식의 정치화된 신앙은 반대자들을 악마로 취급하면서 정치적 동맹자들의 극악한 잘못은 눈감아 주는 당파성으로 인해 복음에 기초한 기독교적 원리를 부차적인 것으로 취급해 버렸다. 그뿐만 아니라 <u>육신과 괴리된 영성</u>이라는 이상에 사로잡혀서 어려운 상황 속에서도 열심히 노력하는 소설가와 시인이 활동할 공간을 마련해 주지 못했다. 그리고 여전히 많은 복음주의자가 '<u>창조과학</u>'을 장려하는 것이 자연주의적 과학 철학에 저항하는 최선의 방법이라고 생각하는, **지적 자살**에 가까운 실수를 저지르고 있다. 다시 말해서, 미국의 복음주의자들은 지적인 삶에 관한 한 예전의 문제를 그대로 안고 있다."

우리나라 기독교는 미국 복음주의 기독교의 판박이입니다. 그가 언급한 문제점 네 가지 모두 우리나라에서도 현재진행형이기 때문입니다. 이 문제 중 제가 특히 주목하는 것은 '창조과학'에 대한 마지막 언명입니다. 마크 놀의 지적은 창조과학이 지적 자살이라는 말이 아닙니다. 진화주의(evolutionism)에 대항해서 창조과학(scientific creationism)을 지지하며 맞서는 행태가 그러하다는 말입니다. 과학주의(scientism)에 경도된 무신론자의 극단적 주장을, 과학에 대한 무지와 편견으로 사로잡힌 기독교 근본주의자들의 극단적 주장으로 대항하는 것이 지적 자살이라는 것입니다. 즉 과학을 무신론의 근거로 삼으려 하거나 문화 진화 및 사회 진화를 거론하면서 진화론을 정치적으로 이용하려는 진화주의자들의 주장에 복음주의자들이 이렇게 맞선 것이지요.

"여러분은 물리학과 천문학의 탐구로 우주의 역사가 138 억 년, 지질학과 고고학의 연구로 지구의 역사가 45 억 년이라고 말한다지요. 여러분에게는 망원경과 방사성 동위원소 연대측정법이라는 도구가 있지만, 우리에겐 성경의 족보라는 게 있어요. 그 족보에 의하면, 우주와 지구와 인간의 나이는 똑같이 약 6 천 년이에요. 좀 더 길게 잡아도 1 만 년이에요. 우리가 믿는 전능하신 하나님께서는 창세기에 기록된 문자 그대로 단 6 일(24 시간×6) 만에 이 모든 것들을 다 만드셨으니까요. 그것도 태양이 만들어지기 전 3 일과, 태양이 창조된 후 3 일 동안 만드신 것이지요. 그리고 인간들이 죄를 범하자, 그들을 심판하기 위해 노아의 시대에 전 세계적인 홍수를 일으키셨지요. 그 홍수의 결과 이 지구상의 모든 지층과 화석이 형성되었어요. 미국 그랜드 캐니언이 그 좋은 증거지요. 비록 우리가 여러분과 같이 해당 과학의 전문가는 아니지만, 우리는 창세기가 참된 과학적 역사인 걸 믿어요. 관측된 적도 없는 종의 분화를 주장하는 진화는 소설이고, 빅뱅 이론은 임시변통의 이야기일 뿐이며, 방사성 동위원소 연대 측정은 엉터리에요. 여러분은 완전히 틀렸어요."

개인이 이런 확신을 갖는 것과 **공동체가** 그런 입장을 **공적으로 장려하는 것**은 완전히 별개의 문제입니다. 그렇지만 우리나라만 하더라도 무려 40년 이상 동안 그런 주장을 허다한 개신교회가 공공연하게 밝혀오지 않았나요? 그런 주장에 동조하지 않는 성도는 집사직도 얻지 못하도록 한 대형 교회가 있다는 것은 약과입니다. 영적으로 갈급한 성도들이 체계적으로 성경을 연구하는 과정에다 그런 주장을 접목해 두고는, 그 주장만이 하나님의 창조 방식을 해석하는 최선의 주석인 것처럼 떠드는 전국적인 규모를 가진 성경 공부 과정도 현재 흥행 중이니까요. 이런 행태는 일반 마케팅에서도 거의 볼 수 없는 고약한 판매 방식입니다. 인기 있는 물품을 '1+1'이나 '2+1'로 판매하는 것은 경험해 봤어도, 질 좋은 제품에다 원치 않는 물품을 끼어 파는 '1-1'식 강매를 접하신 적 있나요? 사정이 이러하지만, 그 성경 공부 과정의 참석자들은 그것이 '-1'에 해당하는 제품이 포함된 것도 모르고 있을 공산이 큽니다.

더욱 심각한 문제는 따로 있습니다. 이런 지적인 자살 행위를 다음 세대가 담당해 가도록 전가(傳家)하고 있다는 점입니다. 고등학교 '통합과학' 시간에 배우는 과학적 사실들은 신앙과 대치하는 것이므로 무시하거나, 이 '창조과학'으로 맞서라고요. 그것이 이 시대를 살아가는, 순교적인 기독교인의 길이라고요. 너무 힘들면 대안학교로 보내주겠다고요. 대부분의 국제학교나 대안학교가 이 창조과학이 포함된 커리큘럼을 운영하고 있으니까요. 과연 이것이 우리가 다음 세대에 **공적으로** 전수해 주어야 할 건전한 신앙의 길이자 학문의 길이자 인생의 길일까요? 과학은 신앙의 적이고, 특히 진화론은 "기독교를 파괴하는 적그리스도적 이론"(손성찬, "모두를 위한 기독교 교양")이며, 나아가 인본주의로 점철된 세상 학문에는 거짓이 난무한다고 치부하는 자세 말입니다. 앞에서 언급한 물리학, 천문학, 지질학, 고고학뿐 아니라, 한반도에서 구석기 문화가 70만 년 전에 시작되었다는 국사 교과서, 300만 년 전에 등장한 오스트랄로피테쿠스, 50만 년에 나타난 호모 에렉투스, 20만 년 전에 존재하기 시작한 네안데르탈인을 언급하는 세계사 교과서도 다 거짓부렁이로 취급해야 하지요. 우리 젊은 세대를 이런 길로 가도록 떠밀어두고는, 왜 주일학교가 비어 있고 대학부나 청년회가 유명무실한지 모르겠다며 기성세대 기독교인들은 의아해합니다. 젊은이들에게 집 한 채 마련할 꿈조차 꿀 수도 없는, 이토록 좌절되는 부동산 투기판 사회를 만들어두고는, 왜 그들이 결혼도 하지 않고 자녀도 낳지 않는지 의아해하는 우리나라 정치인들과 조금도 다를 바 없지요.

　"제정신인 사람이 미친 사람을 돕기 위해 자기를 미치게 만든다면 아무런 유익이 되지 못할 겁니다."(The sane would do no good if they made themselves mad to help madmen.) C. S. 루이스의 일갈입니다. 사정이 이러한데도 '미친 사람'과 싸우거나 대항하기 위해, '지적 자살'을 감행하거나 '미치는 길'을 선택하는 게 말이 될까요? 이상에서 언급한 내용에 대한 간략한 설명을 아래에 덧붙입니다.

1.2. 용어들의 정의

과학과 신앙 문제를 제대로 논의하기 위해서는 몇 가지 용어를 정의해 두는 게 필요합니다. 섀도복싱을 하지 않기 위해서입니다.

■과학(science): 물리적 세계와 그 현상에 관한 것으로, 편견 없는 관찰(unbiased observations)과 체계적인 실험(systematic experimenttation)을 수반하는 모든 지식 체계. 일반적으로 과학은 일반적인 진리(general truths) 또는 근본 법칙(fundamental laws)의 작동을 다루는 지식을 추구한다.
■신앙(faith): 인간을 최고의 하나님 또는 궁극적인 구원과 연관시키는 내적 태도, 확신 또는 신뢰. 하나님의 은총을 강조하는 종교 전통에서 믿음은 하나님이 직접 부여한 내적 확신 또는 사랑의 태도이다. 기독교 신학에서 믿음은 예수 그리스도를 통한 하나님의 역사적 계시에 대해 신성한 영감[혹은 성령의 감동]을 받은 인간의 반응이며, 따라서 매우 중요한 의미가 있다.

■진화(evolution 혹은 evolutionary theory): 지구상의 다양한 종류의 식물, 동물 및 기타 생물은 기존의 다른 유형에서 기원을 가지며, 구별할 수 있는 차이는 연속적인 세대의 변형에 기인한다고 가정하는 생물학 이론. 진화론은 현대 생물학 이론의 근본적인 핵심(the fundamental keystones) 중 하나이다. 1859년에 영국의 생물학자 다윈이 "종의 기원"(On the Origin of Species)에서 체계화하였다.

■진화주의(evolutionism): 종종 진화론과 같은 의미를 띠기도 하지만, 진화론을 유기체 내에서 진행되는 점진적인 유전적 변화를 넘어 문화 진화(cultural evolution)와 사회 진화(social evolution)까지 포함하는 개념으로 확장하려는 진화론자들의 입장을 가리킨다.

■창조(creation): 하나님이 우주 만물을 처음으로 만듦.

■창조론(creationism): 우주와 다양한 형태의 생명체가 하나님에 의해 무(無)에서(ex nihilo) 창조되었다는 믿음. 하나님이 창조주라는 생각은 종교만큼이나 오래되었지만, 현대 창조론(modern crea-tionism)은 주로 하나님이나 다른 신성한 힘에 의존하지 않고도 생명의 다양성을 설명할 수 있는 진화론(evolutionary theory)에 대한 반응이다.

■창조과학[(scientific) creationism 혹은 creation-science 혹은 young-earth creationism(젊은지구창조론)]: 하나님께서 6일 동안 만물을 창조하셨다는 창세기의 이야기가 문자 그대로 정확하고, 첫 사람 아담으로 시작되는 성경의 족보에서 추정한 것처럼 지구의 나이가 수천 년밖에 되지 않았으며, 홍수 지질학(flood theology)을 바탕으로 지난 1만 년 이내에 우주와 생명체가 특별하게 창조되었다는 주장. [이상은 국립국어원 표준국어대사전과 브리태니커백과사전 참조]

이 용어에 의하면, 과학과 신앙은 서로 대적하는 위치에 놓여 있지 않습니다. 총신대와 백석대에서 수학한 손성찬 목사가 지적한 대로, 애당초 과학이란 편견 없는 관찰과 체계적인 실험을 중심으로 물리적 세계에 대한 보편적 법칙을 발견해 나가는 과정 중심적 학문인 데 반해, 신앙[혹은 신학]은 초자연적인 절대자의 계시를 통해 드러난 비물리적 세계의 면모를 해석하는 보편 법칙 중심적 영역이기 때문입니다. 과학은 신앙[혹은 신학]과는 달리 초자연적인 절대자의 유무에 관해 관심이 없을 뿐 아니라, 과학의 방식으로는 알 수도 없습니다. 그리고 진화는 물리적 세계에서 체계적으로 발견되는 자연 현상이고, 진화론은 이 진화를 바탕으로 수립한 과학 이론으로서 '어떻게[how] 이렇게 되었는가?'를 객관적인 용어로 설명합니다. 그렇지만 창조는 하나님의 뜻이 기록된 성경을 믿음으로 수용함으로써 주장됩니다. 창조의 핵심은 '누가[who] 만들었는가?'와 그 누가 '어떤 의도로 만들었는가?'라는 문제입니다. 인문학적인 표현으로 전달된 성경은 과학의 표현 방식과 아주 다르지요(손성찬, "모두를 위한 기독교 교양").

그런데 'how'에 눈길을 주지 않는 성경에서 과학을 끄집어 내려 하고, 'who'와는 무관한 과학이 초자연적인 존재에 대해 거론하려는 시도는 각자의 영역을 벗어나는 오만한 행태입니다. 특히 창조과학이 창세기 본문을 문자적으로, 혹은 기록된 그대로 이해한 결과라는 주장은 아래에서 논의하는 대로 성경 해석의 기본을 무시한 처사이지요. "성경은 **우리를 위해** 쓰였지만, **우리에게** 쓰인 것은 아니다."(The Bible was written *for us*, but not written *to us*.) 구약학자이자 미국 휘튼 대학 교수인 존 월턴(John H. Walton)이 한 말입니다. 창세기는 각 시대에 속한 우리 모든 사람을 *위해서* 쓰였으나, 우리 모두*에게* 쓰인 책이 아닙니다. 특별한 역사적 상황 속에 처해 있던 고대 이스라엘인들*에게* 고대 히브리어로 쓰인 말씀입니다. 창세기를 비롯한 모든 성경 말씀이 "해석"이라는 과정을 거쳐야 하는 이유입니다. 관련된 역사와 문화와 언어를 고려하지 않고는, 제대로 그 말씀의 의미를 이해할 수 없습니다. 문자적으로 창세기를 이해한다는 말은 이러한 "해석"의 필연성과 필수성을 간과하거나 무시하는 착오입니다. 문제는 창조과학의 성경 해석이 다른 해석들보다 더 적절한가입니다. 그리고 진화론(evolutionary theory)은 과학적인 영역이지만, 진화주의(evolutionism)는 세계관이나 철학적 신념에 가깝다는 점도 주목해야 합니다. 그것은 무신론적 과학주의(scientism)에 경도된 자들의 주장입니다. 당연히 그리스도인으로서 진화주의는 받아들일 수 없지만, 진화론은 과학의 영역이므로 과학자들의 의견을 청취해야 합니다. 그것을 과학적인 준거로 참고하면서 얼마든지 유신론적 세계관, 즉 하나님께서 천지를 창조하셨다는 주장을 전개할 수 있지요.

1.3. 창세기 본문 해석

독해의 기본 원리는 그 책의 저자가 자기의 글을 어떻게 읽어주기를 바라는지 식별하는 것입니다. 그 책 각 부분의 장르를 구분하고 그것의 문맥에 주목하는 이유입니다. 그렇다면 현재 관심의 초점이 되는 창세기 1 장은 어떤 장르일까요? 팀 켈러는 에드워드 영[Edward J. Young, 창세기 1 장의 6 일을 역사적 사실로 읽는 보수적인 히브리어 전문가]을 인용하여 창세기 1 장이 "시적인 요소가 반쯤 섞인, 기쁨으로 고양된 언어"(exalted, semi-poetical language)로 쓰였다고 지적합니다. 한편으로 이 장은 일련의 사건을 묘사하는 산문적 서술로서 히브리 시의 핵심 특징인 평행법(parallelism)을 포함하지 않습니다. 다른 한편으로 이 산문에는 찬송가나 노래에서처럼 계속해서 반복되는 *후렴구(refrains)*가 있습니다[예: "하나님이 보시기에 좋았더라"(7 번), "하나님이 말씀하시니라"(10 번), "있으라"(10 번), "그대로 되니라"(7 번)]. 또한 태양["큰 빛"]과 달["작은 빛"]에 대한 용어는 매우 특이하고 시적이며, "들짐승"은 일반적으로 시적 담론(poetic discourse)에만 국한된 동물 용어입니다. 그래서 C. 존 콜린스(C. John Collins)는 이런 장르를 "기쁨으로 고양된 산문 내러티브"(exalted prose narrative)라고 부를 수 있다고 주장합니다. 우선 산문 내러티브이므로 우리가 사는 세상에 대한 진실을 주장하는 내용이 포함되어 있을 것입니다. 다른 한편으로는, '기쁨으로 고양된'이란 단어에 주목한다면 이 텍스트에 '문자주의적' 해석학('literalistic' hermeneutic)을 강요해서는 안 된다는 점을 인식하게 됩니다.

켈러는 창세기 1 장의 저자가 그 내용을 문자 그대로 받아들이기를 원하지 않았다는 견해에 대한 가장 강력한 논거는 창세기 1 장과 창세기 2 장의 창조 행위 순서를 비교하는 것이라고 주장합니다. 창세기 1 장은 '자연의 질서'(natural order)를 전혀 따르지 않는 창조의 순서를 보여줍니다. 빛의 근원인 해, 달, 별(4 일 차)이 있기 전에 빛(1 일 차)이 먼저 존재하거나, 어떠한 대기(atmosphere)가 존재하기[태양이 만들어진 4 일 차] 전에 초목[3 일 차]이 창조되었다는 점에 주목해 보세요. 그러나 창세기 2:5 절에서는 "여호와 하나님이 땅에 비를 내리지 아니하셨고 땅을 갈 사람도 없었으므로 (because) 들에는 초목이 아직 없었고 밭에는 채소가 나지 아니하였으며"라고 말씀하십니다. 즉 하나님은 창조 과정에서 우리가 '자연의 질서'라고 부르는 것을 따를 필요가 없으셨지만, 이 구절은 하나님이 그렇게 하셨다고 단호하게 언급합니다. 이런 상황에서 비가 내리기 전, 또는 땅을 경작할 사람이 있기 전에 초목이 있었다는 1 장 내용을 어떻게 이해할 수 있을까요? 창세기 1 장에서 자연의 질서는 아무 의미가 없지만, 창세기 2 장에서는 자연의 질서가 표준이 됩니다.

이상의 내용을 정리해 보면, 창세기 2 장에서는 사건의 순서를 문자 그대로 읽을 수 있으나 창세기 1 장에서는 그렇지 않을 수도 있고, 창세기 1 장에서는 문자 그대로 읽을 수 있으나 창세기 2 장에서는 그렇지 않을 수도 있습니다. 후자는 전자보다 그 가능성이 더 낮지요. 그러나 어떤 경우든, 둘 *다* 역사적 사건에 대한 단순한 설명으로 읽을 수는 없습니다. 사실, 둘 다 문자주의적으로(literalistically) 읽어야 한다면, 그렇게 읽는 것이 양립할 수 없는데 왜 창세기 저자는 두 기록을 결합해 두었을까요? 이 시점에서 켈러는 출애굽기 14-15 장[홍해 건너기]과 사사기 4-5 장[시스라 치하 시리아를 이스라엘이 물리친 사건]을 언급하면서, 창세기의 두 기록을 문자 그대로 읽으면 안 된다고 주장합니다. 이 두 사건에는 각각 역사적 기록(historical account)과 그 사건의 의미를 선포하는 시적인 '노래'(poetical 'song')가 통합되어 있습니다. 창세기 저자도 이 두 장에서 얼마든지 그런 통합의 시도를 하고 있다고 볼 수 있다는 것이지요. 결론적으로, 창세기 1장은 하나님이 세상을 단 6일(24시간×6) 만에 만들었다는 것을 가르치지 않습니다. 물론, 진화론도 가르치지 않습니다. 하나님께서 인간의 생명을 창조하신 실제 과정을 다루지 않기 때문이지요. 그러나 지구가 매우 오래되었을 가능성을 배제하지는 않습니다. 성령의 영감을 받은 창세기 저자가 품고 있던 의도에 최대한 주의를 기울이면서 본문을 충실하게 독해한 결과입니다. [팀 켈러, "Creation, Evolution, and Christian Laypeople", "BIOLOGOS" 참조]

장르 구분에 이어 문맥에 주목한다고 할 때 그 문맥은 근접 문맥뿐 아니라 더 광범위한 문맥을 포함하게 됩니다. 그 문맥 속에는 신학과 세계관도 다 포함됩니다. 그러므로 창세기를 읽을 때도 당대인들이 품고 있던 자연에 대한 관점이 반영된 것으로 읽어야 하지요. 고대 근동 사람들은 우주를 어떻게 생각했을까요? 지구는 평평하고, 바다에 둘러싸이고, 하늘을 받치는 기둥이 있고, 궁창[하늘]에 해와 달과 별들이 있고, 비가 와야 하므로 그 궁창 위에 물층[궁창 위의 물]이 있다고 생각했습니다. 그래서 우리가 자연이라고 하는 하나님의 일반 계시를 들여다보지 않고 성경만 들여다보면, 고대 히브리인들이 생각했던 우주를 찾아낼 수 있습니다(우종학 교수). 이런 사고를 품고 있던 고대인들에게 하나님께서 당신의 계시를 인간의 언어로 전달해 주신 것이지요. 그 계시의 초점은 유일하고 전능하신 창조주로서의 면모(who)를 그들이 이해할 수 있는 방식으로 드러내는 것이었습니다. "지엄하신 창조자, 그로 말미암아 온 우주가 창조되었고, 그래서 모든 만물이 복종해야 하는 유일하신 하나님만 존재할 뿐입니다."(IVP 성경 주석, 창세기) 천지 창조를 어떻게 이루셨는지(how)가 그 주된 관심사가 아니었다는 말입니다. 이런 계시의 내용을 21세기의 과학적 관점으로 비판하면 잘못 읽는 것이지요. 이것을 근거로 과학 교과서를 형성하는 것도 어불성설입니다.

1.4. 창조과학의 탄생

사정이 이러한데도 그런 사태가 실제로 미국에서 벌어졌습니다. 마크 놀에 의하면, 19세기 말부터 새로운 자본(new money), 사회적 진화론[social Darwinism, 찰스 다윈이 자연의 식물과 동물에서 발견한 것과 같은 자연 선택의 법칙이 인간 집단과 인종에도 적용된다는 이론.], 자연주의적 과학(naturalistic science), 타협적인 개신교(accommodating Protestantism)와 같은 요소들이 결합하기 시작했습니다. 그 여파로 복음주의적 확신, 미국의 이상 및 상식적인 베이컨주의 과학(common-sense Baconian science)이 통합되어 있던 당대의 사회 풍조가 급속하게 사라졌습니다. 베이컨주의란 검증된 개별 사실로부터 보다 일반적인 법칙으로 엄격하게 유도하는 것이 모든 주제의 데이터를 이해하는 가장 좋은 방법이라고 보는 과학적 입장입니다.

이 입장은 안정성(stability)을 가장 강조하면서 변화(change)를 존재(being)의 철학 속에서 설명하였습니다[아리스토텔레스의 전통]. 이런 귀납법이 새로운 지식을 많이 생산했지만, 그 지식이 절대적으로 옳다는 보장은 없었습니다. 그렇지만 이런 입장이 변화를 강조하면서 안정성을 되어감(becoming)의 철학 속에서 설명하는 새로운 사조의 도전에 직면하게 되었습니다[헤라클레이토스의 전통]. "이미 종료되어 안정된 상태에 있던 옛 우주(The old finished and stable universe)가 계속된 변화의 흐름 속에 있는 새로운 우주로 대체되는 상황이 전개되고 있던 것이지요."(찰스 험멜, The Galileo Connection, 1986). 비유하자면, 매일 같은 시간에 주는 모이에 길든 칠면조들이 어느 날 모이를 먹으러 왔는데 그다음 날이 추수감사절이었다는 슬픈 이야기에 주목해 보세요[버트런드 러셀의 예]. 그 칠면조들에게는 안정성에 대한 탐닉만 있었지, 변화를 예상할 수 있는 안목은 없었던 것이지요. 이 새로운 사조는 베이컨주의적인 격리된 "사실들"(facts)뿐 아니라, 전체적인 그림에 대한 창조적인 안목들을 품고 있었습니다. 힘멜은 이런 상황을 비유하여 "숲의 과학(a science of the forest)이 나무 과학(the science of the trees)을 대신하기 시작했다."고 묘사했습니다.

이 시기에 형성된 보수 개신교 운동이 바로 근본주의(fundamentalism)입니다. 성경의 문자적 진리(the literal truth of the Bible), 예수님의 임박한 육체적 재림, 동정녀 탄생, 부활, 속죄를 기독교의 근본적인 요소(fundamental)로 강조한다고 해서 붙여진 이름입니다. 앞에서 창세기 본문을 해석할 때 문제로 부각되었듯이, 장르와 문맥을 고려하지 않고 문자적으로만 특정 본문을 해석하는 것을 근본적인 신앙의 요소로 여기는 신학적 입장입니다. 그것도 '성경의 모든 단어를 문자 그대로 진리로 해석하는 것'(the interpretation of every word of the Bible as literal truth)을 지향합니다. 그렇게 되면 성경에서 흔히 활용되는 시(poetry), 은유(metaphor) 및 상징(symbol)이 차지하는 역할에 대한 인식 부족으로 관련 본문에 대한 적절한 해석을 도출해 내지 못하는 경우가 왕왕 발생하게 됩니다. 이 반지성적인 세력이 점점 더 득세하자, 복음주의자들은 자신들의 신학적 입지를 견고하게 붙들지 못한 채, "주류 문화의 과학적 성과를 적절히 분석한 결과를 수용함으로써 성서 해석에 도움을 받을 수 있다는 믿음"(this belief-that properly scrutinized results of the main culture's scientific enterprises should assist biblical interpretation)을 근본주의 신학이라는 제단에 바쳐 버렸습니다.

성경을 문자 그대로 독해한다는 근본주의자들은 창세기 본문의 의도를 무시한 채 자기들의 선입견과 세계관에 맞게 그 의미를 재단했습니다. 게다가 그것을 안식교[제칠일안식일예수재림교회= Seventh-Day Adventist Church, SDA] 출신의 조지 매크레디 프라이스[안식교 이론가이기도 하고 공식적인 훈련은 거의 받지 않고 현장 경험도 거의 전무했던 아마추어 지질학자]가 집필한 "The New Geology"(1923)와 접목했습니다. 이 책은 그가 엘렌 G. 화이트[안식교 창시자]의 환상에 뿌리를 둔 문서에 근거하여 지구 역사 연구의 틀을 마련하려는 의도로 쓴 책이었습니다. 창세기의 앞부분을 '단순하게' 혹은 '문자적으로' 읽으면 하나님이 6천 년에서 8천 년 전에 세상을 창조하셨고 대홍수를 통해 지구를 지금과 같은 지질학적 형태로 만드셨음을 알 수 있다고 주장했지요(마크 A. 놀). 그 결과가 바로 1960년대에 형성되어 과학적 창조론(scientific creationism)이라고 불리는 창조과학(creation-science)입니다.

물리적 세계를 객관적 안목으로 연구하는 과학과 그 과학적 증거를 부정함으로써 무신론적인 과학주의를 무력화시키겠다는 그들의 전략은 이렇게 반지성적이고 반동적이며 자가당착적입니다. 그토록 하나님의 계시와 역사적인 정통 교리를 엄중하게 받든다는 근본주의자들이, 엄정한 과학을 통해 드러난 자연계의 물리적 계시를 백안시한 채, 엄연하게 이단으로 지목받는 안식교의 성경해석 방식에 의지하여 창세기를 해석한 후 아무런 객관적 근거도 없는 유사 과학을 창조하고 설파해 왔으니까요. 이런 상태에서 복음전도와 세계 선교를 운운하는 것이 얼마나 앞뒤가 맞지 않는 일입니까? 기독교에 대한 현대인의 걸림돌은 더 이상 십자가가 아닙니다. 정치화되고 사유화된 기독교와 창조과학 같은 반지성적이고 시대착오적인 유사 과학에 목매는 기독교입니다.

이런 비극적인 상황 전개는 우리나라 정통 기독교가 최고의 신학적 권위로 인정하는 아우구스티누스(354-430)가 무려 1,600여 년 전에 이미 "창세기의 문자적 의미"("The Literal Meaning of Genesis", 408년에 출간됨)라는 저서 속에서 경고한 바 있습니다. 마치 창조과학이라는 유사 과학에 포획된 미국과 우리나라 복음주의 기독교인들을 향해 일갈하는 것 같지 않습니까?

"일반적으로 그리스도인이 아닌 사람도 지구와 하늘, 세상의 다른 요소에 대해, 별의 움직임과 궤도, 그 크기와 상대적인 위치에 대해, 예측할 수 있는 일식이나 월식에 대해, 해와 계절의 주기에 대해, 동물이나 나무, 돌 등의 종류에 대해 무언가를 알고 있다. 그리고 이런 지식은 이성과 경험을 근거로 확실하다고 주장한다. 그러므로 그리스도인이 성서의 의미를 해석하면서 이런 주제에 대해 말도 안 되는 소리를 하는 것을 이교도가 듣는다면 수치스럽고도 위험한 일이 아닐 수 없다. 사람들이 한 그리스도인이 드러낸 무지를 떠벌리며 이를 비웃고 경멸하는 당혹스러운 상황을 우리는 무슨 수를 써서라도 막아야 한다. 한 무지한 개인이 비웃음을 당해서 수치스러운 것이 아니라, 신앙 공동체 밖에 있는 이들이 거룩한 저자들이 그런 견해를 주장한다고 생각하게 만들기 때문에 수치스러운 것이다. 또 성서의 저자들이 무식한 사람으로 비판받고 거부당하여 결과적으로 우리가 구원하기 위해 애쓰는 그들에게도 큰 손실이 되기 때문에 수치스러운 것이다. 사람들이 그들 스스로 잘 아는 분야에 대해 오해하는 그리스도인을 만나고 우리의 책에 대해 자신이 가진 어리석은 견해를 주장하는 것을 그 사람이 듣는다면, 어떻게 그들이 죽은 자의 부활과 영원한 생명이라는 소망, 하나님의 나라에 관한 이 책의 가르침을 믿을 수 있겠는가? 이 책이 자신들의 경험과 이성의 빛을 통해 배운 사실에 대해 온통 거짓말을 한다고 생각한다면 어찌 그들이 성서의 영적 진리를 믿을 수 있겠는가?"(마크 A. 놀, "복음주의 지성의 스캔들")

1.5. 진화론에 대한 오해

진화(evolution)는 가치중립성을 띤 과학적 현상이자 원리입니다. 중력(gravity)이 어떤 과학자가 상상한 산물이 아니고 관찰할 수 있는 사실이자 원리인 것과 같습니다. 예컨대 코로나바이러스나 슈퍼박테리아가 출현하는 것이나 만성기의 암이 급성기로 변환되는 현상 이면에 숨겨진 과학적 원리가 '진화'입니다. 그 현상이나 사실에 '진화'라는 이름을 붙여준 것이 과학자의 역할이었습니다. 사과가 떨어지는 현상을 본 아이작 뉴턴이 그 현상에서 작동하는 과학적 원리에 '중력'이라는 이름을 붙여준 것처럼 말이지요(김영웅, "과학자의 신앙공부"). 진화 혹은 진화론에 대한 몇 가지 오해를 한번 살펴보겠습니다.

다윈에 대한 오해. "종의 기원"(1859)을 발표하기까지 찰스 다윈의 연구 과정이 무신론적인 세계관에 의해 추동되었다고 생각하는 것은 오해입니다. 그가 비글호를 타고 탐구 여정을 시작하게 된 것은 사제가 되기 위한 신학교 과정을 마치고 임명되기까지 일정 기간을 기다려야 했기 때문이었습니다. 에든버러 대학 의대를 중퇴한 그는 케임브리지 대학 크라이스트 칼리지에서 신학을 전공한 후[1831 년에 졸업] 영국 국교회의 사제가 될 예정이었습니다. 그렇지만 부제직 서품을 받으려면 1-2 년 동안 공석이 생길 때까지 기다려야 했습니다. 대학의 박물학 수업에서 뛰어난 실력을 인정받은 그는 그 기간을 활용하여 지질학 기행을 떠날 것을 고려하고 있었지요. 그러던 중 영국 해선 HMS 비글호의 공식 박물학자로 임명되어 무려 5 년간 그 배와 함께 항해합니다. 그 기간 그는 배가 항구에 정박할 때마다 근처 마을을 돌아다니며 암석, 화석, 수생 동물, 식물, 육지 동물의 표본을 수집했습니다. 현존하는 종뿐 아니라 멸종된 종까지 다양하게 수집하면서 그 모든 생물의 표본과 그것들을 둘러싼 지질학적 특징을 세밀하게 관찰했습니다. 그 과정에서 그는 지질학적 변화와 그러한 환경에서 살아남은 생명체 사이의 관계에 눈을 뜨기 시작했지요. 그 탐험의 결과로 탄생한 것이 바로 "종의 기원"이었습니다(아널드 R. 브로디, 데이비드 E. 브로디, "인류사를 바꾼 위대한 과학").

다윈은 이 책을 통해 창조주 하나님의 존재를 부정하거나 창조론 전체를 해체하려고 시도하지 않았습니다. 다만 종의 기원 문제와 관련하여, 생물의 각 종이 즉각적이고 독립적인 특별 창조의 결과로 출현했다고 보는 전통적인 이론을 반박하려고 했을 뿐입니다. 자신이 참여한 탐사의 산물인 지질학적 화석 기록, 생물지리학의 관찰 결과 및 비교 해부학과 비교 발생학의 연구 결과가 모두 그 이론과는 다른 시각을 가리키고 있었기 때문입니다. 즉 생물의 각 종은 사소하지만 유익한 변형들 간의 점진적인 자연선택의 결과로 출현했다고 보는 시각[진화론]에 의해 훨씬 더 잘 설명되었던 것이지요. 이 점을 고려한다면, 다윈이 "나는 이 책에서 제시한 견해들이 왜 누군가의 종교적 감정에 충격을 주어야 하는지, 그 이유가 무엇인지 잘 모르겠다."고 한 말을 납득할 수 있습니다. 오히려 그는 중력의 법칙이 종교에 가한 충격처럼 자신의 이론이 가한 충격 또한 일시적으로 지나가 버릴 것이라고 예상하기도 했지요(김정형, "창조론: 과학 시대 창조 신앙〈The Doctrine of Creation〉").

'대진화'에 대한 오해. 소진화[상황이나 환경에 따라 유기체 구조가 변형되는 것]는 인정하지만, 대진화[종과 종을 뛰어넘는 변형]는 증거가 없다고 오해하는 경우도 왕왕 있습니다. 그렇지만 그 증거가 속속 발견되었습니다. 먼저 소개할 것은 '네오필리나'(*Neopilina*)입니다. 헤니 렘케 탐사팀이 코스타리카 해구의 수심 6천 미터에서 발견된 화석입니다(1952년). "살아 있는 화석"으로 불리는 네오필리나는 반은 연체동물이고 반은 지렁이 같은 체절동물이었던 신비스러운 단판류[껍데기가 하나라는 뜻] 화석의 모습을 보여줍니다. 이것은 연체동물은 체절이 있는 벌레의 후손이고 단판강의 생물들은 하나의 문이 다른 문으로 바뀌는 대진화를 증명하는 '전이형'이라는 것을 확인해 준 셈입니다. 다음으로 닐 슈빈과 테드 대슐러 일행은 어류와 양서류의 화석 시기를 유추하여 그것을 품고 있는 지질층이 북극 근처에 있음을 확인하고 캐나다 북극권에 있는 엘즈미어섬[아무도 연구하지 않음]을 탐사하던 중, 어류와 양서류 중간에 해당하는 "틱타알릭"(*Tikttaalik*)이라는 생명체의 화석이 발견했습니다(2004년). 그야말로 어류와 양서류의 딱 중간을 가르는 화석을 발견한 것이지요. 그리고 지적할 만한 대진화의 증거는 20년간 대장균 45,000세대를 관찰한 결과, 새로이 효소를 만들어 내는 종이 탄생했다는 점입니다. 즉 종 단위 진화가 확인된 것이지요. 비록 생물학자들 간의 의견차이나 추가 증거로 인해 진화의 '계통도'가 수정되는 경우가 있긴 하지만, '진화론' 자체는 생물학의 기축 이론으로 견고하게 자리 잡고 있습니다. 진화가 생명체의 가장 확실한 존재 방식이라는 사실이 지속적으로 증명된 셈이지요. (도널드 R. 프로세트, "진화의 산증인, 화석 25" / 손성찬, "모두를 위한 기독교 교양")

인간이 원숭이의 자손이라는 오해. "종의 기원" 속에 인간이 원숭이에서 진화된 존재라는 내용이 담겨 있다고 이해하는 사람들이 많습니다. 그렇지만 다윈은 인간이 원숭이의 자손이라고 주장하지는 않았습니다. 다만 지구상의 모든 생명체가 하나의 공통 조상에서 거듭 분화된 결과물이라고 주장했을 뿐입니다. 결국 오랜 옛날에 원숭이와 인간이 갈라져 나온 공통적인 조상이 있을 것이라는 가설이었던 것이지요 그런데 이런 식으로 계속해서 과거로 소급해 나가다 보면, 모든 생명체는 같은 공통 조상에서 갈라져 나왔다는 결론에 도달하게 됩니다. 그리고 이런 상황을 생명과학적으로 적용해 보자면, 진화가 처음으로 시작된 생명체인 단세포로부터 모든 생명체가 비롯되었다는 추론이 가능해집니다. 물론 장구한 세월에 걸쳐 일어난 이런 현상들은 관찰 혹은 실험을 통해 증명할 수는 없기 때문에, 진화는 과학적으로 100퍼센트 증명된 것은 아닙니다. 그런데도 다윈의 주장이 지금까지도 지속적으로 인정받는 이유는 하나님이 인간에게만 주신 이성을 이용한 합리적인 추론에 의한 결과이기 때문입니다. 다방면에 걸친 독립적인 증거를 기반으로 삼아 합리적인 추론을 거친다면, 누구나 다윈의 이론이 가치중립성을 띤 입장으로 인정할 수밖에 없을 것입니다(김영웅, "과학자의 신앙공부").

1.6. 그리스도인의 선택 사항

성경을 하나님의 무오(無誤)한 계시로 믿는 그리스도인이 편견 없는 관찰과 체계적인 실험을 통해 과학이 발견한 것들에 대해 어떤 입장을 취할 수 있을까요? 창세기를 문자적으로 해석하느냐 혹은 장르와 문맥을 고려하여 해석하느냐는 시각과 가치중립성을 띤 과학의 발견을 무시하느냐 혹은 인정하느냐는 입장을 접목해 보면 아래와 같이 4가지 선택이 나옵니다. 그중 세 번째 선택은 가능성으로 존재하긴 하지만, 현실적으로는 취할 법하지 않으므로 제외할 수 있습니다. 그러면 다른 3가지의 선택만 존재합니다.

(1) 창세기의 문자적 해석 + 정상과학 무시: 과학적 창조론 (scientific creationism, 창조과학)

(2) 창세기의 문자적 해석 + 정상과학 (부분적) 인정: 점진적 창조론(progressive creationism)
(3) 장르/문맥 통한 창세기 이해 + 정상과학 무시: ?
(4) 장르/문맥 통한 창세기 이해 + 정상과학 인정: 진화적 창조론(evolutionary creationism)

성경을 하나님의 특별 계시로 인정하는 이 3 가지 입장은 모두 하나님께서 무에서 유로 창조하셨다는 것과 물질의 기본적인 요소들에 대해 하나님이 개입하셨다는 점을 받아들입니다. 각 입장의 주장을 간략하게 정리해 보겠습니다.

(1) **과학적 창조론(scientific creationism, 창조과학)**: 이 입장은 하나님이 말씀하셨을 때 즉각적으로 그 창조 명령에 대응하는 피조물이 나타났다는 의미에서 즉각적 창조론(instantaneous creationism)이나, 모든 피조물이 6 일(144 시간) 만에 창조되었다고 해서 젊은 지구론(young-earth creationism)으로도 불린다. 하나님이 생물학적으로 각 종류대로 모든 생물을 창조하셨다고 보기 때문에, 진화론을 비롯한 모든 과학 이론을 수용하지 않는다.
(2) **점진적 창조론(progressive creationism)**: 창세기 1 장에 나오는 각 '날'〈'yom'〉을 24 시간이 아닌 '긴 시대'로 받아들인다고 해서 오랜 지구론(old-earth creationism)으로도 불린다. 하나님께서 생물의 각 종을 직접 창조하셨다고 보는 점에서는 과학적 창조론과 같다. 그러므로 생물의 진화는 부정하지만, 우주나 지구의 연대에 대해서는 천문학이나 지질학 같은 다른 과학 이론을 수용한다.
(3) **진화적 창조론(evolutionary creationism)**: 빅뱅부터 시작된 우주와 지구의 연대를 인정하면서 하나님의 설계와 목적에 따라 생물의 각 종이 진화하는 과정을 진행해 갔다고 보기 때문에, 유신 진화론(theistic evolution)으로도 불린다. 생물학뿐 아니라 대부분의 과학적 이론을 수용한다. [복음주의 지도자인 벤자민 워필드, 존 스토트, 제임스 패커, N. T. 라이트, 팀 켈러, 알리스터 맥그래스, 프랜시스 콜린스가 지지하는 입장.] (송인규 목사)

지금까지 첫 번째와 두 번째 선택에 대한 설명은 접할 기회가 많았기 때문에, 세 번째 선택에 대한 설명을 조금 덧붙이겠습니다. 우선 그리스도인에게 이런 선택이 존재하지만, 창조냐 진화냐 둘 중 하나만 선택해야 하는 것처럼 선전한 것이 얼마나 편파적인 태도인지 알 수 있습니다. 제임스 패커의 주장에 주목해 보세요. "성경에서는 과정에 의한 창조와, 과정 없는 창조가 명백하게 구분되지 않는다. 그러므로 하나님의 주권적 창조 진리와 과학에서 기술하는 일련의 과정을 포함하는 사상 사이에는 원칙상 아무런 괴리가 없다. 둘 다 하나님의 주권 행위다." 아마도 그가 언급한 '과학에서 기술하는 일련의 과정을 포함하는 사상'이란 게 바로 진화론을 가리키겠지요. 다음으로 포항공대 생명과학과 출신 과학자인 김영웅 박사의 설명도 들어보세요. 그는 이 세 번째 입장이 진화라는 방법을 이용하여 하나님이 생물을 창조하셨다고 보는 입장이라면서, 만일 우리가 진심으로 하나님의 전지전능하심과 무소부재하심을 믿는다면, 하나님이 진화라는 방법을 고안하셔서 생물의 창조 메커니즘으로 사용하지 않으셨을 이유가 없다는 것입니다. 창조가 항상 초자연적이고 비과학적인 기적이어야만 한다는 생각은 사람들의 선입견일 뿐이라면서, 진화는 창조의 풍성함을 배가시킬 수 있는 신비일 수 있다는 점을 강조합니다. 대적인 줄 알았던 과학을 통해 하나님을 더욱 알아감으로써 신앙을 깊고 풍성하게 형성해 갈 수 있을 뿐 아니라, 그 과학이 이분법적인 관념에 허우적대는 기독교인에게 어느 날 드러난 초월적인 메시지와 같은 역할을 할 수도 있다고 지적하기도 합니다. 아마도 자기 삶의 경험에서 비롯된 언명이 아닐까 합니다. 그의 창조 신앙에 귀 기울여 보세요. "하나님은 진화라는 개념에게 내쫓길 수 있는 존재가 아니라 그 방법을 고안하시고 만드신 창조주이십니다!"(김영웅, "과학자의 신앙공부")

성경을 하나님의 계시로 믿는 그리스도인들에게 이렇게 3가지 선택지가 있지만, 우리나라 교회는 21세기가 도래한 이 시점에도 왜 이다지도 줄기차게 창조과학만을 신봉하는지 알 길이 없습니다. 서울대 물리천문학부 우종학 교수가 지적했듯이 우리나라 교회에서는 지난 세월 동안 심각한 정보의 왜곡이 진행되었습니다. 오로지 과학이 틀렸다는 창조과학 지지자들의 이야기만 난무했을 뿐, 천문학자가 우주의 역사를 강의하거나 생물학자가 진화의 역사를 설명하는 것을 청취할 수 있는 기회는 거의 전무했으니까요. 편향되고 왜곡된 정보만 들어온 것이지요. 그래서이겠지요. 기독교인 중에는 과학을 불신하는 이들이 많습니다. 스마트폰이나 자가용이나 인터넷뱅킹과 같이 여러 과학 이론에 근거한 과학기술 문명은 자연스럽게 활용하고 누리면서도, 우주의 연대나 빅뱅이나 생명체의 진화와 관련된 과학 지식에 대해서만은 적대적으로 비판적인 이중적 태도를 보이지요. 자신의 과학 문해력이 낮아 이해하지 못하는 정보가 생기면, 공부해야 할 거리로 여기는 것이 아니라 무조건 틀린 것으로 생각하는 경우도 허다합니다. 그러나 그리스도인이라면 하나님의 능력과 신성이 분명히 드러나 있는 이 창조 세계에 대해 더욱 열심히 공부해서 더욱 깊이 이해해야 하지 않을까요? "창세로부터 그의 보이지 아니하는 것들 곧 그의 영원하신 능력과 신성이 그가 만드신 만물에 분명히 보여 알려졌나니 그러므로 그들이 핑계하지 못할지니라"(로마서 1:20)

1.7. 과학과 신앙의 통합

이상의 내용을 정리하면서 과학과 신앙을 통합하는 작업을 진행할 때 도움이 될 만한 실제적인 지침 몇 가지를 제안하겠습니다('ㄱ'으로 시작하는 5가지 단어).

(1) **경배**. 김정형 장신대 교수는 창세기에 대한 문자주의적 해석에 기초한 창조설은 기독교 전통에서 정통으로 인정받은 적이 없다고 주장합니다. 너무나 자의적이고 선별적으로 창세기 관련 본문을 해석할 때 생기게 될 불상사는 앞에서 언급한 아우구스티누스의 일갈에서도 잘 드러나 있지요. 그러면 정통으로 인정된 창조설은 무엇일까요? 사도신경과 니케아-콘스탄티노플 신조 등 세계 교회가 함께 더불어 고백하는 신앙고백에 담긴 창조론입니다. 사도신경은

"나는 전능하신 아버지 하나님, 천지의 창조자를 믿습니다."라고 시작되고, 니케아-콘스탄티노플 신조는 "우리는 전능하신 아버지, 유일하신 하나님, 하늘과 땅과 눈에 보이는 것과 눈에 보이지 않는 모든 것의 창조자를 믿습니다."로 시작되지요.

이 신앙고백들도 성서 전체의 맥락과 가르침에 비추어 해석되어야 하지만, 초기 교회에서 신앙의 규범(regula fidei)으로 작동했던 이 신앙고백들은 성서 전체를 이해하고 해석하는 열쇠가 되기도 합니다. 이렇게 정통으로 수용된 신앙고백에 담긴 창조론에서 주목할 점은, 그 초점이 하나님께서 창조하신 세계의 역사에 대한 구체적인 지식에 있지 않고, 세계를 창조하신 유일하시고 존엄하신 하나님께 있다는 사실입니다. 이에 비해 성서 문자주의자들과 창조과학자들이 전통적으로 내세우는 창조설은 전자에 초점을 맞추고 있지요. 그들의 창조론에서는 이 세계를 창조하신 하나님의 성품이나 목적에 대해 의미 있는 정보를 거의 얻을 수 없습니다. 이 점에 대해서는 점진적 창조론과 진화적 창조론의 경우에도 크게 다를 바가 없습니다. 그런 입장을 주장하는 이들도 하나님께서 창조하신 세계의 과거 역사에 대한 정확한 지식에만 관심을 기울일 뿐이지요. 다시 말해 그들의 창조론의 핵심을 이루는 주장은 기독교 전통에서 인정하고 세계 교회가 함께 고백하는 정통 창조론의 핵심 진리를 비껴가는 셈입니다[김정형, "창조론: 과학 시대 창조 신앙(The Doctrine of Creation)"]. 과학과 신앙을 통합하는 과정에서 가장 먼저 고려해야 할 것이 바로 이 점입니다. 창조론의 핵심은 오직 천지 만물을 창조하신 분은 유일하시고 전능하신 하나님 아버지라는 점을 항상 그 통합의 기치로 내걸어야 합니다. 기쁨을 이기지 못하여, 행복감에 젖어 창조주가 되신 아버지 하나님께 올리는 송영이 창조론의 핵심부인 창세기 본문의 주조를 이루고 있기 때문입니다.

(2) **겸손**. 완벽한 성경 이해나 과학 이해는 존재하지 않습니다. 그러므로 신학자나 과학자는 각각 겸허해야 합니다. 우종학 교수의 지적처럼, "과학이 자연이라는 실재에 대한 영원한 근사(approxi-

mation)에 불과하듯, 신학도 하나님의 계시에 대한 영원한 근사에 불과합니다." 과학주의(scientism)나 진화주의(evolutionism)에 경도된 과학자들도 있겠지만, 과학자들은 기본적으로 겸허할 수밖에 없습니다. 자기가 모르는 분야에 대해서 입 다물고 있어야 하는 것은 물론, 자기 전문 분야라도 객관적인 증거가 있는 경우에만 목소리를 낼 수 있기 때문입니다. 이런 과학자들이 다른 분야에 대해 과감한 주장을 펼치려 들까요? 그들의 경향상 그렇게 하지 않을 공산이 큽니다. 일반적인 과학자들이 리처드 도킨스와 같이 반유신론(antitheism)에 경도된 과학자를 경원하는 이유도 여기에 있습니다. 과학이 알 수 없고 관여할 수도 없는 초자연적인 영역에 대해 함부로 재단하면서 전투적인 자세로 임하기 때문이지요.

더 큰 문제는 기독교 쪽에 있습니다. 창조과학회 구성원들과 수많은 목회자가 성경 신학, 특히 창세기의 전문가인 것처럼 말하고 행동합니다. 창세기 본문에 우주와 지구와 인간의 연대가 6천 년 혹은 1만 년이라고 명백히 드러나 있지도 않은데도, 그들은 확신에 찬 목소리로 외칩니다. 그들의 모습에서 성경 말씀에 대한 겸허한 자세를 찾아보기 힘듭니다. 이러한 확신은 자기들이 전공하지 않은 과학, 특히 진화론에 대해서도 거침없이 표출됩니다. 진화에 대한 증거도 불충분하고, 진화론은 소설에 불과하다고 강변합니다. 비전문가의 겸손이 눈에 띄지 않는 그들은 비판받아 마땅합니다. 세분된 현대 과학의 전문적 세계를 죄다 섭렵한 양 말하고 행동하는 것도 오만한 행태에 불과하지만, 객관적으로 관찰된 증거를 중심으로 물리적 세계에 대해 합의하고 결론 내린 과학적 정보까지 거짓된 것으로 오도하기 때문입니다. 그들은 정상적인 과학자들의 겸손을 배워야 합니다.

(3) **경청**. 다시 말씀드리지만, 우리나라 교회는 지난 수십 년간 창조과학의 주장에만 일방적으로 노출되어 심각한 정보의 불균형을 겪었습니다. 창조과학회가 진화론자라고 낙인찍은 과학자들의 견해를 들으려고 하지 않았습니다. 언제나 방법론적 자기 제한과 공동체적 논의와 합의 속에서 자연 세계에 대한 탐구 활동을 전개하는

과학자들에게 이런 태도를 취하는 게 바람직할까요? 종교개혁가이
자 개혁주의 신학자였던 장 칼뱅은 창세기 주석에서 이렇게 지적했
습니다. "모세는 학문적인 훈련이나 교육을 받지 않은, 평범한 상식
을 지닌 일반인이 이해할 수 있는 쉬운 방식으로 설명했다. 반면
천문학자들은 인간 지성의 예리함이 파헤칠 수 있는 모든 것을 엄
청난 노력을 들여 연구한다. 그러한 연구에 반감을 품어서는 안 되
며, 과학은 자신들이 모르는 것이라면 생각 없이 거부하는 일부 광
신도들의 오만으로 비난받을 대상이 아니다." 자칭 칼뱅의 후예라고
자랑스럽게 외치는 우리나라의 수많은 기독교인이 경청해야 할 조
언입니다. 칼뱅은 자신들이 모르는 과학 지식에 대해 눈과 귀를 닫
고 거부하는 이들을 '광신도'라고 지명하고 있는데, 오늘날, 이 과
학의 세계를 무조건 거부하는 숱한 우리나라 기독교인들을 향해 무
엇이라고 진단할까요? 관찰과 실험에 의해서 드러난 결과만으로 자
연에 대한 지식을 구축해 가는 과학자들이 초자연적이고 신성한 하
나님의 계시에 귀 기울이는 것이 필요하듯이, 그 초월적인 계시를
접한 그리스도교인들도 자연 세계에 드러난 하나님의 능력과 신성
의 양상에 대해 경청하는 게 긴요합니다.

우종학 교수가 지적한 것 같이, 그리스도교인은 하나님과 창조 세
계를 통합적으로 이해해야 할 필요가 있기에, 하나님의 책(the
book of God)인 성경뿐 아니라 자연이라는 책(the book of nature)
에도 귀 기울여야 합니다. 시편 19편과 로마서 1장은 하나님의 창조
물을 연구할 때 하나님의 영광과 능력과 신성이 드러난다고 가르치
고 있기 때문입니다. 물론 하나님의 마음을 '완전하게'(perfect) 계
시하는 것은 오직 성경뿐입니다 (시편 19:7). 그렇지만 하나님께서
주신 책이므로 이 두 책은 서로 모순될 수 없습니다. 자연을 해석
하는 것이 과학이므로, 과학은 자연이라는 책을 읽어가는 과정이라
고 볼 수 있습니다. 그러나 과학이 자연을 계속 연구해 가면서 자
연을 더욱 깊이 알게 되긴 하겠지만, 자연에 대해 완벽하게 알 수
는 없습니다. 그저 "자연을 알아가는 영원한 근사"(approximation)
에 불과하겠지요. 한편으로 신앙[혹은 신학]은 성경이라는 책을 읽

어가면서 해석하는 과정입니다. 우리 중 누구라도 현재 자신의 성경 해석이 절대적이라고 생각하는 사람이 있을까요? 성경과 자연은 모순되지 않지만, 자연을 읽어내는 과학과 성경을 해석하는 신학 사이에는 모순이나 충돌이 존재할 수 있지요. 그렇지만 그 모순이나 충돌은 그렇게 보이는 것일 뿐 원칙적으로는 그렇지 않습니다. 그런 과정을 거치면서 미국 복음주의자들이 근본주의자들의 제단에 바친, "주류 문화의 과학적 성과를 적절히 분석한 결과를 수용함으로써 성서 해석에 도움을 받을 수 있다는 믿음"을 회복해야 합니다.

(4) **구별**. 과학(science)과 과학주의(scientism) 혹은 진화(evolution)와 진화주의(evolutionism) 간의 구별이 긴요합니다. 과학이나 진화는 가치중립성을 띠고 있는 객관적 사실의 범주에 속하기 때문에, 신앙[혹은 신학]과 모순될 이유가 없습니다. 이 세상의 모든 진리가 하나님의 것이라면, 자연 속에서 드러난 진리와 성서 속에 기록된 진리가 상충할 이유가 없는 것이지요. "성경의 하나님은 동시에 게놈의 신이다. 당신은 예배당에서도 실험실에도 숭배될 수 있다. 당신의 창조는 장엄하고, 놀랍고, 복잡하고, 아름답다." [The God of the Bible is also the God of the genome. He can be worshipped in the cathedral or in the laboratory. His creation is majestic, awesome, intricate, and beautiful. ("The Language of God", 2007)] 미국국립보건원(NIH)의 책임자이자 "인간 게놈 프로젝트"의 총책임자였던 프랜시스 콜린스가 쓴 표현입니다. 그렇지만 과학주의나 진화주의는 과학의 범주와 경계를 넘어 그것이 표방하는 이론에 대해 철학적, 종교적 해석까지 가미한 오만한 행태입니다. 이렇게 되면 신앙[혹은 신학]의 세계와 갈등하는 관계에 놓이게 되지요. 그런 시도는 분별해서 물리쳐야 합니다.

예컨대 누가 과학이 무신론의 증거라고 주장한다면, 그가 과학의 경계를 넘어섰다는 점을 지적해 주어야 합니다. 과학은 그 본질상 초자연적인 대상에 대해 거론할 자격이 없을 뿐 아니라, 초월적인 존재는 그 관심사도 아니기 때문입니다. 더구나 과학은 결코 "…이 없다."는 것을 증명할 수가 없다는 점도 거론해 주어야 합니다(하세가와 에이스케, "재밌어서 밤새 읽는 진화론 이야기"). 그것이 과학의 한계입니다. '영국 스코틀랜드의 네스 호에 괴물 네스가 없다.'는 센세이셔널한 주장뿐 아니라, '신이 없다.', '영혼이 없다.'와 같은 종교적인 주장은 증명 불가입니다. 이에 덧붙여 오히려 과학이 하나님의 능력과 신성을 탁월하게 드러낼 뿐 아니라, 당신의 지혜와 섭리를 극명하게 현시해 준다고 지적해 주어야 합니다. 혹시 우리 손가락이 만들어지는 과정을 아시는지요? 손가락의 원래 형태는 하나로 뭉뚱그려진 투박한 살덩어리였다가, 배아(Embryo) 시기의 어느 순간, 세포들이 간격을 이루며 죽어나갑니다. 결국 죽음이 엄습하는 과정에서 살아남은 부분이 손가락이 되지요. 즉 "손가락은 파괴가 휩쓸고 간 이후 폐허의 잔해인 셈입니다."(김영웅, "과학자의 신앙공부") 이처럼 창조 속에 역사하시는 하나님의 능력은 우리 생각을 뛰어 넘습니다. 무에서 유를 창조하기도 하시지만, 죽음과 파괴를 통해서도 생명을 낳으시는 것이지요. 밀알 하나가 땅에 떨어져서 죽음으로써 많은 열매를 맺는 것도 같은 맥락입니다(요한복음 12:24). 이런 자연 세계의 창조 역사를 접하는 그리스도인들은 자신의 신앙이 새로운 차원으로 도약하는 것을 경험하게 됩니다.

(5) *기여.* 과학은 신학에게 기여할 것이 많습니다. 우선 신학에게 합리적 사고와 이성적 행동을 촉구해 줄 수 있습니다. 편견 없이 관찰하고 체계적으로 실험한 결과를 합리적으로 추론하여 결론을 도출해 내는 과학적 사고와 상호 검증하는 연구 절차는 신학도 얼마든지 본받아야 하고 자체 연구 활동에 적용해야 합니다. 성경 말씀을 귀납적으로 관찰하고 해석해서 적용하는 과정에서 엄정한 합리적 추론과 논증이 활용되어야 하고 그 연구 내용을 역사적인 교리와 신학적 사상으로 검증하고 비교해 보아야 합니다. 과학의 시작이 편견이나 고집 없이 관찰하는 것이듯이, 성경 연구의 시작도 선입관이나 욕심이 배제된 틴 마음으로 진행되는 것이어야 합니다. 그리고 현대 과학이 변화에 중점을 두고 안정성을 되어감의 철학 속에서 설명해 가듯이, 신학도 변화하는 시대적 상황들을 상수

로 두고 변함없는 성경 말씀이 그 상황들을 어떻게 관찰하고 해석하는가를 성령의 조명과 정치한 추론으로 탐색해 가야 합니다. 신학의 안정성은 이렇게 성령께 귀 기울이고 말씀을 세심하고 분석해 가면서 우리의 사고가 교정되거나 심화되고 확장되는 가운데 이루어집니다. 바로 이때 필수적인 자세가 바로 하나님과 세상을 향해 트인 마음과 개방적인 사고입니다. 과학하는 사람의 핵심적 태도입니다.

신학도 과학에 기여할 것이 적지 않습니다. 우선 신학은 과학에 예배하고 경배할 대상을 제공해 줍니다. 전능하고 은혜롭고 진실하신 유일신 하나님이십니다. 과학이 결코 관찰하거나 실험하거나 추론할 수 없는 대상입니다. 오직 온 세상의 창조주이신 하나님만이 하실 수 있는 주도적인 방식으로 선지자들을 통해 우리에게 말씀해 주시고, 유대인이라는 민족의 장구한 역사를 통해 당신의 인격적 면모를 계시해 주셨습니다. 당신의 아들로 이 세상에 임하신 예수 그리스도는 그 계시의 정점이었습니다. 하나님이 창조하셨지만 죄악으로 인해 당신과 분리된 인간들이 하나님과 다시 화해할 수 있도록 예수 그리스도는 그 화해의 제물로 십자가상에서 돌아가신 후 부활하셨기 때문입니다. 그리하여 새로운 시대가 열렸고, 그 시대는 언젠가 완성될 것입니다. 신음하는 온 세상이 온전히 새롭게 변혁되어 완벽한 존재로 거듭 나는 날입니다. 성경의 창조론은 이렇게 예수 그리스도를 통해 이루어지는 우주적인 구원과 회복으로 끝이 납니다. 신학은 초자연적인 계시와 역사를 통해 드러난 이 하나님을 과학에 제공합니다. 온 인류가 경배하고 예배할 분입니다. 하나님의 존재는 우리 인간의 삶에 목표와 의미를 부여해 줍니다. 창조주가 되신 당신을 전인적으로 사랑하고 당신의 뜻을 좇아 이웃을 섬기는 것이 우리 인생의 목표입니다. 이것 역시 과학이 제시해 주지 못하는 영역입니다. 그렇지만 이런 성서적 시각은 "진화 역사의 맹목적성에 대한 진화론적 통찰과 양립하는 것이 가능합니다"(김정형 교수) 마지막으로 신학은 과학에 보편적인 도덕이라는 선악의 기준을 성해 줍니다. 이 노력이 그서 인간 사회가 신뢰하면서 받는 삼성석이고 상대적인 의미를 띤 산물로 보는 사람들도 있겠지만, 그들이 모르는 것은 이 도덕률이 시대와 장소와 문화를 초월해서 존재한 가치 기준의 공통 분모라는 점입니다. 이 측면은 편견 없이 관찰해서 정리만 해 보면 잘 알 수 있는 사실입니다. 더구나 이 엄연한 도덕률을 그저 상대적인 가치 판단으로 인식하는 입장은 자가당착적입니다. 그 입장도 상대적인 가치를 띤 것에 불과하기 때문이지요.

이렇게 과학과 신학이 각자의 경계를 지키며 서로에게 기여할 때, 함께 더불어 인류의 공동선을 구현하는 데 혁혁하게 이바지할 것입니다. 첫째로, 각국의 정치 발전에 기여할 수 있습니다. 서두에서 마크 놀이 밝힌 대로 좌파나 우파 정치 세력에게 손쉬운 먹잇감이 된 대상은 미국의 복음주의자들뿐만이 아닙니다. 정확한 정보를 탐색하여 합리적인 판단을 하기보다는 편견과 선입관에 사로잡힌 채 가짜 뉴스와 허위 정보에 현혹되어 최악의 정치 지도자를 뽑은 예를 지구촌 곳곳에서 목격해 왔습니다. 과학적인 사고방식과 성화된 분별력이 결여된 탓이 아닐 수 없습니다. 둘째로, 과학기술 활용에도 기여할 수 있습니다. 지난 세월 동안 과학기술은 인류의 삶에 폭 넓은 유익을 안겨 준 만큼이나 다양한 영역에서 광범위한 폐해를 끼쳤습니다. 신학이 명백히 지적하는 인간의 죄성과 보편적인 도덕률을 무시한 채 그저 사회적 진보에 대한 자신감으로 이성의 한계를 넘어서서 치달은 결과가 수많은 인명 살상을 야기한 두 차례의 세계대전이 아니었나요? 과학과 이성의 한계에 대한 자성을 거치면서 현시대가 직면한, 인공지능 활용과 유전자 조작 및 소셜미디어의 진화와 같은 문제에 현명하게 대처해 가야 합니다. 셋째로, 평화 확산에 도움을 줄 수 있습니다. 현재 전 세계 곳곳에서 진행 중인 분쟁과 분규 대부분은 그 당사자들이 상대에 대해 품고 있는 편견과 선입견에 의해 불붙고 이기심과 두려움이라는 기름이 부어진 형국입니다. 합리적인 사고로 현 사태를 분별하고, 이 시점부터 상생할 수 있도록 황금률[The Golden Rule〈"남에게 대접받고자 하는 대로 남을 대접하라", 마태복음 7:12〉]과 은율[The Silver

Rule〈"내가 원하지 않는 바를 남에게 행하지 말라", 랍비 힐렐/논어 위령공편〉]을 실행해 가야 합니다. 넷째로, 환경 보전에 기여할 수 있습니다. 기후 변화와 환경 문제에 대한 온갖 거짓 뉴스와 허위 정보를 걸러 내고 정확한 과학전 진단과 최선의 방책을 구현하는 데 있어, 땅을 다스리는 것(창세기 1:28)뿐 아니라 땅을 경작하고 돌보아야 할 이중적인 인류의 신학적 책임(창세기 2:15)을 상기하는 일은 이 거대한 운동의 방향타가 될 것입니다.

-사랑하는 제자들에게-

제가 대학원 재학 시절 1년 동안 한 중학교와 한 고등학교에서, 그리고 유학을 떠나기 전 4년 반 동안 한 고등학교에서 영어를 가르친 적이 있습니다. 당시 제가 20대 중후반이었고 제자들은 10대 후반이었으니, 지금쯤 그들은 50대 초중반이 되었습니다. 당시 언젠가 제자들에게 신앙적인 시각을 선사하기 위해 책을 선물한 적이 있었는데, 그중에는 당시 인기를 끌고 있던 창조과학 관련 서적도 포함되어 있었습니다. 그런 책도 나눌 정도였으니, 수업 시간에도 그것과 관련된 이야기를 간혹 나누었을 거라고 짐작합니다. 이 글을 쓰면서 그 제자들이 생각났습니다. 그들에게 사과의 뜻을 전하는 편지를 아래에 띄웁니다.

"사랑하는 여러분, 오랜만입니다. 30여 년 만에 안부 인사를 전합니다. 지금쯤 이미 가정을 일구고 사회의 각 계층에서 열심히 보람찬 삶을 영위하고 있을 여러분이 아주 그립습니다. 그동안 해외에서 20여 년 동안 살다가 귀국한 후에 여러분 중 몇 명과는 재회할 기회가 있었지만, 대부분과는 그럴 계제가 없었군요. 혹시 이 글을 읽게 된다면, 연락해 주세요. 회포 풀 시간을 한번 가집시다. 오늘 여러분에게 이 글을 쓰는 것은, 제 사과의 뜻을 전하기 위해서입니다. 여러분은 기억나지 않을지 모르나, 제가 잘못 가르친 내용이 최근에 한 가지 떠올랐습니다. 영어 시간에 여러분의 삶에 도움이 될 만한 교훈들을 나누는 중에, 과학과 신앙에 관한 이야기, 특히 창조과학과 연관된 이야기를 나누었을 것이라고 짐작됩니다. 제가 여러분 중 몇 명에게 나눈 신앙 서적 중에 이 창조과학 관련 서적이 포함되어 있었으니까요. 그때 저는 여러분만큼이나 젊었고, 열정은 넘쳤으나 지성과 지혜가 부족하던 때였습니다. 제가 다른 사람들에게서 배운 내용도 반추해서 그 진위를 파악하고 난 후 객관적인 기존 지식과 통합하는 과정을 거쳐야 했지만, 분위기에 휩쓸려 그만 비판 없이 수용한 내용도 적지 않았습니다. 제 불찰이었지요. 그중 한 가지가 바로 여기 이 글에서 다룬 창조과학이라는 (기독교 근본주의) 유사 과학입니다. 그때 제가 이 사항을 잘못 가르친 것에 대해 여러분에게 사과의 뜻을 전합니다. 그리고 여러분의 양해와 용서를 구합니다. 개인적인 격변기가 될 수 있는 50 대를 건강하고 건전한 심신을 유지하고 배양함으로 늘 일신우일신(日新又日新) 하는 복을 누리길 기원합니다. 〈황금박쥐 이승천 올림〉"

2. 인문학과 신앙: 선교와 인문학이 만나다

-들어가는 말-

선교 활동에 있어 인문학은 선택 사항이 아닙니다. 존 스토트가 지적한 성경의 "이중 저작"(double authorship) 상황만 돌아보아도 이 점이 명백해집니다. 즉 성경은 우선 "여호와의 입의 말씀"(이사야 1:20)인 동시에 "하나님이 모든 선지자의 입을 통하여" 말씀하신 내용입니다(사도행전 3:18, 21). 이런 성경에 접근하는 우리의 자세도 이중적(a double approach)이어야 합니다. 유일신 하나님의 말씀이므로 경외하는 자세와 겸손한 태도로 대해야 하고, 지성을 활용하여 생각하면서 그 말씀의 인문학적 특성에 주목하면서 읽어야 합니다. 이런 이중적 접근 방식은 불가능하지 않을 뿐 아니라 필수적입니다.

한편 하나님께서 당신의 자기 계시의 도구로 인간의 언어를 사용하신 점도 주목 거리입니다. 이 점을 고려해 본다면, 비록 성경이 "하나님의 말씀"(the word of God)이라는 점에서 모든 다른 책들과 다르긴 하지만, "인간의 말"(the words of men)이라는 점에서 모든 다른 책들과 다르지 않습니다. 즉 성경의 목적이 과학적(scientific)이거나 문학적(literary)이거나 철학적(philosophical)인 것은 아니지만, 성경은 문학(literature)인 것입니다(릴랜드 라이컨). 그러므로 성경이 성령의 영감(inspiration)을 통해서 기록된 것이기에 공부할 때는 성령의 조명(illumination)을 겸허하게 구해야 하지만, 다른 문학을 연구하듯이 성경 본문의 어휘, 문법 및 구문의 특성뿐 아니라 문학적 의미 해석에도 세심한 주의를 기울여야 합니다. 결국 성경을 심각하게 연구하려는 사람에게는 언어적인 지식과 문학적인 소양이 절실히 요구되는 것입니다.

이 점을 심각하게 깨달은 이들 중에 바로 미국 하버드대학교를 설립한 청교도들이 있습니다(김도인 목사). 1636년에 설립된 이 대학교는 원래 1620년부터 미국에 도착한 그들이 목회자 양성을 위한 고등교육기관이었습니다. 그들의 수가 만 명도 채 되지 않은 상황에서 그 대학교를 세워 목회자를 배출하려고 한 것은, "현재의 목사들이 죽고 나면 누가 교회 설교를 할 것인가?"라는 생각 때문이었습니다. 그런데 그 대학의 학위 취득 과정이 어떠했을까요? 첫째 단계가 교양학 학사, 둘째 단계는 교양학 석사이었고, 비로소 셋째 단계에 가서야 신학 학사 과정이 시작되어 넷째 단계인 신학 박사 순서로 이어졌습니다. 비록 교양학 석사 과정이 목회자가 되기 위한 필수 단계는 아니었지만, 당시에는 그 석사 과정을 통과하는 것이 일반적이었다고 합니다(모리모토 안리). 하나님의 말씀을 연구하고 설교하는 이들에게 인문학적 소양이 얼마나 중요한가를 당시의 청교도들은 깊이 깨달아 알고 있었던 것이지요.

이 글에서는 성경 이해와 그 적용에 필수적인 인문학이 왜 기독교계 혹은 선교계에서 홀대받아 왔는가를 먼저 살펴본 후, 선교에 인문학을 접목하는 과정과 연관된 실제적인 제안 사항들을 짚어 보고자 합니다.

-인문학이 천대받거나 적대시된 이유-

단적인 이유로 지목되는 것이 바로 인문학을 '인본주의'(humanism)으로 오해했기 때문이라는 점입니다. 이것이 얼마나 심각한 오해인지 한번 살펴봅시다. "Merriam-Webster 사전"은 인문학(humanities)을 이렇게 정의합니다. "자연적인 과정(물리학이나 화학에서와 같이)과 사회적인 관계들(인류학이나 경제학에서와 같이)과는 대조적으로 인간의 본질과 관심사(human constructs and concerns)를 조사하는 학문 분야(철학, 예술 및 언어학)." 즉 인문학은 자연적 과정을 다루는 순수과학과 사회적 관계를 연구하는 사회과학과는 대조적으로, 사변적이고 비판적이며 역사적인 성격을 띤 방식으로 인간의 본질과 관심사에 천착하는 학문이라는 것입니다. 이 정의에는 "인간이 만물의 척도"(Of all things man is the measure.)라는 '인본주의'적인 개념이 전혀 포함되어 있지 않습니다. 결국 문제는 인문학이라는 단어에 있는 게 아니라 '인본주의'라는 용어에 있는 것이지요.

인본주의로 많이 번역되는 '휴머니즘'(humanism)이란 단어는 철학과 문학에서 사용되는 의미가 각각 다릅니다. 철학 사조상으로 휴머니즘이란 "교회의 권위와 대비하여 자율적인 인간 이성을 강조하는 입장"으로서, "인간의 능력이나 가치보다 더 우월한 어떠한 능력이나 도덕 가치도 부인"합니다("The Free Dictionary"). 이 단어 앞에 주로 '세속적'(secular)이란 단어와 '과학적'(scientific)이란 단어가 따라붙는 이유다. 18세기 계몽주의(the eighteenth century Enlightenment) 시대에 들어와서 과학을 이데올로기적으로 사용함으로써, 종교의 권위와 자율적 인간성에 기반을 둔 세속성 사이에 균열을 보이기 시작했기 때문입니다. 바로 이 시대로부터 근대(modern times)가 시작되어 이런 의미의 휴머니즘, 즉 '인본주의'가 철학 사조를 장악하게 되었습니다(로널드 웰즈, "History Through the Eyes of Faith", 1989). 한편 문학 사조상으로 '휴머니즘'(Humanism-주로 대문자 사용)이란 고전 연구에 근거한 르네상스 문화 운동으로서, '인본주의'라기보다는 '인문주의'로 번역하는 게 타당합니다. "탁월성에 도달할 수 있는 인간적인 잠재력을 중시하고 고전적인 그리스, 로마 시대의 문학, 예술 및 문명에 대한 직접적인 연구를 장려한 르네상스 시대의 문화적이고도 지적인 운동"이었기 때문입니다. 이 휴머니즘 앞에 주로 '고전적'(classical)이라는 단어가 붙는 이유를 알 수 있을 것입니다. '르네상스'라는 단어가 '고전주의의 부활'(rebirth of classicism)을 가리켰으므로, 그 시대에는 그리스, 로마 문화를 연구하여 모방하거나 개인을 자유롭게 해방하려는 분위기가 두드러졌기 때문입니다.

그렇다면 르네상스 시대 이전의 중세에는 기독교와 인문학 사이에 대립이 있었던 것으로 간주하기 쉽지만, 사실상 당시에도 이 둘 사이는 이미 긴밀한 관계를 유지하고 있었습니다. 그리스 시대 문헌들이 중세 시대에도 이미 전수되어, 라틴어로 번역되고, 필사되고, 토의되던 중에, '12세기의 르네상스'를 경험하기도 했습니다. 이 시기는 위대한 번역 운동의 시기로서, 특히 라틴 기독교인들이 회교 세계로부터 온 아랍어 문헌들을 만난 스페인에서 그 운동이 활짝 꽃을 피워 '중세 전성기'(1050-1300년경)를 견인하게 되었습니다. 그런데 이런 역사적 실상을 왜곡하여 중세를 암흑기로, 르네상스 시대를 이성과 빛으로 가득 찬 시대로 선전한 것이 바로 18세기 계몽주의 시대의 산물이었던 것입니다(장 베르동 교수). 이런 역사에 주목해 본다면, 한병수 교수가 언급한 것이 충분히 납득이 됩니다. "실제로 기독교는 인문학을 중요하게 여기며, 인문학은 기독교와 대립하지 않고 오히려 조화된다. 기독교와 인문학의 조화는 신앙과 이성의 조화로 소급된다." 그렇다면 기독교 신앙과 '인본주의'(humanism)는 양립할 수 없지만, 기독교 신앙과 '인문주의'(Humanism) 혹은 인문학은 얼마든지 양립할 뿐 아니라 상호보완해 줄 수 있다는 점을 알 수 있습니다.

-선교에 인문학을 접목하기: 실제적인 제안 사항들-

(1) 인문학과의 대화를 통해 선교가 성숙하기를 기대합시다. 우선 인문학을 통해 이웃을 더 깊이 이해하고 공감할 수 있습니다. 인문학은 세상 사람들의 사고와 세계관을 읽을 수 있는 최적화된 자료

이기 때문입니다. 하나님의 진리로 교정해 주어야 할 대상이기도 하지만, 인간과 피조 세계의 다양하고 풍요로운 면모들을 열어 밝히는 자원입니다. 한 발 더 나아가 하나님을 믿고 사랑하는 것은 반드시 이웃 사랑으로 구현되어야 합니다. 이웃 사랑의 두 가지 장애물이 무지와 이기심이라는 점에 주목하세요(수잔 갤러거와 로저 런딘, "Literature Through the Eyes of Faith", 1989). 프란츠 카프카의 말을 활용하자면, 인문학은 '우리 안에 있는 꽁꽁 얼어버린 무지와 이기심을 깨뜨려버리는 도끼'입니다. 인문학을 통해 배양되는, 진정성 어린 섬세함이 모자란 안목과 언어로는 자신도, 타인도, 사회도 제대로 이해할 수 없습니다.

다음으로 인문학 서적을 읽을 때도 베뢰아 사람들처럼 트인 마음으로 읽는 게(사도행전 17:11) 긴요합니다. 성경을 읽을 때 베뢰아 사람들처럼 신사적인 마음으로 읽자는 말은, 열린 마음으로 성경 저자이신 하나님의 뜻을 헤아려 순종하자는 의미입니다. 그 과정 중에 자기 변화의 가능성도 열어 두어야 한다는 것이지요. 이와 동일한 태도가 인문학 서적을 읽을 때도 적용되어야 합니다. 레슬리 뉴비긴에게서 한 수 배웁시다. "우리가 (종교 간의) 대화에 참여할 때는 성령께서 대화에 임하는 양방을 모두 예수님께 회심시킴으로 그분을 영화롭게 하기 위해 주권적으로 이 대화를 이용하실 것을 믿고 기대하며 그렇게 한다." 즉 우리가 타 종교인과 대화할 때 성령께서 그것을 이용하여 상대방이 예수님을 믿도록 회심시킬 수 있다는 것을 믿고 기대하듯이, 그 결과로 우리 안에도 심오한 변화를 일으키실 수도 있다는 점을 인식해야 한다는 것입니다. 사도행전 10장에서 베드로와 고넬료가 만날 때 일어난 변화가 바로 그 실례가 된다고 지적합니다. 이방인 군인인 고넬료만 변화된 게 아니라, 사도인 베드로에게도 근본적인 회심이 일어났다는 것이지요. 타 종교인과의 대화의 과정에서 일어날 수 있는 이런 변혁이 인문학과의 대화 과정에서도 얼마든지 가능하다고 기대할 수 있습니다.

사실상 기독교 역사는 기독교와 각 시대적 사상이나 문화가 서로 만나 기독교의 시대적 해석이 적실성이 있는지를 늘 질문하고 지속적으로 재고해 온 과정이었습니다. 기독교의 기반을 다진 교부들이나 초기 기독교 신학자들을 보세요. 그들이 신약성경을 정경화하고 교회 제도를 확립하며 삼위일체론과 그리스도론을 정립한 것은 '플라톤주의'를 수용한 결과였습니다. 중세 가톨릭 신학을 집대성한 토마스 아퀴나스도 마찬가지입니다. '아리스토텔레스'의 철학을 받아들인 결과였던 것이지요. 기독교가 그리스 철학과 직면하게 되었을 때, 기독교는 그것에 위압 당하지도 않았지만, 그것을 물리치지도 않았습니다. 도리어 그것을 기독교와 통합하여 새로운 신학을 창조해 내었던 것입니다. '오직 성서로'(sola scriptura)를 외친 칼뱅도 예외가 아닙니다. 하나님의 계시는 당대의 문화와 사정에 걸맞은 방식으로 허락되는 것이기에, 성경을 해석할 때 우리의 문화와 사고방식을 고려할 필요가 있다고 지적한 것입니다. 17세기 개신교도들이 가톨릭 교인들보다 먼저 '코페르니쿠스'의 지동설을 수용하는 데 큰 영향을 미친 게 바로 칼뱅의 이런 가르침이었습니다(김용규 작가).

(2) 성경을 해석할 때 인문학적 독해 방식을 활용합시다. 서두에서 밝힌 대로 성경의 '이중 저작' 상황은 성경에 대한 '이중적 접근'의 필요성을 전제합니다. 즉 하나님을 경외하고 겸허한 마음으로 말씀 앞에 서면서도, 인문학적인 방식을 활용하여 말씀에 다가가야 하는 것입니다. 무엇보다도 인문학적 독해의 기본으로서 장르 특성 이해와 문맥 이해라는 측면에 주목하는 게 중요합니다(제임스 사이어). "미련한 자의 어리석은 것을 따라 대답하지 말라 두렵건대 너도 그와 같을까 하노라 미련한 자에게는 그의 어리석음을 따라 대답하라 두렵건대 그가 스스로 지혜롭게 여길까 하노라"(잠언 26:4-5)라는 말씀이 정경에 포함된 것은, 잠언이라는 장르의 성격상 두 잠언 모두 그 의도에 따라 이해되는 한 진실이었기 때문입니다. 그리고 "너는 말씀을 전파하라 때를 얻든지 못 얻든지 항상 힘쓰라 범사에 오래 참음과 가르침으로 경책하며 경계하며 권하라"(디모데후서 4:2)라는 말씀 속에서, 문맥상 '너'가 디모데라는 '전도자'(4:5,

신약에 세 번만 등장하는 희귀 단어)이자 목회자라는 점을 무시할 때 빚어지는 복음전도 행태의 혼란상은 무시무시합니다.

그리고 정독 시 활용되는, 행간 읽기, 가정과 전제의 재구성 및 비판적 독해 방식을 활용하는 것도 의미가 있습니다(김영민 교수). 누가복음 19 장의 삭개오가 세리장이요 부자인데도 키가 작아 돌무화과나무에 올라가 예수님을 보려고 시도하는 장면에서 그가 그 지역민들에게 왕따당하고 있다는 점을 파악하는 게 행간 읽기의 실례입니다(한성열 교수). 무려 42 장이나 되는 욥기에서 욥의 친구들이 한 말을 권면이나 권계의 말로 인용하지 않아야 할 이유는, 42:7 에서 하나님께서 제시하신 전제 때문입니다. "너와 너의 두 친구를 생각하면 터지는 분노를 참을 길 없구나. 너희는 내 이야기를 할 때 욥처럼 솔직하지 못하였다."(공동번역) 그리고 마태복음 28:16-20 을 '대위임령'이 아닌 '지상명령'으로 번역하여 지금까지 사용하는 것은 비판받아야 하고, 그 내용이 복음전도, 제자 훈련 및 교회 개척이라고만 해석하려는 수구적 경향도 비판적으로 극복해야 합니다. '복음전도와 가르침'이라는 요소들을 인정하는 것은 당연하겠으나, '긍휼 사역과 정의 구현'이라는 측면과 '생태학적 관심과 행동'까지도 아우르는 게 현시대에 적실한 대위임령 해석이 될 수 있지 않겠습니까? (크리스토퍼 라이트) 성경상의 하늘과 땅에 대한 편협한 해석도 비판적으로 재해석할 필요가 있습니다. 게다가 인문학상의 용어인 '평행 세계'(parallel world)를 활용한다면, 하늘과 땅이란 개념은 서로 다른 종류의 공간을 가리키는 것으로서, "그 두 공간이 각각 뚜렷하게 구분되는 정체성과 역할을 유지하는 동안에도 매우 다양한 방법으로 서로 맞물려 있고(interlock) 교차한다(intersect)."라는 점을 깨달을 수 있는 것입니다(톰 라이트).

(3) 섬세한 인식이나 섬세한 구별을 시도합시다. 김영민 교수에 의하면, 공부를 계속하면 '섬세한 인식'이나 '섬세한 구별'이 생긴다고 합니다. 개인적인 삶의 의미를 포착하는 일과 타인을 깊이 이해하는 일에 활용될 수 있는 '섬세한 언어'와 구별이 마련된다는 것이지요. 즉 섬세한 언어를 잘 활용한다면, 우리 자신이 체험하는 우주

가 확장될 수 있습니다. 선교 활동에 있어서도 이와 같은 섬세한 접근이 요구되는 경우가 한둘이 아닙니다. 두 가지만 예를 들어 보겠습니다. '개종시키기'(proselytism)와 '복음전도'(evangelism) 간에 섬세한 구별이 절실합니다. 단순하게 생각해 보면 복음전도하는 것이 개종시키는 것과 무슨 차이가 나겠느냐고 질문할 수 있습니다. 그렇지만 지난 세월 동안 진행된 여러 선교 대회에서 이 두 가지는 섬세하게 구분되었습니다. 존 스토트에 의하면 다음과 같은 경우에는 '개종시키기'에 해당합니다. "우리의 동기(motives)가 비열할 때 (즉 우리의 관심이 하나님의 영광보다 우리의 영광에 있을 때), 우리의 방식(methods)이 부적절할 때(즉 우리가 어떤 종류의 신체적인 강압이나 도덕적인 제한이나 심리적인 압박에 의존할 때) 및 우리의 메시지(message)가 바람직하지 않을 때(즉 우리가 다른 사람들의 믿음을 의도적으로 부정확하게 말할 때)"입니다("Common Witness and Proselytism"). 반면에 '복음전도'는 "공개적이고 정직하게 복음을 선언하여 듣는 이들이 그것에 대해 전적으로 자유롭게 결심하는 것입니다. 우리는 다른 믿음을 가진 이들에게 민감해지고자 하고 그들에게 개심을 강요하려는 어떠한 시도도 거부한다."("Manila Manifesto")

타 종교에 대한 접근 방식 간에 섬세한 구분 또한 중차대한 문제입니다. 보편주의나 배타주의라는 양자의 구도에서 선택하는 대신에 중도의 길을 모색할 수 있기 때문입니다. 보편주의는 하나님께서 결국 모든 이들을 구원하실 것이라는 입장이지만, 배타주의는 오직 확실하게 복음을 받아들이고 예수 그리스도를 이 세상에서 고백하는 자들만이 구원받을 것이라는 입장입니다. 그런데 중도적 입장은 구원은 오직 예수 그리스도를 통해서 오지만, 이것이 단지 이세상에서 사람이 복음을 명시적으로 받아들여야 한다는 것을 의미하는 것은 아니라는 입장입니다. 보편주의가 역사적인 기독교 내지는 복음주의 내에서 자리 잡을 수는 없습니다. 그렇지만 배타주의지지자가 중도적 입장 지지자를 보편주의로 모는 것은 섬세한 인식이 없는 태도입니다. 우리가 예수 그리스도께서 유일하신 구세주이시고 구원은 하나님의 은혜로만, 그리스도의 십자가라는 근거에 의해서만, 그리고 믿음으로만 얻게 되는 것임을 알고 있지만, 우리가 알지 못하는 것은 사람들이 하나님에게 자비를 부르짖고 구원을 받기 위해 정확히 얼마만큼 복음에 대한 지식과 이해가 필요한가 하는 것이기 때문입니다. (존 스토트, C. S. 루이스, 마이클 그린, 알리스터 맥그래스)

-나가는 말-

김형석 교수는 "인문학, 즉 휴머니즘과 기독교 정신은 하나의 강물에 흐르는 두 물줄기"라고 언급한 적이 있습니다. 한편으로 김용규 작가는 인문학이 신학에 부단히 피를 공급해 왔다고 역설합니다. 연면한 인류 역사를 통해 기독교와 인문학은 불가분의 관계를 유지해 왔을 뿐 아니라, 기독교가 인문학에 빚진 바가 크다는 것이지요. 인문학의 수혈을 거부하는 기독교는 창백한 종교에 불과합니다. 쳐다보기에도 민망하고 활기도 없고 수행력도 결여되어 있습니다. 종교의 흉내는 낼 수 있을지 모르나, 그 메시지를 들으려는 사람도 없을 뿐 아니라 들어도 감동하는 이가 없을 것입니다. 카피라이터 정철이 "사람 사전"에서 '설교'를 정의한 대로입니다. "남을 설득하는 가장 흔한 방법. 그러나 설득에 실패하는 가장 좋은 방법." 남을 설득하는 게 설교이자 선교의 본질 중 핵심이라면, 왜 그 설득 작업에서 매번 실패하게 되는 걸까요? 아마도 그 설득 과정이 이성적으로 충분히 납득될 만큼 논증적이지도 않고, 감성적으로 심금을 울릴 만큼 감동적이지 않기 때문이 아닐까 합니다.

스콜라 철학의 창시자인 안셀무스는 "신앙을 전제하지 않는 것은 오만이며, 이성을 사용하지 않는 것은 태만"이라면서, 이 두 가지 태도를 균형 있게 유지하는 것을 '이해를 추구하는 신앙'이라고 명명했습니다. 겸허한 자세로 하나님을 인정하면서도, 이성을 활용하는 것이 바람직하다는 것입니다. 한편 수학자이자 철학자인 파스칼은 "자신의 비참함을 알지 못하고 하나님을 아는 것은 오만을 낳는다. 하나님을 알지 못하고 자신의 비참함을 아는 것은 절망을 낳는다."라고 고백했습니다. 하나님을 알고 믿어야 하지만, 감성적으로 자신의 참혹함을 깨달아야 하는 것이지요. 이 이성과 감성의 자원을 공급해 주는 것이 바로 인문학의 역할이라고 할 수 있고, 이 인문학의 수혈을 받는 기독교가 바로 '이성과 감성을 통합하는 신앙'이라고 명명할 수 있을 것입니다. 모쪼록 이 신앙의 모판을 통해 하나님의 나라가 전 세계 방방곡곡으로 널리 확장되는 선교의 역사가 힘 있게 진척되길 간절히 소망합니다.

3. 문학과 신앙: "운명에 대한 교육"으로 위무해 주는 문학 세계

"장미의 이름"의 작가인 움베르토 에코가 '문학을 읽는다는 것'에 대해 강연한 적이 있습니다("에코의 위대한 강연"). 주로 소설에 대해 언급했습니다. 소설이란 있을 법한 세상을 묘사하고 구성하는 문학 세계이므로, 독자가 진위를 판단하는 기준은 현실 세계가 아니라 소설 속의 가능한 세계라고 지적합니다. 가능한 세계는 아주 많지만, 개연성을 확보하기 위해서 우리가 사는 세계와 너무 동떨어진 배경을 취하지는 않는다는 것이지요. 예컨대 셜록 홈스의 이야기는 당시의 런던을 배경으로 진행됩니다. 그런데 "만약 왓슨이 다뉴브강 넵스키 광장 모퉁이에 서 있는 에펠탑을 보려고 세인트 제임스 공원을 건너갔다."라고 하면 우리는 이상하게 느낄 것입니다. 세인트 제임스 공원은 런던에 있지만, 에펠탑을 비롯한 다른 지명들은 런던과는 거리가 멀기 때문이지요. 다뉴브강은 독일의 바덴에서 시작하여 오스트리아, 헝가리를 비롯한 발칸 국가들을 거쳐 흑해로 흘러 들어가는 강이고, 넵스키 광장은 러시아의 서북부 도시인 상트페테르부르크(St. Petersburg)의 중심부에 있는 광장이니까요. 그 세계 속에서 작가는 개연성 있는 인물을 창조하여 정말로 일어난 일을 이야기하는 "척하고", 우리는 그 인물에 관한 이야기를 진지하게 받아들이는 "척하는" 것입니다. 우리가 보바리 부인이나, 안나 카레니나에게 감동하는 이유도 여기에 있습니다. "우리가 서사의 규약에 따라 그 인물의 세계를 우리의 세계처럼 사는 척하기로 했기 때문입니다."

에코는 그 강연의 말미에서 문학의 주요 기능 중 하나가 **"운명 (fatum)에 대한 교육"**이라고 언급합니다. 제게 의미심장한 언명으로 다가왔습니다. 그의 논지는 이러합니다. 우선 소설 속에 등장하는 인물은 "유동적 인물"이라는 존재론적 위상을 과시하고 있다는 것입니다. "그 피조물은 실제로 존재하지 않으면서도 우리 틈에서 떠돌고 우리의 생각을 차지할 수 있으니"까요. 그래서 누구는 '오이디푸스 콤플렉스가 있다.', '오셀로처럼 질투가 심하다.', '햄릿처럼 의심에 빠졌다.', '타르튀프(몰리에르가 1664 년에 발표한 희극) 같은 위선자다.'라고 말하곤 하지요. 다른 한편으로 소설 속 인물은 "자기 운명에 빼도 박도 못하게 고정되어 있다."라고 주장합니다. 그 인물의 속성이 텍스트에 의해 엄격하게 제한되기 때문에 그 속성들을 통해서만 그 인물의 정체성을 확인할 수 있기 때문이지요. 그런데 에코는 이렇게 제한된 방식으로 어떤 인물이 묘사되어도, 실제 인물인 자기 아버지보다 그 인물을 더 많이 안다고 볼 수 있다고 지적합니다. 아버지의 경우는 그가 표현하지 않았던 생각이나 감정은 영영 알 수 없지만, 소설 속 인물의 경우는 우리가 알아야 할 것은 다 아는 셈이기 때문이지요.

이 지점에서 에코는 다시 역설합니다. 우리가 익히 알고 있어 감정이입이 가능한 이 인물에게는 그 누구도 바꿀 수 없는 **운명**이 있다는 점에 주목해야 한다고 말입니다. 비록 소설을 읽으면서 그 인물에게 불리한 방식으로 안타깝게 전개되는 상황을 접하면서 다른 방식으로 전개되는 플롯을 바랄 수는 있지만, 우리 중 누구도 그렇게 다시 쓰고 싶지는 않을 것입니다. 예컨대 햄릿과 오필리어가 결혼해서 덴마크의 왕과 왕비가 되기를, 보바리 부인이 먹은 비소가 해독되어 남편 샤를과 외동딸 베르트와 행복하게 살기를, 안드레이 공작(톨스토이의 "전쟁과 평화"의 주인공)이 나폴레옹과의 전쟁에서 죽지 않기를, 그레고르 잠자가 벌레가 된 순간 공주가 나타나 그에게 키스함으로써 그가 프라하에서 왕자 같은 사내로 변신하기를 고대할 수는 있습니다. 그렇지만 아무도 그런 시도를 하지 않을 것입니다. 요즘처럼 ChatGPT가 판을 치는 세상에서는 이런 고전적인 스토리들도 얼마든지 다양한 조건을 상정하여 개작할 수 있겠지만, 아무도 그 개작된 내용에 감동할 수는 없을 것입니다. 안나 카레니나가 역으로 들어오는 기차에 몸을 던져 자살했고 이를 돌이킬 수 없다는 사실만이 "그녀를 우리네 삶의 애수 어린 동반자로 만들어 주"니까요. 요컨대, "문학을 읽는다는 것은 인물의 운명을 바꿀 수 없음을 안다는 것입니다." 소설 속에서 개연성 있는 세계로 들어간다는 것은 "영원히, 어떤 특정한 방식으로, 우리의 욕망이 닿지 않게, 일은 다 일어났음을 받아들이는 것입니다. 우리는 이 좌절을 받아들이고 그로써 숙명에 전율해야 합니다." 이것이 바로 문학의 주요 기능 중 하나라는 것입니다. 에코는 이 '**운명에 대한 교육**'이야말로 "**허구 속의 인물들, 속세의 성인들과 신자들의 성인들이 지닌 패러다임적인 가치**"라고 강조합니다.

-허구 속의 인물들이 지닌 패러다임적인 가치-

세종대왕이나 이순신 장군이나 안중근 의사와 같은 속세의 성인들이 우리나라 국민에게 의미하는 패러다임적인 가치를 어떻게 온전히 다 평가할 수 있겠습니까? 세종대왕은 창의적인 지성과 성실한 애민 정신으로 신산한 백성들의 삶을 돌본 통치자 패러다임을 제공해 줍니다. 이순신 장군은 국가의 존망이 달린 백척간두의 시기에 애국애족의 일념과 탁월한 기량으로 나라를 구한 지도자 패러다임을 공급해 줍니다. 그리고 안중근 의사는 민족의 이름으로 원수를 처단하고 의연하게 자기 삶을 드린 고귀한 시민 패러다임을 현시해 줍니다. 역사의 고비마다 우리 국민들은 그분들로부터 신선한 위로를 받고 새로운 영감을 얻어 그 위기들을 극복할 수 있었습니다. 아브라함이나 다윗이나 바울과 같은 신자들의 성인이 전 세계 그리스도인에게 지닌 가치도 마찬가지일 것입니다. 각각 믿음의 조상이라는 패러다임, 하나님의 마음에 합한 자라는 패러다임, 헌신적인 이방인 선교의 개척자라는 패러다임으로, 그들은 장구한 세월 동안 하나님 나라를 먼저 구하는 그리스도인들의 상상력과 일상적 삶을 일구어 주었습니다.

에코는 소설 속의 인물들도 위 인물들과 동일한 패러다임적인 가치를 품고 있다고 역설합니다. 지난 세월 동안 읽은 소설 작품 중에서 이러한 가치를 품고 있는 인물들의 예를 든다면, 저는 "돈키호테"의 마르셀라, "반지의 제왕"의 아라고른, "인간 희극"의 스펭글러, "위대한 유산"의 조 가저리, "노인과 바다"의 마놀린, "바람과 함께 사라지다"의 멜라니를 꼽습니다. 각 소설에서 결정적인 주인공들은 아니지만, 고귀한 품성과 성숙한 인격으로 제 마음을 사로잡은 인물들이기 때문입니다. 마르셀라는 자유로운 삶을 구가하는 여자 목자로서 자기에게 구애하는 모든 남자에게 눈길 한번 주지 않은 채 시원의 세계를 경험할 수 있는 자연과 벗하며 사는 데 자기 생애를 겁니다. 아라고른은 왕가의 후손으로 장차 왕이 될 운명을 타고났지만, 아무도 인정해 주지 않는 고된 업무를 겸허하게 받들며 왕이 되어서도 호빗들에게 머리 숙여 사례하는 품위를 현시합니다. 스펭글러는 전신국 사무국장 역할을 감당하면서 자기 도움이 필요한 이들에게 친절하고 밝은 얼굴로 다가가 그들의 필요를 헌신적으로 채워 주는 삶을 열어 밝힙니다. 조 가저리는 성실한 대장장이로서 자기의 분수를 지키면서 정성스럽게 다른 이들의 필요를 섬기는 내유외강의 인격적 면모를 발휘합니다. 마놀린은 산티아고의 조수로서 자기를 믿고 동역자로 여겨준 그를 심오한 동정심과 애정으로 섬깁니다. 멜라니는 스칼렛과는 대조적인 인물로서 늘 차분하고 겸손하며 상대방의 마음을 이해하고 존중하는 중에 전쟁과 같은 역경 속에서도 자신의 미덕을 유지하여 자기희생적인 사랑과 도덕적인 지도력을 현시합니다. 이들은 역사상 살아 숨 쉬던 인물만큼이나, 어떤 경우에는 그들보다 더 생생한 인물들로 제 마음속에 살아 있습니다. 말하자면 제 영혼의 동반자들인 셈이지요.

작고한 이병주 작가가 "지적 생활의 즐거움"이란 책 속에서 자기의 유별난 습관 한 가지를 소개할 때, 마치 마음이 통하던 오랜 친구를 만난 듯 격렬하게 반겼던 적이 있습니다.

"술에 취해 집으로 돌아갈 때 생각한다. 사르트르를 만나 봐야겠다. 카뮈와의 논쟁을 한 번 더 읽어보고 심판을 내려야지. 톨스토이의 '전쟁과 평화' 가운데 나폴레옹이 목욕하는 장면을 챙겨 봐야겠다. 서재에 들어서면 전등이란 전등을 죄다 켜 놓고 장군이 열병(閱兵) 하듯 서가를 둘러본다. 사마천, 헤로도토스, 마키아벨리, 마르크스, 제퍼슨, 링컨 등을 한꺼번에 꺼내 놓고 토론을 시킨다."

그는 주로 술에 취한 상태에서 역사적인 실제 인물들을 다 불러 내어 토론을 시키는 장면을 그리곤 했지만, 저는 음악을 들으면서 마음이 넉넉하고 품위 있는 소설 속 인물들을 한 자리로 불러내어 함께 대화하는 시간을 가지곤 했습니다. 이렇게 얼마간 시간을 보 내다 보면 여러 가지 주변 상황들로 인해 혼란해진 마음이 잠잠해 지고 위로받아, 직면한 난관을 헤쳐 나갈 새로운 용기를 얻곤 했습 니다. 제가 누린 마음의 위로와 용기는 그 인물들이 소설의 세계 속에서 처한 고난과 역경을 동일시하는 데서 비롯되었습니다. 그들 이 그러한 상황들을 그렇게 품위 있고 고귀한 자세로 극복하여 가 치 있는 인생을 영위할 수 있었다면, 나도 그렇게 할 수 있고, 그렇 게 하는 것이 마땅하다는 용기 있는 지각이 생긴 것이지요. 소설 속 인물들이 운명적인 삶의 방향성에 대한 패러다임을 제시해 준 덕입니다. 이렇게 살면 패망한다는 숙명적 패러다임, 그렇게 살아야 가치 있는 인생을 구가한다는 필연적 인식의 체계 말입니다. **가히 문학은 '다오'(the *Tao*)가 의인화된 현장으로서 하늘로 나아가는 길 을 열어 밝힙니다.** 문학 작품을 통해 '운명에 대한 교육'을 넉넉하 게 누립시다.

4. 문화와 신앙: 우리나라 문화를 선도한 한 작곡가를 기리며

-고 박재훈 목사의 음악 인생 선물-

1 년 반 전에 한 기독교 작곡가가 하나님의 마지막 부르심을 받았습니다. 향년 98 세, 우리나라 나이로는 100 세였습니다(1922-2021). 고 박재훈 목사님입니다. '한국교회 음악의 아버지', '한국교회 제 1 호 지휘자' 및 '한국 동요의 대부'로 불리는 박 목사님은 평생 찬송가, 성가곡 및 동요를 포함하여 총 1,500 여 곡을 작곡했습니다. 찬송은 현재 기독교회에서 사용하고 있는 새찬송가(혹은 21 세기찬송가)에 9 곡이 수록되어 있습니다. "산마다 불이 탄다 고운 단풍에", "어서 돌아오오", "지금까지 지내온 것", "눈을 들어 하늘 보라"와 같은 것들이지요. 동요는 "봄"('엄마 엄마 이리와 요것 보셔요'로 시작), "다람쥐"('산골짝에 다람쥐'로 시작), "눈"('펄~펄 눈이 옵니다'로 시작), "여름 냇가"('시냇물은 졸졸졸~졸'로 시작) 등이 있고, 오랫동안 애창된 "여름성경학교 교가"('흰 구름 뭉게뭉게 피는 하늘에'로 시작)와 "어머님 은혜"('높고 높은 하늘이라 말들 하지만'으로 시작)도 목사님 작품입니다. 이문승 교수가 언급한 대로, 박 목사님은 "한국말에 잘 맞는 리듬에 서정적 낭만적인 찬송가를 쓰셨던 분"이셨고, "찬송가뿐 아니라 대한민국의 미래를 위해 동요를 많이 쓸 정도로 애국정신도 강"한 분이셨습니다. 이 외에도 목사님은 "에스더"를 필두로, "유관순", "손양원" 및 "함성 1919"와 같은 신앙적 역사관이 담긴 오페라를 창작하기도 했습니다.

평생을 음악인으로서 우리나라 교회와 백성을 섬긴 목사님은 최고 수준의 음악을 지향했습니다. 문성모 교수에 의하면, 특히 교회음악이 예술적 가치도 없고 작품성이 떨어진다는 말을 가장 듣기 싫어했다고 하지요. 교회음악의 수준을 드높이는 한편, 철학이 있고, 역사성에 기초하고, 시대적 배경을 반영하며, 메시지가 담긴 교회음악을 진작해 갈 것을 주창했습니다. 그렇다고 해서 목사님에게 음악은 우상이나 사랑의 대상이 아니었습니다. 도리어 사랑을 표현하는 도구였습니다. 하나님, 교회, 가족 및 나라에 대한 사랑을 열어 밝히는 역할을 담당했습니다(아드님 박기성 목사). 목사님이 작곡하신 "눈을 들어 하늘 보라"(새찬송가 515 장)에 담긴 이야기를 한번 주목해 보세요. 6.25 전쟁 중이던 1952 년(30 세) 부산에서 해군 공보정훈음악대 대원으로 활동하면서 광복교회에서 섬기던 박 목사님에게 엽서 한 통이 날아왔습니다. 신앙의 벗이었던 여류 시인 석진영 선생(26 세, 서울대 사범대 출신 국어 교사)이 보낸 엽서였습니다. 가족들과 헤어진 채 공포에 떨고 지내며 피난살이에 지친 신 시인이 탄식 소리만 내뱉던 동포들의 수난과 무력하고 빈곤한 기독교회의 모습을 목도하고 기도드리던 중에 떠오른 시상으로 적은 시였습니다. 눈물 자국이 배어 있던 석 시인의 곡진한 글에 공감하던 중 영감을 받은 박 목사님은 단 10 분 만에 멜로디를 써갔습니다. "눈을 들어 하늘 보라"가 탄생하는 순간이었습니다. 가사 각 절 마지막에 등장하는 '믿는 자여 어이할꼬'는 원래 '청년들아 어이할꼬'였다고 하지요. 26 세 청년 시인이 신앙의 벗인 30 세 청년 작곡가에게 전한 이 찬송시는 사실상 당시의 청년 그리스도인들을 향한 애끓는 사랑의 절규였던 것입니다.

박 목사님이 더욱 그리운 것은 요즘 보기 드문 언행 합일의 성숙한 신앙적 면모를 보여주셨기 때문입니다. 한때는 존경할 만한 면모를 띠었다가도 나이가 들면서 변질된 지도자들이 부지기수인 우리나라 기독교회에서 넉넉한 마음으로 기릴 수 있는 신앙 선배를 두게 된 것이 여간 감사하지 않습니다. 1971 년에 첫 오페라 "에스더"를 창작하여 이듬해에 공연한 목사님은 1973 년에 미국으로 유학을 떠납니다. 그 공연을 본 미국 선교사 사무엘 휴 마펫(한국명: 마삼락, 마포삼열 선교사님의 3 남)의 도전적인 제안 때문이었습니다. 3.1 운동을 주제로 한 오페라를 창작해 보라는 권면이었지요. 그것이 목사님에게 도전이 되었던 이유는, 있는 실력을 다해 오페라 한 곡을 겨우 창작했는데 그런 큰 주제로 새로운 오페라를 만들 자신이 없었기 때문입니다. 급기야 그런 창작을 위해서는 더욱 작곡 역량을 키워야 한다는 결론에 도달한 목사님은 1959 년 미국 유학에 이어 1973 년에 다시 미국으로 떠나게 됩니다. 그렇지만 그로부터 40 년 만인 2013 년이 되어서야 그 오페라의 대사가 완성되어(목사님은 "대사가 들어왔다"고 표현함), 2019 년에 "함성 1919"를 발표하게 됩니다. 결국 대사가 안 들어와서 쓰지 못하고 있던 것을

2013 년에 대사가 들어옴으로써 그 작품을 완성하게 되었던 것이지요. 2013 년이라면 목사님이 몇 살이었을까요? 무려 91 세였습니다. 이때부터 무려 5 년 이상을 공들여 이 대작 오페라를 완성한 것입니다.

한편 목사님은 1979 년에 캐나다로 이주한 이후에 60 세 되던 해에 목사 안수를 받게 되었습니다. 아들 넷 모두 목사가 되게 해달라는 목사님 어머님의 기원이 응답하는 순간이었습니다. 하나님께 가장 필요한 곳으로 인도해달라고 기도하던 중에, 5 가정에 10 명이 출석하는 교회를 맡아 달라는 제안을 받고 급기야 1984 년 7 월에 토론토 "큰빛교회"를 개척하게 됩니다. 성도 수가 많아지는 목회를 하기보다는, 하나님께서 일하시는 교회가 되도록 하자는 마음을 먹고 시작했다고 합니다. 그런데 1989 년 12 월에 박 목사님은 임현수 목사님에게 담임목사직을 물려주었습니다. 지난 2015 년 북한 당국에 체포되어 2 년 7 개월간 억류당한 그 임현수 목사님입니다. 함께 4 년간 사역하면서 당시 전도사였던 임 목사님의 역량과 됨됨이를 지켜보면서 그 교회의 후임자로 가장 적합하다고 판단되어 택한 것이지요. 박 목사님의 실제적인 은퇴는 교회 개척한 지 8 년 만에 이루어졌습니다. 임기 10 년을 채워야 원로 목사로 추대되는 관례에 관심 두지 않고, 오직 교회를 섬기는 길만을 염두에 두신 결과였습니다. 은퇴 후에도 성가대 지휘를 맡을 후임자가 없어 7 년 동안 그 역할을 지속한 것도 같은 맥락이었습니다. 더욱 감동적인 것은 목사님과 후임자인 임 목사님 간에 어떤 갈등도 없었다는 점입니다. 임 목사님의 고백을 한번 들어 보세요.

"나는 박 목사님과 86 년도부터 함께 사역을 하면서 큰빛교회를 35 년간 섬겨오고 있는데, 이제는 저도 원로가 되었으니, 세월이 참 빠르게도 지나갔습니다. 그런데 신기한 것은 30 년 이상을 모시고 지냈는데 단 한 번의 갈등도 없었고 변함없이 존경하고 있습니다. 그 이유는 그의 뛰어난 신앙과 겸손 그리고 욕심이 전혀 없으신 검소한 삶 때문일 것입니다. 그분은 인격자이십니다. 내가 36 년을 지켜

본 박재훈 목사님은 소년같이 마음이 맑으신 분이시고, 36년 동안 단 한 번도 후임자인 저와 단 한 번의 갈등도 없을 정도로 모든 것을 품어 주셨고, 예수님처럼 관용하며 참아주셨습니다. 그야말로 성자 같으신 분이십니다."

감사하게도 박 목사님을 가까이서 뵐 수 있는 절호의 기회가 제게도 있었습니다. 지난 2007년 12월에 서울에 있는 영락교회 게스트하우스에 도착했을 때 제 가족을 반겨준 노부부가 계셨습니다. 남편 되시는 분이 자기를 소개하실 때가 참 독특했습니다. "'지금까지 지내온 것' 작곡가 박재훈 목사입니다." 당신이 몇 살로 보이느냐는 질문에 70세 정도라는 답을 드렸더니, 그렇다면 얼마나 좋겠냐며 86세라고 하셨습니다. 그런 연세라고는 믿기지 않을 만큼 건강한 외모를 지니고 계셨지만, 목소리가 아주 작고 갈라진 채로 흘러나왔습니다. 다소 의아해하는 저희 눈치를 읽으시고는, 그 얼마 전 갑상선 암이 발견되어 그 종양을 절제한 적이 있을 뿐 아니라 성대에 문제가 생겨 수술을 한 번 시도했지만, 아직도 완쾌되지 않아 재수술 날짜를 잡는 중이라고 하셨습니다.

그 해가 헨델의 "메시아"가 40회 기념 공연을 하는 해(1회 공연이 1964년에 있었으나 그동안 세 차례 공연되지 못한 탓으로 그해가 40회 공연을 하게 되는 해가 되었다고 함)라 초대를 받아 캐나다에서 오셨다고 했습니다. 그동안 한국 최초의 기독교 창작 오페라인 "에스더"를 작곡한 바 있었으나, 한국에 있다 보니 여러 가지 일로 너무 분주한 나머지 작곡 활동을 제대로 하지 못하던 차에 미국으로(1973년), 또 캐나다로(1979년) 이주할 기회가 생겨 그곳에서 작곡 활동을 계속 이어갈 수 있었다는 말씀을 해 주셨습니다. 당시 "손양원 목사님"에 대한 오페라를 준비 중이라는 말씀과 덧붙여 주셨지요. 특히 가슴에 와닿았던 말씀은 우리 한국 사회를 변화시킬 수 있는 핵심 주체 세력은 기독교 사회이며 그 방법은 문화를 변혁시키는 것인데, 기독교 음악이 그 중요한 일익을 담당할 수 있다는 점이었습니다. 그 방문 중에는 당신의 부재를과 함께 뜻을 노으고 다른 기독교 지도자들과 연대하여 새로운 문화 변혁의 시도를 계획하고 있음도 들을 수 있었습니다. 노년의 환경에도 불구하고 계속하여 하나님께서 허락해 주신 작곡의 은사를 활용해서 하나님께 영광을 돌릴 수 있는 작품들을 계속 생산해 내려고 하시는 열의뿐 아니라 당신의 은사를 통해 사회 변화를 도모하시려는 의지를 품고 있는 당신의 본이 저희 마음에도 곧바로 전달되어 큰 감동이 되었습니다.

아쉽게도 황영숙 사모님은 무릎 관절 통증이 심하여 제대로 걷지를 못하셨습니다. 그렇지만 얼굴만큼은 달덩이처럼 환하셔서 저희가 바라만 보아도 그렇게 마음이 넉넉해질 수가 없었습니다. 고국 방문 후에 곧 말레이시아 동부 지역을 방문하기로 되어 있었기 때문에 그 나라에서 온 저희가 더 다정스러워 보였나 봅니다. 그동안 영양을 잘 섭취해서 얼굴이 훤할 뿐 아니라 덩치도 좋았던 저희 둘째를 볼 때마다 "너 참 잘 생겼다!"는 말씀을 연발하시더니, 저희와 헤어지던 날에는 불편한 몸을 이끌고 일부러 방으로 다시 들어가신 후 만원 지폐 두 장을 집어 오셔서 저희 둘째 손에 꼭 쥐여 주셨습니다. 두 분이 더욱 건강하고 보람된 노년을 보내시기를 기원하고 헤어졌던 흔감한 추억이었습니다. 돌이켜 보면 처음 만난 낯선 후배 일꾼 가족을 따뜻하게 맞아주며 먼저 손을 내밀고 소탈하게 관심사를 나누며 친분을 맺어 가신 것은 당신이 평생 일관해 오신 대인관계의 특징이었을 것입니다. 짧은 기간 동안 같은 공간에서 지내던 제 가족이 마치 오랫동안 친분을 쌓은 분들과 함께 지내고 있는 듯한 편안함과 친숙함을 느낄 수 있었으니까요.

-박재훈 목사의 삶과 사역이 선사하는 교훈-

음악으로 한평생을 견결하게 걸어가신 박 목사님의 생애가 제게는 두고두고 빛을 발할 선물이 될 것입니다. 그 이유 4 가지를 정리해 보았습니다. 첫째, 음악으로 애국 애족을 실행한 삶이기 때문입니다. 일제 강점기와 한국전쟁을 몸소 겪으면서 고통당하는 이웃들의 신산한 삶을 목도한 목사님은 자신의 은사인 음악을 통해 그들을 위무하고 격려하는 자세로 평생을 일관했습니다. 특히 주옥같은 목사님의 찬송가뿐 아니라 오페라 작품 4편이 그것을 드러냅니다. "에스더"를 시작으로 하여 "유관순", "손양원", 그리고 "함성 1919"에 이르는 이 작품들은 한결같이 우리 겨레와 민족의 고통과 애원과 소망을 신앙의 눈으로 해석한 작품들입니다. 개인적인 부귀영달을 꾀하는 것이 아니라 민족과 조국이라는 공동체의 독립과 발전과 번영을 꿈꾸는 오페라였습니다.

겨레의 독립을 염원한 3.1운동이라는 민족적 거사를 선도했던 기독교를 돌아볼 때마다, 오로지 개교회의 부흥을 위해서라면 어떤 일이라도 불사할 태세가 되어 있는 오늘날의 기독교가 한없이 부끄러워집니다. 개혁보다는 부흥을, 정당한 목회자 선출보다는 부당한 교역자 세습을, 투명한 재정 집행보다는 불투명한 재정 활용을, 만인제사장직보다는 성직주의를, 전인적 성숙의 진작보다는 영육 이원론의 고착화를, 성도들의 실생활 속 은사 활용보다는 교회 중심의 신앙생활 강화를 지향하고 있는 것이 우리나라 교회의 현주소니까요. 그래서였겠지요. 박 목사님은 4년 전에 "한국교회의 오랜 역사를 함께 보고 경험했던 목사의 한 명으로서 제안하고 싶다."며 이렇게 말씀하셨습니다. "시대가 아무리 변해도 교회의 중심이 변하면 안 됩니다. 3.1 운동 당시 모두가 힘을 합쳐 나라를 위해 기도했듯이 지금도 나라를 위해 기도해야 합니다. 내 교회, 내 교인, 내 이익만 챙기는 것은 안 됩니다. 교회가 달라져야 하고 바로 서야 합니다. 그러기 위해선 목사들이 먼저 회개하고 변해야 합니다."(한국일보 인터뷰, 2019년 1월 16일)

둘째, 음악으로 대중 문화와 기독교 문화를 선도한 삶이기 때문입니다. 8.15 해방 이후에 바로 시작된 아이들의 2학기 수업 시간에 함께 부를 노래가 없다는 사실을 내다본 목사님은 그들을 위한 동요를 작곡하기 시작했습니다. "소년"과 "아이생활"이라는 어린이 잡지를 약 백 권 정도 수집해서 그 속에 담긴 동시들을 뽑아 가사로 삼고 작곡하기 시작했는데 단 3일 만에 50곡을 만들 수 있었다고 하지요. 하나님께서 허락해 주신 영감의 열매였습니다. 누가 시킨 일이었을까요? 하나님께서 목사님의 심령 속에 두신 영적 부담과 부어 주신 영감의 결실이었을 것입니다. 깨어 있는 영성을 통해 시대의 문화적 필요를 내다보고, 그것을 채울 기회를 선취하는 선도적인 태도를 발휘했던 것이지요. 당신은 비록 해외에 거주하고 있었으나, 후배들이 그 배턴을 이어받아 우리나라의 문화 변혁을 일구어내기를 열망하신 것도 당신의 경험에서 비롯된 것이라고 믿습니다. 제 가족이 그분 내외를 잠시 뵈었을 때 피력하신 내용이기도 했으니까요.

우리나라 기독교가 우리나라 사회를 변화시킬 핵심 세력으로서 문화 변혁을 일구어 내야 한다는 목사님의 일념은 안타깝게도 현시점에선 난망한 소원으로만 남아 있습니다. 한때 우리나라 사회의 각 분야를 선도했던 기독교가 이제는 기독교 근본주의에서 비롯된 반지성주의(anti-intellectualism)와 반동적인(reactionary) 세력의 거점으로 자리 잡고 있기 때문입니다. 반지성주의 경향은 특히 '창조과학'(creation science 혹은 scientific creationism)이라는 '유사 과학'이 끼친 악영향 탓이 큽니다. 가치중립적으로 과학 지식을 온축해 온 지질학이 밝힌 지구의 나이 45억 년을 구약의 족장 족보에 근거한 6천 년으로 오롯이 규정한 언필칭 과학적 주장이지요. 이 종작없는 주장 앞에 '창조'라는 단어가 붙어 있어, 그동안 '창조신앙'을 견지해 온 숱한 그리스도인들이 현혹되었습니다.

역사학자인 마크 놀과 많은 복음주의 신학자에 따르면, 기독교에 인문학, 사회과학, 자연과학, 신학 및 종교학과 같은 다양한 학문을 무가치한 것으로 오해하여 배척하는 폐쇄성을 강화하는 폐단이 생긴 것이 바로 이 창조과학 때문이었습니다. 즉, 성경을 근본주의적으로 편협하게 이해하려는 이런 시도 탓에 다양한 학문의 세계를 비판적으로 수용하고 통합하여 연면히 신학적 지평을 넓혀 온 기독교 전통이 온데간데없이 사라져 버린 것이지요. 전통적인 '창조신앙'의 자리를, 창세기를 과학 교과서로 읽고 자기 방식의 과학을 예배하라는 '창조과학'이 꿰찬 형국입니다. 기독교 이단인 안식교(제칠일안식일예수재림교회=Seventh-day Adventist Church, SDA)에서 비롯된 이 유사 과학적인 주장이 어떻게 이 21 세기에 들어서까지 정통 기독교 교리를 표방하는 한국교회에서 그 맹위를 떨치고 있는지 어리둥절할 따름입니다. 신앙의 관성이란 옳은 것이든 그릇된 것이든 이렇게 끈질기고 그 생명력이 깁니다. 그런데 문제는 여기서 끝나지 않습니다. 이런 반지성적인 토양 위에서 외치는 기독교의 메시지가 허공을 때릴 뿐이라는 점입니다. "창조과학 난민"으로 교회를 등진 이들은 물론이지만, 교회를 반지성적인 게토(ghetto)로 이해하는 일반인들 대다수가 그 메시지에 귀를 열 이유가 어디 있을까요? 과거처럼 좋은 것을 배워 오라고 자기 자녀들이 교회 가는 것을 권장하지도 않겠지만, 적극적으로 반대할 공산이 더 큽니다. 정상 과학과 지성의 역할을 무시하고 유사 과학에 포획된 공동체에서 무슨 의미 있고 건설적인 것을 배울 거라고 기대하겠습니까?

더구나 이런 상황에서 최근 들어 동성애를 반대하는 일환으로 차별금지법을 반대하는 기독교회의 입장은 사회 발전과 진보를 가로막는 반동적인 행태로 비치기 십상입니다. 그렇지만 동성애를 반대하는 성서적인 입장은 동성애 로비 단체들이 비난하는 "성서적인 문자주의"(biblical literalism)와는 정반대로 합리적이고도 이성적인 시각입니다. 성서상의 동성애 금지가 '성별, 장애, 병력, 나이, 출신 국가, 출신 민족, 인종, 피부색, 언어' 문제로 인한 차별과는 다른 '범주'(category)에 속한다는 점을 분명히 열어 밝히면서, 그 표면적인 금지 규정 속에 감추어진 본질적인 실재들(essential positives)에 더 주목하기 때문입니다. 즉 성(sexuality)과 결혼(marriage)에 관한 신성한 계시가 열어 밝히는 하나님의 창조 질서(God's created order)에 초점을 맞추고 있는 것이지요(존 스토트). 다시 말하자면 하나님의 창조 사역에서 그 절정이란 남성과 여성의 창조와 그 연합이며, 남성과 여성의 결혼(inter-gendered marriage)이야말로 우리가 그렇게 많은 문화 영역을 넘나들며 찬미해 마지않는 다양성 속에서의 연합이 나타내는 궁극적인 실재(the ultimate unity-in-diversity)가 된다는 점입니다. 이러한 비전을 이해하지 못한다면, 성경의 동성애 금지 조항은 아무런 의미가 없습니다(팀 켈러). 문제는 성경을 최고의 권위로 인정하는 기독교인들의 이러한 합당한 시각이, 그들은 반지성적이고 반동적이라는 문화적 안경을 쓰고 있는 일반인들에게 전달되지 못하고 있는 안타까운 현실입니다. 자업자득입니다. 지금이라도 바로 잡아야 합니다. 현시점에서는 언감생심인 문화를 선도하는 과업보다 더 시급하고 중대한 문화와의 대화의 물꼬를 트기 위해서라도 말입니다.

셋째, 하나님의 주권을 인정하고 당신의 은혜에 의존한 삶이기 때문입니다. 앞에서 언급한 대로, 사무엘 마펫 선교사에게서 3.1 운동을 주제로 한 오페라를 제작할 것을 제안받고 미국으로 떠났으나, 40 년이 지난 후에야 그 곡을 완성하게 된 것이 그 한 사례가 됩니다. 그 오페라의 근간이 되는 대사가 하나님으로부터 임할 때까지 기다리고 기다리다 2013 년에 그 "대사가 들어와" 본격적으로 작곡하기 시작하여, 2019 년, 즉 3.1 운동 100 주년을 기념하는 해에 발표하게 되지요. 처음에는 10 년쯤 걸리면 대사를 다 쓸 수 있을 거라고 여겼지만, "아버지의 생각은 달랐다."라고 목사님은 술회합니다. 하나님 아버지께서 40년 전에 이미 장차 한국교회가 어떻게 될 것이고 한국이 어떻게 될 것을 다 알고 계셨기에 40 년 후의 상황에 걸맞은 대사를 허락해 주셨다는 것이지요.

이 오페라뿐 아니라, 음악인으로 살던 당신이 목사직을 갖게 된 것도, 교회까지 개척해서 목회하게 된 것도 모두 다 하나님 아버지께서 하신 일이라는 점을 목사님은 늘 강조했습니다. 개척한 교회에서 누릴 수 있는 담임목사의 기득권도 다 내려놓고 그 교회에 가장 적합한 유능한 일꾼을 적시에 발굴해서 후임자로 청빙하는 선도적 조처를 하신 것도 주님 되신 하나님의 뜻에 귀 기울인 결과였을 것입니다. 자기보다 유능하고 실력 있는 부 교역자를 내치는 데 발빠른 담임목사들의 이야기는 수도 없이 들었지만, 박 목사님처럼 교회의 장래를 내다보면서 그 부 교역자를 담임목사로 세우기 위해 자기는 일찌감치 물러앉은 목회자 이야기를 접하신 적 있는지요? 이에 덧붙여 우리가 모두 하나님의 은혜로 구원받은 죄인이므로 구원받은 대로 진실하고 가식 없이 살아가야 한다는 것이 목사님의 소신이었습니다. 인터뷰 중에 진행자가 120 세를 누린 모세처럼 장수하기를 비는 기원을 언급하자마자, 그것은 욕심이라면서 "오라면 가야죠!"라고 단호하게 말씀하시는 모습 또한 순천명하겠다는 당신의 신앙고백이었을 것입니다.

넷째, 은사를 최대한 개발하고 활용한 삶이기 때문입니다. 쓰러지기 몇 시간 전까지 작곡 활동에 임하셨다는 아드님의 증언이 있습니다. 알제리 회교도를 섬기기 위해 40년을 드린 화가 선교사 릴리아스 트로터(1853-1928)가 소천하기 직전까지 무언가를 그리고 있던 것과 동일한 차원의 헌신이었습니다. [제 블로그 중 "26. The Great Commission(대위임령)" 참조] 당신의 은사가 음악인 것을 깨달은 목사님은 그것을 개발하기 위해 일본으로 건너가 음악을 배우고, 교직을 수행하는 중에 음악 교수에게 작곡법을 배웠으며, 그 실력으로 끊임없이 동요를 작곡하여 출판했습니다. 해방 이후 우리나라 최초의 동요집인 "일맥(一麥) 동요집"이 목사님의 노고에서 비롯되어 유치원과 라디오 방송을 통해 전국 각지로 퍼져갔지요. 해군 공보정훈음악대, 기독교방송, 영락교회, 선명회합창단에서 그 은사를 지속적으로 활용한 점도 빼놓을 수 없습니다. 나이가 들어서도 목사님의 향학열은 식을 줄 몰랐습니다. 1959 년에 미국에 유학하여 음악을 공부하고 돌아왔지만, 나중에 오페라를 작곡할 수 있는 역량을 키우기 위해 1973 년에 다시 미국에 진출하여 향학열을 불태웠습니다. 자신의 부족한 음악적 역량을 인정하고 그것을 더 개발하기 위해 50 세가 넘어서도 미국으로 향했던 것이지요.

이러한 목사님의 삶의 여정은 인생 3 막의 길에 들어선 제게도 소중한 전범이 됩니다. 그 3 막의 여정이 언제 끝날지는 알 수 없지만, 그 마지막 순간까지 하나님 아버지께서 허락해 주신 지식과 은사를 갈고닦을 뿐 아니라 선도적으로 활용해 가야 한다는 신선한 깨달음이 번연히 제 마음속에 들어온 것이지요. 지난 세월 동안 영어교육, 인문학, 성경 및 선교에 관한 지식과 경험을 쌓고, 가르치는 은사와 글 쓰기 은사를 부여받은 제가 걸어가야 할 길이 더욱 분명해졌습니다. 모쪼록 목사님처럼 생애 다하는 날까지 맑고 강건한 심신을 누리며 제 지식과 경험과 재능을 널리 활용하는 데 형통하길 비는 마음 간절합니다. 목사님의 생애를 기리고 삶의 이모저모를 묘사하는 글 중에서 임현수 목사님의 표현 한 가지가 눈에 확 들어왔습니다. "초창기 한국교회의 영적 한옥을 지으신 분." 아마도 박 목사님이 가장 흡족해하셨을 법한 비문(碑文, epitaph)이었습니다. 그립습니다, 목사님. 장차 "새 하늘과 새 땅"에서 다시 뵙겠습니다.

5. 정치와 신앙: 하나님의 뜻이 땅에서도 이루어지이다
-정의를 선양하고 공동선을 실행하는 민주 사회 구현-

-검사와 '삼무'(三無) 정권-

현 정권을 대표하는 단어로 제게는 세 단어가 떠오릅니다. 무지(無知), 무도(無道) 및 무리(無理)입니다. 지난 1년간 현 대통령과 정부 인사들이 언급한 몰상식하고 자가당착에 빠진 그 숱한 말은 우리나라 국민들을 좌절하게 했습니다. 그 말의 배후에는 자신들의 무지에 대한 무지가 똬리를 틀고 있었습니다. 지난해 10월에 159명의 희생자를 낳은 이태원 참사를 대하는 대통령과 총리나 주무 장관이 취한 태도는 부도덕의 끝판왕이었습니다. 국민의 안전을 책임져야 할 행정부의 수반으로서 현 대통령은 제대로 된 사과 한번 한 적 없고, 무책임하고 무능한 주무 장관을 징계하기는커녕 두둔만 해댔으며, 심지어 희생자 가족들의 손 한번 잡아주지 않은 채 도리어 그들의 연대와 소통을 방해하는 추태를 보이기도 했지요. 최근에 현 대통령은 일본 전범 기업에 대한 대법원 전원합의체 판결(2018년 10월 30일/11월 29일)을 무시한 채, 일본 측에 '제3자 병존적 채무 인수' 방안을 제시하는 엄중한 월권행위를 저질렀습니다. 민주공화국의 근간이 되는 삼권분립을 정면으로 도전하는 행위를 감행한 것입니다. 사법부에 반기를 든 현 대통령은 입법부의 권위도 아랑곳하지 않습니다. 국회가 통과한 법안에 대한 '거부권 정치', 그 법안을 우회하는 '시행령 통치'를 일상화해 왔지요. 사정이 이러하니, 급기야 천주교정의구현전국사제단이 나서 그의 퇴진을 촉구하는 미사를 드리기 시작했습니다. 그들의 호소가 어디까지 갈 수 있을까요? 자업자득입니다.

무지하고 부도덕하며 월권행위에 취한 현 정권의 특징을 한마디로 표현한 것이 '검찰 공화국'입니다. 검찰총장 출신 대통령이 올해 3월까지 무려 136명의 검찰 출신으로 핵심 권력기관의 요직을 장악해 버린 거지요. 무소불위의 제왕적 권력을 가진 것만으로 부족했을까요? 아마도 자기처럼 하극상을 벌일 인물들을 염두에 둔 포석인지도 모르지요. 자기 집권에 기여한 포상도 할 겸, 직접적인 자기 권력하에 두고 관리도 할 겸. 이미 조짐이 보이기 시작했지만, 자기들이 무엇이 무지한지 모르는 이들이 앞으로 거덜 낼 나라 살림과 그들이 마비시킬 국가 기능이 심히 우려스럽습니다. 이제부터 그들의 적은 바로 그들 자신입니다. 자기들을 견제하고 균형을 잡아 줄 장치가 없는 상태에서 브레이크 없이 폭주하는 기관차의 운명을 맞이할 것이기 때문입니다. 위기 상황이 닥치면 그들은 또 잔기술을 부려 그 기관차에서 탈출하겠지요. 애꿎은 우리 서민들만 죽어날 테고. 그러나 우리가 대통령 하라고 뽑은 인물이니 어떡합니까? 이것 또한 자업자득입니다.

현시점에서는 우리나라의 미래가 어둡게 보이지만, 모쪼록 대통령을 비롯한 고위 공직자들이 지난 1년 이상 동안 지속해 온 '삼무'(三無) 정권 행태를 뉘우치고 신실한 민복(民僕)의 자리로 돌아가기를 고대합니다. 특히 검찰청의 검사들도 이미 사문화된 '검사동일체' 원칙이나 조직 이기주의를 박차고 일어나, 오직 법률과 각자의 정의감에 근거하여 기소하고 소추함으로써 사건 속 진실을 밝히는 그 소명을 성실하게 감당해 가길 고대합니다.

-판사와 사법 살인-

21세기 대명천지 민주주의 세상에 초헌법적 검찰 권력이 떡하니 버티고 있는 것만큼 우리 숨을 턱 막히게 하는 대상이 또 있습니다. 헌법이 임기와 신분을 보장하는 헌법기관이자, 소위 민주주의 최후 보루인 사법부 법관들입니다. 일제 강점기에 일본이 전시 총동원

체제를 구축한다면서 온갖 권한을 집중시켜 준 검찰이 그 기형적 권력을 지금까지 휘두르고 있듯이, "돌이켜 보면 일제 시대 이래 우리의 사법부는 철저히 식민지 지배의 수단이었고 독재정권의 하수인에 불과했습니다."(이상수 교수, "프레시안", 2006) 예컨대 조봉암 사법 살인 판결(이승만 정권), 동백림사건, '인혁당 재건위' 사건(박정희 정권), 수많은 간첩 조작 사건(전두환 정권), 강기훈 유서 대필 조작 사건(노태우 정권)을 돌이켜 보세요. 그 사건들의 담당 판사들은 피고인들에게 불리한 판결을 내렸을 뿐 아니라 심지어 사법 살인까지 저질렀습니다. 특히 '인혁당 재건위' 사건(1975 년)의 경우가 그러했습니다. 당시 대법원이 그 피의자들의 상고를 기각함으로써 8 명에게 사형이 확정된 후, 18 시간 만에 전원 사형이 집행되었지요. '진실위'(국가정보원 과거사건 진실규명을 통한 발전위원회)가 2005 년에 밝힌 내용에 의하면, 1964 년의 1 차 "인혁당은 국가변란을 기도한 반국가단체로 실재했다고 할 수 없을 정도의 서클 형태 모임"이라고 결론지은 바 있습니다. 그리고 소위 민청학련을 배후 조종했다는 혐의를 받은 '인혁당 재건위'도 "단체의 실재를 입증할 물증이나 재판에 회부된 사람들이 인혁당을 재건하려고 시도했다는 증거는 자백 이외에는 전혀 존재하지 않는다."라고 지적했습니다. 그리하여 2007 년에 법원은 재심을 통해 사형을 받은 8 명에게 무죄를 선고했던 것이지요.

　독재정권이 막을 내린 지금은 사법부가 환골탈태했을까요? 우리나라 사회는 전반적이고도 점진적으로 민주화의 길을 걸어왔지만, 사법부는 사법권의 독립을 빙자하면서 그 특권주의적 행태에서 벗어난 적이 없습니다. 양승태 사법 농단 사태가 발생한 게 불과 몇 년 전입니다. 양승태 전 대법원장 재임 시절(2011 년 9 월~2017 년 9 월)에 법원행정처가 '상고법원 도입'을 위해 사법행정권을 남용한 사건이었지요. 사법부가 능동적으로 앞장서서 대통령 권력에 빌붙어 재판에 개입하고 법관의 독립을 침해했다는 점에서 유례가 없는 사건이었습니다. 이 사태에 연루돼 검찰이 '비위 법관'으로 통보한 판사만 66 명이고, 재판에 넘긴 전·현직 판사는 14 명이었습니다.

그 이후로 무려 6년이란 세월이 지났지만, 처벌과 징계가 이루어진 경우는 거의 없었습니다. 사건의 몸통 격인 양승태에 대한 1심이 아직도 진행 중인데 무려 1,500일이 넘도록 별다른 진척이 없는 상태이고, 그 판사 중 상당수가 무죄를 받아 법원을 떠났지요. 그들 중에는 과감하게도 사법 농단의 또 다른 장본인인 '김앤장' 법률사무소에 자리 잡은 이들도 있습니다. 지난 수십 년 동안 우리 국민이 바로 이런 인물들의 판결에 놓아났다는 데 등골이 섬뜩하지 않습니까?

사법부에 대한 우리나라 국민의 불신은 가늠하기 힘들 정도입니다. OECD 국가(38개국) 중에 "사법 체계와 법원에 대한 시민의 신뢰도"(Citizen confidence in the judiciary system and the courts) 면에서 우리나라는 34위(36개국만 조사됨)를 기록했습니다(2021년). 꼴찌인 셈이지요. 1-9위까지가 모두 독일식 참심제[국민 가운데에서 선출된 사람이 법관과 함께 합의체를 구성하는 제도]를 활용하는 국가들[노르웨이, 덴마크, 스위스, 독일 등]이고, 일본도 15위에 자리 잡고 있습니다. 1위인 노르웨이 사법부의 신뢰도가 91%인데 반해, 우리나라 사법부는 겨우 22%에 불과하지요. 인기 없는 현 대통령에 대한 신뢰도보다 더 낮습니다. 이 참혹한 현실 역시 자업자득이지요. 자기 세력의 이익을 도모하기 위해 정부와 언론을 대상으로 로비를 벌이면서 재판에 개입하거나 거래하는 범죄행위를 감행한 법원을 어느 국민이 신뢰할 수 있을까요? 그 해묵은 전관예우가 여전히 작동하고, 무전유죄, 유전무죄의 재판이 이어지고 있다는 것을 온 국민이 알고 있지요.

곽상도 전 의원의 아들 곽병채 씨가 화천대유로부터 퇴직금 50억을 받은 것에 대해 대가성 있는 것으로 볼 수 없다며 곽 의원에게 무죄 판결을 내린 이준철 판사의 후안무치를 보세요. 50억 원이란 돈[정상적인 퇴직금은 2,300만 원 정도이니, 200배가 훨씬 넘는 액수]이 "사회 통념상 이례적으로 과다하다고 판단"된다고 하더라도, "곽 전 의원이 영향력을 행사했다고 보긴 어렵고, 아들이 받은 돈을 본인이 받은 것으로 볼 수도 없다."라고 지적하면서 뇌물과 알선수재 혐의는 무죄라고 판결했습니다. 주절과 양보절을 뒤집어엎은 이례적인 말장난이지요. 사실상 "곽 전 의원이 (...) 보긴 어렵고, 아들이 (...) 볼 수도 없다고 하더라도, 사회 통념상 이례적으로 과다하다고 판단되므로 뇌물과 알선수재죄에 해당한다."가 되어야 하지 않습니까? 원래 뇌물이란 게 "어떤 직위에 있는 사람을 매수하여 사사로운 일에 이용하기 위하여 넌지시 건네는 부정한 돈이나 물건"이니까요(국립국어원표준국어대사전). 세상에 어느 바보 사업가가 공공연하고 명시적인 방식으로 50억이나 되는 천문학적 액수의 뇌물을 공여한단 말입니까? 자기 아들 통해 50억 달라고 골치 아프게 조르는 그 아버지[관련자들의 녹취록에 등장]가 아니었다면, 좀 더 은밀하고 비밀스러운 방식으로 공여했겠지요. 그렇지만 그 정도 '넌지시 건네는' 선에서 마무리한 것입니다. '사회 통념상' 같은 경제공동체로 이해되는 직계비속인 아들에게 '넌지시 건넨' 그 50억이 뇌물이 아니면, 이준철 판사에겐 어떤 것이 뇌물일까요? 그 판사가 앞으로 그의 임기 내내 경천동지할 어떠한 판결을 더 내릴지 귀추가 주목됩니다.

한홍구 교수가 언급한 대로 대대적인 사법개혁이 이루어져 그 구조와 시스템이 변혁되기 전까지 현재로서는, "사법부의 독립성은 헌법기관인 법관 개개인이 스스로 지키려 하지 않으면 지켜낼 방도가 없습니다." 대한민국 국민의 한 사람으로서 청렴과 교양과 능력을 겸비한 참 법관들의 선전과 건투를 고대합니다.

-하나님의 기본 관심사인 정치와 사회 정의-

검찰 출신들이 행정부를 장악하고 이를 견제하는 한 축을 담당해야 할 사법부가 비리의 온상이 되어 버린 우리나라 정치 상황을 보면서, 그리스도인들이 나아갈 길이 무엇인지가 궁금해집니다. 정치를 부정적으로 인식하는 많은 그리스도인의 예상과는 달리, 성경은 정치에 대한 논의로 가득 차 있습니다. 캐나다 기독교학문연구소(The Institute for Christian Studies)의 교수였고 종교 박해의 주도적 학자인 폴 마샬(Paul Marshall)은 그 시발점을 창세기 4장의 가인과 아벨 이야기로 잡습니다. 가인이 아벨을 살해한 후에 하나님께서 그에게 나타나셔서 이렇게 도전하시지요.

(창세기 4:9-10) 여호와께서 가인에게 이르시되 네 아우 아벨이 어디 있느냐 그가 이르되 내가 알지 못하나이다 내가 내 아우를 지키는 자니이까(Am I my brother's keeper?) 이르시되 네가 무엇을 하였느냐 네 아우의 핏소리가 땅에서부터 내게 호소하느니라(The voice of your brother's blood is crying to Me from the ground.)

　살인자 가인의 항의성 질문과는 달리, 우리는 우리 형제를 지키는 자들입니다. 우리는 다른 사람들에게 발생하는 일들에 대해 하나님 앞에서 큰 책임을 지고 있으며, 그 책임 중에 정치(politics)는 필수 불가결한(indispensable) 영역입니다. 가인의 경우에는 하나님께서 판사(judge) 역할을 감당하시면서 사법권을 수립하십니다. 아벨의 피가 하나님을 향해 정의를 요청하는 호소였기 때문입니다. '호소하느니라'로 번역된 히브리 단어는 구약에서 하나님의 도우심과 정의를 요청하는 부르짖음을 의미하는 경우가 많습니다. 소돔과 고모라를 멸망시킨 가난한 자들의 울부짖음(창세기 18:20, 에스겔 16:49)이나 애굽에서 노예로 신음하던 이스라엘 백성들의 울부짖음(출애굽기 2:23-24)이 그 대표적인 예가 되지요. 이 단어는 또한 전문적인 법률 용어로서 불의를 바로잡기 위해 법정에 호소하는 것이기도 합니다. 그렇다면 이 상황은 아벨의 호소를 들으신 하나님이 법률 용어 혹은 정치적 용어로 묘사되고 있다고 볼 수 있습니다. 즉 하나님께서 정치적 권위를 지닌 분으로 등장하고 계신 것이지요.
　이 첫 범죄(the first crime)는 하나님께서 직접 심판하셨습니다. 가인에 대한 정의로운 처벌은 유배(exile)였습니다. 그가 먼 땅으로 쫓겨나게 되었으나, 하나님께서는 그에게 표지("sign for Cain")를 주셔서 보호해 주셨습니다. "가인을 죽이는 자는 벌을 칠 배['올바르게', '공정하게', '완전하게'의 의미]나 받으리라"(4:15)라고 선포하심으로써, 당신께서 가인에게 선고하여 집행하신 처벌 이상을 그 누구도 가하지 못하도록 보호해 주신 것입니다. 범인을 정의롭게 처벌한 후에 그 범인을 정의롭게 보호해 주시는 하나님의 은혜가 고스란히 드러나 있습니다. 이 범죄 이후, 특히 홍수 심판 후부터는 하나님께서 창조 세계에 대한 책임을 다할 청지기로 세운 사람들이 그 책임을 직접 다루도록 이양해 주셨습니다. 방주에서 나온 사람들에게 이렇게 말씀하셨지요. "다른 사람의 피를 흘리면 그 사람의 피도 흘릴 것이니 이는 하나님이 자기 형상대로 사람을 지으셨음이니라"(창세기 6:9) 당신의 형상대로 지은 바 된 인간 생명의 중요성을 강조하시면서, 살인에는 형벌이 요구된다고 하신 것입니다. 즉 노아와 그 후손들인 우리가 그 형벌을 집행해야 한다는 것이지요. 그래서 현재 이 세계 속에서 하나님의 정의를 집행하도록 권위를 위임받은 존재가 바로 우리입니다.

하나님께서 아브라함을 택하신 후에 소돔과 고모라의 운명에 대해 정의를 행하도록 교육하고 훈련하신 것도 바로 이런 연유 때문입니다.

(창세기 18:17-19) 여호와께서 이르시되 내가 하려는 것을 아브라함에게 숨기겠느냐 아브라함은 강대한 나라가 되고 천하 만민은 그로 말미암아 복을 받게 될 것이 아니냐 내가 그로 그 자식과 권속에게 명하여 여호와의 도를 지켜 의와 공도를 행하게 하려고 그를 택하였나니 이는 나 여호와가 아브라함에게 대하여 말한 일을 이루려 함이니라

당시 아브라함은 정의로운 판사의 역할을 맡아 소돔과 고모라의 처지에 대해 하나님과 논쟁을 벌입니다. 의인 50 명에서 시작하여 의인 10 명이란 조건에 이르기까지 하나님을 설득하여, 의인 10 명만 있다면 멸망시키지 않겠다는 하나님의 약조를 받아냅니다. 판사로서 정의에 부합하는 적절한 결과에 도달한 것이지요. 이런 양상은 모세 시대에도 이어집니다. 하나님께서 허락해 주신 율법을 따라 개별적인 사건들을 심판해야 했습니다. 이후 사사(judges) 시대

를 거쳐 왕정 시대가 도래하지요. 성경은 성막이나 성전에서 제사장들이 행한 활동보다는 사사들과 왕들이 한 정치적인 활동에 훨씬 더 많이 주목하고 있습니다. 사사들과 다윗과 솔로몬을 비롯한 숱한 왕들이나 다니엘 같은 이들은 정치적인 역할을 감당하던 이들이었지요. 이들의 이야기가 사사기, 사무엘서, 열왕기, 역대기의 대부분을 차지하고 있습니다.

신약에 와서도 하나님께서는 여전히 정치 제도에 관해 관심을 기울이십니다. 특히 주목할 만한 본문은 로마서 13장에서 국가 권력자들을 "너희들에게 선을 베푸는 하나님의 사역자"(a minister of God to you for good)라고 일컫는 내용입니다(4절). 예수님께서 하늘과 땅의 모든 권세를 부여받으셨다고 말씀하셨을 뿐 아니라(마태복음 28:18), 당신께서 만물을 창조하시고 지속하시고 구속하신다는 언명 속에 "왕권들이나 주권들이나 통치자들이나 권세들"(골로새서 1:16)도 죄다 포함된다는 점에 주목해 보세요. 정치는 주님께 대한 섬김과 동떨어진 영역이 아닙니다. 그러므로 "정치는 하나님의 기본적 관심사 중 하나입니다."(Politics is one of God's basic concerns.) (폴 마샬, "The Heaven Is Not My Home", 1989)

-하나님의 나라와 사회 공의 실현-

정의로운 정치에 대한 하나님의 관심사를 깨달았다면 어떻게 우리가 일상생활 속에서 이를 실천해 갈 수 있을까요? 이 영역에서 저는 일찍부터 영국 UCCF[영국 IVF 후신] 총무를 역임한 올리버 바클리(Oliver R. Barclay, 1919-2013)를 통해 중요한 교훈들을 많이 배울 수 있었습니다. 그는 일본 선교사인 조지프 G. 바클리(Joseph Gurney Barclay)의 아들이자 클래팜 섹트(The Clapham Sect)의 일원으로서 윌리엄 윌버포스와 동역한 토마스 F. 벅스톤(Thomas Fowell Buxton) 하원의원의 증손자였고, 존 스토트의 평생 친구(케임브리지 트리니티 칼리지 2년 선배)이기도 했습니다. 정식 신학 교육을 받은 적은 없지만 그는 "신학적으로 사고하는" 능력(the ability to "think theologically")을 스스로 개발하는 본을 보였고, 그러한 능력을 동역하는 참모들도 배양할 수 있도록 도와주었습니다. 매일 그리스도의 죽음의 의미를 더 깊이 이해하기 위해 기도했고, 매년 칼뱅의 "기독교 강요"(Institutes of the Christian Religion)를 읽었다고 하지요. 정치에 대한 그리스도교적인 입장에 대해 그가 나눈 교훈 몇 가지만 나누겠습니다.

첫째, 국가는 최고의 권위가 아니라 하나님의 일꾼임을 기억합시다. 대통령을 비롯한 국가 공무원들은 선지자들과 제사장들과 마찬가지로 하나님의 일꾼들이라는 말입니다. 사도 바울이 당시 로마 황제들이 신이 아니라 종이라고 단호하게 말한 시기는, 그들이 자기들을 신격화하기 시작하던 때였습니다. 황제의 주장과는 무관하게 국가 권력은 모든 권위의 원천도 아닐 뿐 아니라, 독자적으로 존립할 수 없는 존재라는 점을 명토 박아 말한 것이지요. 국가 권력은 그리스도와 당신의 구속 경륜과 상관없는 별개의 권위가 아닙니다. 그것은 교회 내의 권위와 마찬가지로 이 세상의 모든 권세를 쥐고 계신 우리 주 예수 그리스도로부터 유래한 권리입니다(골로새서 1:16-17). 주님께는 다양한 유형의 종들이 있고, 그들은 서로 다른 권위를 갖고 있지요. 예컨대 행정부, 입법부 및 사법부는 우리의 삶에 있어 최종적이거나 중심적인 권위도 아닙니다. 그러므로 그 각 부처 공무원은 주님께서 자기들에게 주신 한계(God-given limits)를 명심해야 합니다. 그리고 우리는 사도 베드로가 본을 보인 것처럼 "사람보다 하나님께 순종하는 것이 마땅합니다."(사도행전 5:29, 4:19)

둘째, 국가에 대한 몫을 정직하게 공급합시다. 국가라는 하나님의 일꾼이 자기 몫을 다할 수 있도록, 국민들은 국가가 받아 마땅한 것, 국가가 가질 권리가 있는 것을 제공해야 할 책임이 있습니다. 예컨대 헌법에 기재된 대로, 국방, 납세, 교육, 근로의 의무[4 대 의무] 및 환경보전의 의무와 재산권 행사의 공공 복리 적합 의무를 완수해야 하지요. 이것이 바로 로마서 13:7 에서 바울이 언급한 시민 정신입니다. "모든 자에게 줄 것을 주되 조세를 받을 자에게 조세를 바치고 관세를 받을 자에게 관세를 바치고 두려워할 자를 두려워하며 존경할 자를 존경하라" 한편으로 이 권고는 우리가 정부에 모든 것을 다 바쳐서는 안 된다는 점도 시사합니다. 첫째 제안과 같은 맥락이자, 예수님께서 마태복음 22:21 에서 명령하신 내용이기도 합니다. "그런즉 가이사의 것은 가이사에게, 하나님의 것은 하나님께 바치라"(Then render to Caesar the things that are Caesar's; and to God the things that are God's.) 바울이 로마 제국의 질서를 상대화시킨 대로, 우리는 정부가 받아 마땅한 것만을 주어야 하고 정부가 위임받은 일꾼의 과업을 벗어날 때는 그 권위를 거부해야 합니다.

셋째, 국가 권력의 불의와 비리를 교정하고 미진한 부분을 개혁합시다. 우리나라뿐 아니라 세계 역사를 돌아보면, 국민들이 불의한 정권에 굴종한 예를 적지 않게 발견할 수 있습니다. 당시의 국가 권력이 폭압적인 독재를 전방위적으로 행사하여 국민들이 도무지 용신할 수가 없던 경우도 있었지만, 국민들이 그릇된 시각을 품고 자발적으로 그런 국가 권력에 충성한 경우도 있었던 것입니다. 예컨대 히틀러 휘하에 있던 그리스도인 중에는 너무도 명백한 악행에 자발적으로 참여하면서도 단지 하나님께서 제정하신 권세를 따르고 있다는 변명을 대던 이들이 많았습니다. 즉 "각 사람은 위에 있는 권세들에게 복종하라 권세는 하나님으로부터 나지 않음이 없나니 모든 권세는 다 하나님께서 정하신 바라"라는 로마서 13:1 을 순종했다는 것이지요. 이것은 로마서 13 장의 원리를 명백하게 오용한 경우입니다. 그들이 저지른 잘못은 국가가 무엇을 위해 제정되었는지를 깨닫지 못했다는 데 있습니다. 사실상 이 장 말씀이 열어 밝히는 진리는 사람들을 위해 하나님께서 제정해 주신 섭리적 질서인 국가 권력이란 가능한 한 많은 선을 촉진하고 보존하기 위해 존재한다는 점입니다. "이런 하나님의 명령(divine mandate)을 준수하지 않는 국가 권력은 개혁의 대상이지, 맹목적으로 순종할 대상이 아닙니다(should be reformed and not blindly obeyed)." [A. N. Triton (올리버 바클리의 필명), "Whose World?", 1970]

바울이 로마 제국을 향해 '연좌 농성'(sit-in)한 예를 기억하시는 지요? 사도행전 16 장에 보면 사도 바울이 귀신 들린 여종을 고쳐 주어 그 주인의 돈벌이에 손상을 입히자, 그 주인이 바울과 실라를 치안관들에게 끌고 가서 무고한 고초를 안겼습니다. 그 이튿날 치안관들이 부하를 보내어 그 두 사람을 풀어주라고 명을 내리지요. 그래서 간수가 안녕히 가시라고 말하자, 사도 바울은 '연좌 농성'하기 시작합니다. "치안관들이 로마 시민인 우리를 유죄 판결도 내리지 않은 채 공공연히 때리고 감옥에 가두었다가, 이제 와서, 슬그머니 우리를 내놓겠다는 겁니까? 안 됩니다. 그들이 직접 와서 우리를 석방해야 합니다."(16:37) 그 결과, 치안관들이 두려워하면서 그들을 찾아와 위로한 후 데리고 나가더니, 그 도시에서 떠나달라고 계속 사정사정해 대는 장면을 연출하지요(they kept begging them to leave the city, 39 절). 바울은 왜 이 농성을 했을까요? 복음을 전파하기 위함이 아니었습니다. 그렇다고 구원의 진리가 문제 되는 것도 아니었습니다. 그렇지만 바울은 로마 정부가 불의하게 시민을 대우한 것을 교정하고 앞으로 정의롭게 시민을 대우할 수 있도록 일깨우는 농성 과정이 절실하고 효과적이라고 생각했습니다. 아마도 사도 바울의 선제적인 이런 조처는 그가 뒤에 남겨두고 떠나온 빌립보 교회의 신앙적 자유를 위해서도 매우 중요한 의미를 띠었을 것입니다.

이 경우가 다가 아닙니다. 나중에 바울이 예루살렘으로 귀환한 후에 유대인들의 공격을 받아 죽을 뻔했을 때 천부장의 허락을 받아 연설하게 되지요(사도행전 22 장). 그 도중에 유대인들이 고함을 지르고 난리를 치는 바람에, 천부장이 그를 병영 안으로 끌어들인 후 채찍질하면서 그 이유를 캐물어 보라고 명령합니다. 그 부하들이 채찍질하려고 바울을 눕혔을 때, 그가 백부장에게 한마디 합니다. "로마 시민을 유죄 판결도 내리지 않고 매질하는 법이 어디에 있소?"(Is it lawful for you to scourge a man who is a Roman and uncondemned?) (25 절) 이 말을 전해 들은 천부장은 바울을 직접 찾아와서, 자기는 돈을 많이 들여 겨우 얻은 시민권을 바울은 태어날 때부터 획득한 사실을 확인하게 됩니다. 그래서 로마인인 그를 결박해 놓은 일로 두려워하게 되지요. 우리 자신의 이익과 권리를 지키기 위해서뿐 아니라 다른 사람들의 이익과 권리를 보전할 수 있도록, "(...)하는 법이 어디에 있소?"라고 국가 권력에 도전해야 할 때 바울의 사례를 기억하며 용기를 냅시다.

넷째, 국가 지도자들을 위해 기도합시다. 사도바울은 디모데전서 2장에서 이렇게 권면합니다.

(디모데전서 2:1-3) "그러므로 나는 무엇보다도 먼저, 모든 사람을 위해서 하나님께 간구와 기도와 중보 기도와 감사 기도를 드리라고 그대에게 권합니다. 왕들과 높은 지위에 있는 모든 사람을 위해서도 기도하십시오. 그것은 우리가 경건하고 품위 있게, 조용하고 평화로운 생활을 하기 위함입니다. 이것은 우리 구주 하나님께서 보시기에 좋은 일이며, 기쁘게 받으실 만한 일입니다."(새번역)

비록 우리가 국가수반들과 높은 지위에 있는 공무원들을 위해 기도하는 것이 그들의 회심을 위해서이기도 하지만[앞뒤 문맥에 암시됨], 그 구체적인 목적은 안정되고 평온한 가운데서 우리가 경건하고 거룩한 생활을 영위하기 위해서라는 것입니다. 비록 4절부터 바울이 복음 전도에 대해 언급하고 있지만, 이 세 구절의 요점은 분명합니다. 즉 국가의 일차적인 임무가 공동선을 보장하는 것이고 그것을 선양하는 조처들이 하나님을 기쁘시게 하는 것이기에 우리가 그것을 위해서 기도해야 하고 그것을 진작하기 위해 힘을 다해야 한다는 것이지요. 사회 공의와 공동선을 구현하기 위해 진력하는 정부는 복음을 전할 자유와 의로운 삶을 영위할 자유를 허용한다는 점에서뿐만 아니라, 그 자체로도 좋고 유익한 것입니다.

6. 재물과 신앙: 결신들린 삶과 시인의 삶

인생 60 을 넘기고 보니 삶에는 두 가지 방향이 있다는 데 생각이 미칩니다. 첫째는 벌거벗고 태어났으니, 잘 먹고 잘 입고 좋은 데서 살기 위해 진력하자는 방향이 있습니다. 이 방향의 특징은 자족이 없다는 데 있습니다. 어느 정도 의식주가 해결되어도 탐욕이 발동하여 더 나은 사치스러운 의식주 환경을 추구하다 생을 마감합니다. 나는 어디에서 와서 어디로 가는가, 인생의 의미와 목적은 무엇인가라는 질문들은 거추장스럽기만 합니다. 둘째는 벌거벗고 태어났지만, 내 속에 부족한 것을 찾아 회복하는 데 주력하는 방향입니다. 이 방향의 특색은 가까운 미래에 대한 염려가 없다는 데 있습니다. 기본적인 의식주 해결을 위해 미래 계획을 구상하고 현재 주어진 일에 열심을 기울이지만, 근접한 미래에 대해서는 걱정하지 않은 채 생을 영위합니다. 그 대신 인생의 기원과 귀착지, 인생의 의미와 목적에 관한 질문들이 늘 마음을 사로잡습니다. 첫째가 외면적인 것들을 더 많이 취하자는 방향인 데 반해, 둘째는 내면적인 세계를 더 가꾸자는 방향입니다. 요약하자면 첫째가 걸신들린 삶이라면 둘째는 시인의 삶입니다.

돈에 걸신들린 사람 얘기부터 좀 해보겠습니다. "올 더 머니"(All the Money in the World, 2017)라는 영화에는 폴 게티(Jean Paul Getty, 1892-1976)라는 억만장자가 나옵니다. 1973 년 당시 석유 생산으로 재산을 일군 세계 최고 갑부였지요. 납치범들이 로마에 사는 그의 손자인 존 폴 게티 3 세(16 세)를 인질로 삼아 1,700 만 불의 몸값을 요구합니다. 당시 그 손자는 엄마와 함께 살고 있었습니다. 아빠인 존 폴 게티 2 세가 마약 중독으로 이혼하면서 엄마인 게일 해리스(Gail Harris)가 위자료 대신 양육권을 선택했기 때문입니다. 그동안 손 한 번 벌린 적 없던 그녀가 직접 게티를 찾아가 사정하려 했지만, 그는 텔레비전 인터뷰를 통해 손자/손녀들(총 14 명)의 추가 납치를 부추길 수 있다며 거절합니다. 그 대신 자기 보안 요원이었던 플레처 체이스(Fletcher Chace)에게 사건을 맡아서 가장 적은 금액을 써서 손자를 석방해 오라고 요청합니다. 몸값을 지불하지 않고 몇 주가 더 지나자, 납치범들은 폴의 오른쪽 귀를 잘라 신문사에 보냅니다. 일련의 사건이 전개되고 새롭게 한 팀이 된 게일과 체이스가 납치범들과 계속 협상을 벌인 끝에 몸값이 4백만 불로 낮춰집니다. 게티는 게일이 자녀의 양육권을 당시 식물인간이나 다름없는 아들에게 넘긴다는 조건에 몸값을 지불하기로 동의합니다. 그것도 아들에게 그 돈을 빌려주는 모양새를 취하여 그 이자를 사업 손실로 처리할 수 있도록 조처합니다. 그렇지만 그는 약속과는 달리 백만 불만 지불합니다. 그것이 미국 세법으로 세금 공제받을 수 있는(tax-deductible) 최고 금액이었기 때문입니다. 그때 체이스가 게티를 찾아가 열띤 설전을 벌인 끝에 게티는 결국 4백만 불을 내놓게 되어 존 폴 게티 3세를 구출해 냅니다. 1976년 게티가 죽은 후에 게일은 자녀들이 성인이 될 때까지 상속받은 재산을 관리하는 업무를 맡게 되지요. 게티가 평생 수집한 방대한 컬렉션[그림, 조각품, 기타 유물 등] 중 대부분이 현재 로스앤젤레스의 J. 폴 게티 박물관에 소장되어 있습니다.

　인질 협상 초기 단계에서 게티는 손자 폴에 대한 특별한 애정을 드러내면서 어느 정도 몸값을 지불할 의향을 보입니다. 나중에는 그럴 여유가 없다면서 체이스를 난처하게 하지요. 그러던 중 폴의 귀가 잘리고 사태가 더욱 위중해진 상태에서도, 몸값 4백만 불로 게일을 쥐락펴락하지요. 보다 못한 체이스가 그를 찾아가 마지막 설전을 나눕니다. 그때 체이스가 그에게 마지막으로 던진 말 속에 이 영화의 제목이 등장합니다.

"'위험에 처한 사람들'? 우릴 그렇게 부르지 않으셨나요? '난 내 돈을 걸고. 넌 목숨을 걸고.' 완전 헛소리네요. 당신이랑 나? 우린 살면서 위험을 감수한 적 없어요. 보통 사람이 하는 모험을 해본 적도 없죠. 그래서 우리가 지금 이 자리에 있는 거예요. 당신은 그냥 싸구려예요, 폴. **당신은 세상 모든 돈을 가질 수 있어도, 여전히 아무짝에도 쓸모없는 비참한 개자식이라는 걸 잊지 마세요.** 잘 있어요, 게티 씨."('Men of risk'? Isn't that what you called us? 'I risk my money. You risk your life.' You're so full of shit. You and me? We never risked a thing in our lives. We never took the chances ordinary people take. That's why we are where we are now. You're just cheap, Paul. **You could have all the money in the world, and you are still a no-good miserable son of a bitch, and don't you forget it.** Goodbye, Mr. Getty.)

돈에 걸신들린 삶의 결말입니다. 게티가 '아무짝에도 쓸모없는 비참한 존재'로 전락해 버린 것은 일찍이 자기에게 허여된 돈에 대한 깊은 통찰을 중간에 잃어버렸기 때문입니다. 아래와 같이 그가 체이스에게 얘기할 때는 확실하게 떠올렸던 안목입니다.

"남자가 부자가 되면 자유의 문제를 해결해야 해. 자기가 원할 수 있는 모든 선택에 대한 자유 말이야. 심연이 열리는 거지. 난 그 심연을 지켜봤어. 그것이 남자들과 결혼들을 망치는 걸 봤지. 그러나 무엇보다도 아이들을 망치는 걸 봤어."(When a man becomes wealthy, he has to deal with the problems of freedom. All the choices he could possibly want. An abyss opens up. Well, I've watched that abyss. I've watched it ruin men, marriages. But most of all, it ruins the children.)

자기가 설파한 그대로 최고 부자인 자기 앞에 열린 자유의 심연 앞에서 게티는 자기를 망치는 선택을 감행했습니다. 재산을 축적하면서도 세금을 내지 않으려고 자선 명목을 띤 가족 신탁을 형성했습니다. 신탁의 성격상 그 재산을 쓸 수는 없지만 투자할 수 있다는 점을 활용해서 막대한 양의 예술품과 골동품을 수집했습니다. 자기 자녀를 비롯한 인간들이 외양과는 달리 행동하고 변질되는 모습을 보면서 실망했기에, 겉과 속이 같고 변하지 않고 실망하게 하지도 않으며 순수함을 간직한 예술품들을 사랑하기 때문이라고 고백합니다. 세금 내기가 아까워 자선 신탁 재단을 만들어 놓고는 자선 활동 대신 골동품 수집에만 혈안이 되어 있던 파렴치한의 핑계였지요. 그는 자족이란 걸 몰랐습니다. 석유 사업을 통해 계속 거액을 벌어들였으나 "여유가 없다."(I have no money to spare.)라는 이유로 임박한 위기에 처한 손자의 몸값 지불 약속을 번복했으니까요. 그때 체이스가 그에게 도전적인 질문을 던지죠. "안전하다고 느끼려면 도대체 뭐가 필요하단 말입니까?"(What would it take for you to feel secure?) 그가 뭐라고 답했을까요? "<u>더 많이.</u>"(<u>More</u>)였습니다. 돈에 걸신들린 삶의 전형이지요.

　시인의 삶에 관해 얘기해 보겠습니다. 이러한 삶의 방향에 본을 보인 시인 중에 윤동주(1917-1945)가 있습니다. 그의 시 한 편 ["길", 1948]을 잠시 묵상해 보겠습니다.

길

윤동주

잃어버렸습니다.
무얼 어디다 잃어버렸는지 몰라
두 손이 주머니를 더듬어
길에 나아갑니다.

돌과 돌과 돌이 끝없이 연달아
길은 돌담을 끼고 갑니다.

담은 쇠문을 굳게 닫아
길 위에 긴 그림자를 드리우고

길은 아침에서 저녁으로
저녁에서 아침으로 통했습니다.

돌담을 더듬어 눈물짓다
쳐다보면 하늘은 부끄럽게 푸릅니다.

풀 한 포기 없는 이 길을 걷는 것은
담 저쪽에 내가 남아 있는 까닭이고,

내가 사는 것은 다만,
잃은 것을 찾는 까닭입니다.

첫 연(1 연)과 마지막 연(7 연)에서 시인은 삶의 유일한 의미가 '잃은 것'을 찾는 데 있다고 말합니다. 처음에는 물질적인 것('무얼')을 잃어버렸나 생각해서 주머니를 더듬다가 거기가('어디다') 아니라는 것을 알고 길을 나섭니다[1 연]. 그 길에는 돌담이 끝없이 이어 있어, 그 돌담을 곁에 두고 걸어가게 됩니다[2 연]. 그 돌담은 쇠문을 굳게 닫아 그 건너편으로 들어가지 못하도록 할 뿐 아니라, 길 위에 긴 그림자를 드리워 두려움과 염려를 안겨줍니다[3 연]. 그 끝이 없는 돌담길은 연속된 시간과 연결되어 있습니다[4 연]. 오랫동안 헤맨 후에야 비로소 자기가 잃어버린 것이 물질적인 것이 아니라는 점을 깨닫고 눈물 흘립니다. 땅에만 머리 박고 다니다가 문득 푸른 하늘을 쳐다보니, 땅의 것만을 찾고 있던 자기가 부끄러워집니다[5 연]. 그제야 깨닫습니다. 풀 한 포기 나지 않은 길을 한없이 걷는 이유는 담 저쪽(걷고 있는 담 바깥쪽 건너편에 있는 안쪽)에 남아 있는 나 때문이라는 것을요[6 연].

결국 시인이 잃어버려 찾는 것은 '남아 있는 나'였습니다. 시인은 길을 걷는 것과 사는 것, 즉 인생 여정을 동일시합니다[1 연과 7 연]. 그 길에서 찾고 경험하고자 하는 것은 '나'입니다. 인문학적인 여행 공식입니다. 다만 그 '나'를 찾는 것이 '잃은 것을 찾는' 과정이라고 일컫는 것이 독특합니다. 잃어버렸다는 말은 이전에 갖고 있었다는 말입니다. **그때가 언제였을까요?** 우리 중에 자기가 태어난 때를 기억하는 사람은 없습니다. 그때가 있었던 것은 분명하지만, 우리는 그저 추정만 합니다. 그때가 바로 '나'라는 유일무이한 인격이 태어난 때입니다. 이렇게 60 여 년을 '나'로 살았어도, '나'라는 존재는 신비롭기만 합니다. 나와 남들이 인식하는 '나'는 '나'의 전부가 아닙니다. 그런 의미에서 인식되고 경험되지 못한 '나'는 잃어버린 '나'입니다. 그 '남아 있는' '나'를 찾는 것이 인생의 여정이라고 시인은 지적합니다.

나는 본래 하나님께서 창조하신 피조물입니다. 당신과 사랑으로 교제하며 다른 이웃들과 사랑의 공동체를 이루어 살도록 창조되었지요. 나는 그 사랑의 길을 마다하고 고집스럽게 내가 욕망하는 길로 발걸음을 내딛습니다. 하나님과 분리되고 이웃들에게서 소외되는 순간입니다. **그때 나는 내 '영적인 생명'을 잃었습니다.** 하나님과 영원토록 동행할 생명을 '잃어버리고', 백 년도 채우지 못하는 육체적인 생명을 부여잡고 살아갈 운명에 놓여 있습니다. 내 길 위에는 가시덤불과 엉겅퀴는 무성해도 제대로 된 풀 한 포기 절로 나지 않고, 가까이에 있는 것이라곤 온통 단단하고 굳은 돌, 돌, 돌투성이입니다. 그 돌로 형성된 돌담만이 그 그림자로 어둠만 드리울 뿐입니다. 숨 막히고 두렵고 염려스러운 길입니다. 그러나 어느 날 깨닫습니다. 내가 내 '영적인 생명'을 잃어버렸다는 사실을요. 또 그 생명의 기원은 이 돌담이 닿을 수 없는 저 너머 '하늘'에 있다는 것을요. 이제 내가 할 일은 '**저 하늘 생명**'과 내내 접속하며 사는 것입니다. 그리고 돌담이 드리운 '긴 그림자'도 돌담 너머 하늘에서 비롯된 빛 때문이었습니다. 이제 내가 할 일은 가까운 미래를 두려워하는 대신 '**영원한 새 하늘과 새 땅**'을 갈망하는 것입니다.

이 시가 "하늘과 바람과 별과 시"라는 시집을 통해 출간된 것은 1948년이었습니다. 그렇지만, 원래 이 시는 윤 시인이 연희전문학교에 재학 중인 1941년 9월(만 23세)에 쓴 것으로 추정됩니다. 현재 우리나라 사정에 비추어 보자면, 그 나이는 대학교를 졸업할 연령대입니다. 그때 이미 결연하게 자기 인생의 방향을 설정할 수 있었던 윤 시인의 기개와 혜안이 부럽습니다. 걸신들린 삶 대신 시인의 삶을 지향한 그의 본이 있었기에 저를 비롯하여 얼마나 많은 후세대가 그 덕을 보았을까요? 우리에게 단순히 물리학적 영역을 초월하는 형이상학(metaphysics)의 세계를 고찰한 인문학적 스승이 아니라, 그 세계조차 메타인지(metacognition)한 그리스도교 시인을 허락해 주신 하나님께 찬양을 올려 드립니다. 할렐루야!

7. 직업과 신앙: 궁극적인 미래에 접속하기

해마다 12 월이 되면 지난 한 해가 얼마나 빨리 지나갔는지 새삼 깨닫게 됩니다. 한편으로 시간 지나가는 줄 모르고 지낸 측면이 있습니다. 서양 고전 소설들과 새로운 책들을 읽고 그것들 안에 담긴 신선한 시각들을 접하면서 깨닫게 된 것들을 글로 옮기며 지냈으니까요. 다른 한편으로는 서운한 측면도 있습니다. 행복한 나날들 가운데 펼쳐진 아름답고 소중한 순간들을 붙잡지 않은 채 그냥 흘려보낸 때가 적지 않았으니까요. 그토록 그리워한 고국 생활로 돌아온 지도 벌써 6 년이나 된 현시점에서 이 대목이 더욱 아쉬워집니다. 귀국한 첫해 봄과 가을을 보내며 경험한 그 감격도 이젠 시들해져서 그저 계절이 지나가는 것만 인식하고 있을 뿐입니다. 어제와 오늘의 국내와 국외 사정이 어떻게 변모하고 있는지 다각도로 인식하려는 노력은 계속 기울였어도, 어제와 오늘의 자연환경이 어떻게 달라지고 어제와 오늘 가족들이나 주위 사람들이 어떻게 변화했는지 살피고 주목하는 측면은 부족했습니다. 이런 영역에서 이루어진 변화를 알아차리지 못했다는 것은 과거에 매일 깨어 주위의 상황을 인식하고 마음을 챙기는 데 실패했다는 의미입니다. 그만큼 제 인생은 축소되었고, 소모되었습니다. 과거의 매 순간 펼쳐지는 하나님의 창조와 구속의 역사를 놓쳐버렸으니까요.

더 늦기 전에 마음을 다시 가다듬습니다. 하루하루의 삶을 당연시하지 않고 매 순간 깨어 있어 현재 이루어지는 세상의 향연에 깊게 접속되어 있겠다는 다짐입니다. 향연이란 단어가 부담스럽게 다가오는 이들이 많이 있을 듯합니다. '2022 년 서울청년패널 기초분석 결과'에 따르면 서울에 거주하는 청년(19-36 세) 중 절반(55.6%)이 '빈곤' 상태에 처해 있고, '우울 증상'을 겪고 있는 청년도 무려 35%나 된다고 하지요. 자산 빈곤 상태란 균등화 가처분 중위소득

50%의 3 개월 치[2021 년 기준 월 소득 132 만 2,500 원의 3 개월 치인 396 만 7,500 원] 미만의 자산을 가진 경우를 의미합니다. 우리나라 노인(66 세 이상)의 경제적 처지도 열악하긴 마찬가지입니다. 2021 년 현재 노인들의 상대적 빈곤율이 39.3%에 달하니까요. 이 빈곤율은 전체 인구 중 중위소득 50% 이하인 인구가 차지하는 비중을 수치로 나타낸 것이지요. OECD 주요 국가들과는 비교 불가능입니다. 40%에 달하는 그 수치가 그 국가들보다 적어도 2 배에서 무려 10배가량이나 높은 수치니까요. 그러나 깨어 있는 삶 혹은 마음 챙기는 삶은 경제적인 여건뿐 아니라 각양각색의 환경적 요인을 초월하는 삶의 자세입니다. 외부적 여건이 어떠하든 인생 자체의 의미와 가치에 눈을 뜨고 매 순간 펼쳐지는 삶의 여정을 선물로 여기며 그 끝이 다하는 순간까지 순명(順命)하는 삶입니다. 비록 경제적 여건이 삶을 영위하는 데 불가결한 요소이긴 하지만, 그것에 목숨을 걸 수도 없고 걸어서도 안 됩니다.

-온 세상 재물보다 더 나은 것-

칼 필레머(Karl Pillemer) 교수가 삶의 이모저모에 대해 1,000 여 명에 달하는 현자(賢者, experts)들에게서 들은 소중한 조언들 30 가지를 책으로 엮은 게 있습니다. "30 Lessons for Living"("내가 알고 있는 걸 당신도 알게 된다면"이란 제목으로 번역 출간됨.)이라는 책입니다. 그들은 직업과 연관하여 한결같이 이렇게 조언합니다. "사랑하는 일, 잘할 수 있는 일, 온전한 행복을 누릴 일에 종사하라."(get into something that you love, that you have an aptitude for, and where you're totally happy) "큰돈을 버는 것"(making a lot of money)을 인생의 목표로 삼은 숱한 청년들이 겪게 될 삶의 시나리오에 정말 문제가 있다고 보았기 때문입니다. 인생의 끝자락에서 바라보는 그들의 관점은 단도직입적입니다. "언제나 돈보다 의미 있고 즐겁게 보낸 시간이 훨씬 낫다."(time well and enjoyably spent trumps money anytime.)라는 것입니다. "좋아하는 일을 하려면 조금 부족하게 사는 것은 감수해야 하며, 이는 지극히 지극히 당연한 것"(If doing what you love requires living with less, for the experts that's a no-brainer.)이라면서, "하고 싶은 다른 일이 있는데 수입이 줄어들까 봐 걱정된다 해도 *일단 그 일을 하라.*"(if there's another career you wish you could pursue but you are worried that it will bring a drop in income, *do it anyway.*)는 것입니다. 이 주제와 관련하여 가장 주목할 점은 그 현자 중 단 한 사람도 "*언급하지 않았던*"(didn't say) 것이라고 필레머 교수는 지적합니다. 즉 아무도 "행복해지기 위해 원하는 것들을 다 살 수 있는 돈을 벌도록 최대한 열심히 일해야 한다."(to be happy you should try to work as hard as you can to make money to buy the things you want)라고 말하지 않았습니다. "적어도 주변 사람들만큼은 부자가 되는 것이 중요하며, 그들보다 더 많이 가진 것이 진정한 성공이다."(it's important to be at least as wealthy as the people around you, and if you have more than they do it's real success.)라고 말한 사람도 없었습니다. 그리고 아무도 "자기가 바라는 미래의 수익력을 기준으로 직업을 선택해야 한다."(you should choose your work based on your desired future earning power.)라고 말하지 않았다는 것입니다.

그렇습니다. 우리나라 청년과 노인 세대의 진정한 문제는 경제적인 게 아닙니다. 우리나라가 우크라이나나 팔레스타인 지역처럼 전쟁 중에 처한 것도 아니고, 우리가 아프리카 빈국의 국민처럼 기아선상에서 헤매고 있는 것도 아니기 때문입니다. 이제는 엄연한 선진국에 살고 있습니다. 정작 문제는 그들이 사랑하는 일, 행복을 느낄 수 있는 일, 의미 있고 즐겁게 참여할 수 있는 일감을 아직도 찾지 못한 채 시간을 허송하는 데 있습니다. 너무나 안타까운 점은 청년들이 그러한 일감을 발견할 수 있도록 우리나라 학교나 가정이 제대로 계도하거나 권장하지 않았고, 중년들은 돈 버는 일에만 매몰되어 있으며, 노인들은 그러한 일감을 누릴 수 있는 가능성조차 인식하지 못한 채 하루하루 연명해 가는 데 급급한 현실입니다. 이런 상황에서 경제적인 처지가 더 나아진다고 해서 그 모든 세대가 죄다 행복하고 의미 있는 삶을 누리게 될까요?

성경에서도 필레머 교수의 보고와 결을 같이 하는 시각을 발견할 수 있습니다. 먼저 아래 두 성구에 주목해 보세요. 예수님께서 제자들에게 하신 말씀입니다.

(마태복음 6:25) 그러므로 내가 너희에게 이르노니 **목숨**을 위하여 무엇을 먹을까 무엇을 마실까 **몸**을 위하여 무엇을 입을까 염려하지 말라 **목숨**이 음식보다 중하지 아니하며 **몸**이 의복보다 중하지 아니하냐(For this reason I say to you, do not be worried about your **life**, as to what you will eat or what you will drink; nor for your **body**, as to what you will put on. Is not **life** more than food, and the **body** more than clothing?)
(누가복음 12:15) 그들에게 이르시되 삼가 모든 탐심을 물리치라 사람의 **생명**이 그 소유의 넉넉한 데 있지 아니하니라 하시고(Then He said to them, "Beware, and be on your guard against every form of greed; for not even when one has an abundance does his **life** consist of his possessions.)

첫 성구에서 예수님께서는 삶[목숨, 생명]과 몸과 관련된 의식주 문제에 대해 지나치게 근심하지 말라고 권면하십니다. 삶과 몸이 의식주 문제보다 더 중요하지 않으냐고 반문하심으로써 그 이유를 제시하십니다. 의식주 문제가 중요하지 않다는 의미가 아니라 삶과 몸에 더 우선순위를 두어야 한다는 말씀으로 들립니다. 이 구절의 첫 단어 '그러므로'가 가리키는 그 이전 구절("너희가 하나님과 재물을 겸하여 섬기지 못하느니라")의 의미도 마찬가지입니다. 여기에서의 재물은 중립적인 의미를 띠고 있는 소유물이 아니라, 하나님께 대한 충성과 정면으로 충돌하는 '**물질주의의 원리**"(the principle of materialism)입니다(R. T. France). 하나님께서 창조해 주신 삶과 몸의 필요를 당신께서 공급해 주실 것을 신뢰하고 당신의 뜻에 순종해서 살기보다 그 필요에 대해 지나치게 염려하는 것은 당신을 불신하는 태도요, 물질주의의 원리에 사로잡힌 상태라는 것입니다. 즉 하나님의 자녀 대신 재물의 종으로 전락한 처지라는 것이지요. 물질주의에 사로잡혀 모은 재물은 아무리 많아도 그 속에 생명이 있을 리 만무합니다. 그것으로 의미 있고 가치 있는 삶을 일구어낼 수가 없습니다. 하나님을 신뢰하며 누리는 풍성한 삶 대신 선택하고 추구한 물질주의적 풍요에 불과하기 때문입니다. 바로 이것이 누가복음 말씀의 진의일 것입니다. 인생 말년이 아니라 조금이라도 젊을 때, 삶의 매 순간을 주님과 함께 더불어 향유하는 것이 이 세상의 모든 재물보다 낫다는 것을 깨닫고 그대로 실행해가야겠습니다. 이 주님 말씀의 진실성을 인생의 선배들이 이미 활짝 열어 밝혔습니다.

-미래와 접속하기-

하루하루 매 순간 깨어 있어 현재 펼쳐지는 세상의 향연에 깊게 접속하는 데 도움을 준 영화가 한 편 있습니다. 리처드 커티스(Richard Curtis) 감독이 제작한 "About Time"(2013)입니다. 줄거리는 이렇습니다. 변호사인 팀[Domhnall Gleeson('도널 글리슨'으로 발음함) 분]은 대학교수로 근무하다 50세에 은퇴한 아버지 제임스[Bill Nighy(빌 나이) 분]로부터 비밀을 한 가지 듣습니다. 자기 집안의 남자들이 시간 여행을 할 수 있는 존재로 태어났다는 것입니다. 그런데 그 여행은 자신들의 생에 국한된 것으로, 과거로만 갈 수 있습니다. 어두운 곳에서 양손을 세게 쥐면 자기가 원하는 과거로 돌아갈 수 있습니다. 그런데 이 신비로운 재능을 여동생 친구인 샬럿에게 발휘해 보지만 실패합니다. 두 달 동안 자기 집에서 지낸 그녀에게 마지막 날('last day') 밤에 사랑 고백을 하지만, 그동안 시간이 많았는데 마지막 날 밤에 그 고백을 듣게 되어 소 잃고 외양간 고치기 식이라는 모욕적인 느낌('an ever so slightly insulting afterthought')이 들어 싫다는 응답을 받게 됩니다. 그래서 다시 한 달이 지난 과거로 돌아가, 그녀에게 사랑 고백을 하니, 마지막 날에 보자는 응답을 받게 되지요. 시간 여행이 능사가 아닌 것을 깨닫게 된 것입니다.

그렇지만 그 능력은 다른 곳에서 빛을 발합니다. 런던에서 살던 집 주인인 아버지 친구이자 극작가인 해리의 연극 주인공들이 대사를 까먹어 연극을 망친 상황을 극적으로 역전시킨 것입니다. 그 극장에 간 덕에 이미 만나 새로운 연애를 시작하게 된 책 평론가 메리[Rachel Adams(레이쳴 아담스) 분, 팀 엄마와 같은 이름]와의 만남이 무산되어, 그녀가 좋아하던 케이트 모스의 사진전에 가서 그녀와 새로운 관계를 틉니다. 그런데 그녀는 이미 친구 조앤나의 파티[팀이 극장에 가는 대신 참석하기로 한 파티]에서 만난 남자 친구 루퍼트와 사귀고 있던 차였습니다. 그래서 다시 그 파티 시점으로 돌아간 팀은 메리와 사귀게 되어 결혼에 골인합니다.

과거로 돌아가는 데도 한계 상황이 존재한다는 것도 나중에 알게 됩니다. 자기 첫째 딸 포지가 태어난 날 병원으로 오던 여동생 킷캣이 남자 친구 지미와 싸운 뒤 술을 마신 후 차를 몰고 오다가 교통사고를 당하게 된 것을 안 팀이 이 상황을 바꾸기를 시도하지만, 나중에 포지 대신 남자아이가 태어나 있는 것을 알게 된 것입니다. 그때 그 병원 상황으로 돌아간 팀은 아버지에게서 한 생명이 태어난 이후로는 그 이전의 과거로 돌아갈 수 없다는 시간 여행의 한계에 대해 듣게 됩니다. 결국 병상에서 버티면서 킷캣이 스스로 마음을 돌이켜 지미와 헤어지고 다른 남자 친구를 사귀도록 돕습니다.

암으로 세상을 떠나게 된 아버지는 팀에게 자기가 경험한, 행복을 위한 비법을 알려줍니다. 그것은 두 부분으로 구성되어 있었습니다. 그 첫째 부분은 다른 사람들처럼 하루하루를 평범하게 살아가라는 것이었습니다. 그 둘째 부분은 다시 그 나날을 거의 똑같이 살아가라는 것이었습니다. 그 두 부분의 차이는 여기에 있었습니다. 첫 번째는 세상이 얼마나 달콤한지 알아차리지 못하게 하는 긴장과 걱정거리로 가득 차 있지만, 두 번째는 **주목하며**(noticing) 살아가는 것이었습니다. 그렇지만 팀은 아버지가 가르쳐 준 비법보다 한 발 더 진전된 교훈을 얻습니다. 스스로 시간 여행을 하는 중에 깨달은 마지막 교훈이었지요. 그것을 깨달은 후부터 그는 더 이상 단 하루도 시간 여행을 하지 않게 되었습니다. 그 교훈은 이러합니다. "나는 그저 하루하루가 마치 평범하지만 특별한 인생의 마지막 충만한 날인 것처럼 즐기기 위해서 일부러 이날로 돌아온 것처럼 노력할 뿐이다. 우리 모두는 매일매일 함께 시간을 여행하고 있다. 우리가 할 수 있는 일은 다만 이 놀라운 여행을 만끽하기 위해 최선을 다하는 것뿐이다."(I just try to live every day as if I've deliberately come back to this one day to enjoy it as if it was the full final day of my extraordinary, ordinary life. We're all travelling through time together every day of our lives. All we can do is do our best to relish this remarkable ride.) 이 교훈에 따라 그는 딸과 함께 보내는 매 순간에 주의를 기울이며 그 시간을 기쁨과 감격으로 보냅니다. 동료 변호사들과 함께 보내는 긴장된 시간도 마음을 챙겨 음미하며 보내니 즐겁기만 합니다. 매번 아침 시간에 허둥지둥하다가 숨을 돌리고 주의를 기울이니, 그동안 얼굴도 제대로 보지 못한 편의점 직원이 짓는 아름다운 미소도 넉넉하게 누리게 됩니다.

팀의 아버지와 팀이 누린 행복의 비법은 한마디로 **미래와의 접속**입니다. 아버지의 비법은 인생을 한 번 산 후에 과거로 돌아가 두 번째로 그 인생을 주목하며 사는 것이었습니다. 그러니까 두 번째의 삶은 미래의 시각으로 현재를 사는 것이지요. 한 번 미래를 살아보니 어떻게 현재의 나날들을 보내는 게 가장 바람직한지 깨닫게 되었지요. 팀의 비결도 이와 별반 다르지 않습니다. 인생을 한 번만 살지만, 하루하루를 미래에 닥칠 생의 마지막 날인 것처럼 그 충만한 날을 만끽하겠다는 것입니다.

이들의 시각과 결을 같이 하는 유명한 발언이 있습니다. 오스트리아의 정신과 의사이자 홀로코스트 생존자인 빅터 프랭클(Viktor Frankl)의 언명입니다. "현재 이미 두 번째 인생을 사는 것처럼, 그것도 지금 막 취하려는 행동이 과거 첫 번째 인생에서 그릇되게 취한 행동이었던 것처럼 살아라!"(Live as if you were living already for the second time and as if you had acted the first time as wrongly as you are about to act now!) ["Man's Search for Meaning"(1946), "죽음의 수용소에서"로 번역 출간됨] 여기에서 과거 첫 번째 행동이란 것은 사실상 현재에서 보면 미래의 행동이지요. 그 미래에서 겪은 그릇된 행동의 경험이 현재 시점에서 저지를 수 있는 잘못된 행동을 막아 줄 수 있다는 말입니다. 필레머 교수가 인터뷰한 숱한 현자들이 베풀어준 교훈도 이와 다르지 않습니다. 우리보다 미래를 먼저 살아 본 그들이 우리에게 전하는 삶의 교훈이니까요. 이처럼 우리의 **미래**는 우리가 '**주의를 기울여 현재 매일 생의 마지막 날인 것처럼 살기**'를 도와줍니다.

팀의 아버지나 팀은 죽음이란 단어를 언급하지는 않았지만 '인생을 두 번 산다'라든가 '생의 마지막 날'이라는 표현을 통해 죽음이란 엄연한 현실을 시사하고 있습니다. 그렇지만 빅터 프랭클의 언명은 죽음이란 단어가 전제되어 있습니다. 인용된 그의 말은 인간이 비극에 직면했을 때 인간의 잠재력이 어떻게 **고통**과 **죄**와 **죽음**의 의미를 변혁시키는가를 다룬, "비극 속에서의 낙관"(The Case for a Tragic Optimism)이라는 제목의 장(chapter)에 등장하기 때문입니다. 그는 죽음이라는 비극적 요소가 삶에 관한 것이라고 봅니다. 삶을 이루는 매 순간들이 끊임없이 죽어 가고 있을 뿐 아니라, 지나간 시간은 다시 돌아오지 않기 때문입니다. 그러면서 이런 삶의 '일시성'(transitoriness)이야말로 우리에게 '삶의 매 순간을 최대한 **활용**하면서 살아야 한다'(to make the best possible use of each moment of our lives)는 사실을 일깨워 주는 것이라고 주장합니다. 그리고 '우리 삶이 돌이킬 수 없는 것'(the irreversibility of our lives)이라는 사실을 절감할 때 적절하게 행동할 기회와 의미를 성취할 수 있는 잠재력이 생긴다는 것이지요. 즉 죽음이란 요소가 **인생의 일시성**과 **비가역성**을 낳고 이것들이 매 순간 의미 있는 인생을 누리도록 도와준다는 것입니다.

-궁극적인 미래에 주목하기-

프랭클은 죽음을 언급하긴 했지만 죽음 이후에 대해 언급하지는 않았습니다. 그의 주된 관심사는 어떤 상황에서든, 심지어 가장 비참한 상황에서도 이승의 삶은 잠재적으로 절대적인 의미를 품고 있다는 것이었으니까요. 죽음 이후의 삶은 이 땅의 지식이나 통찰력으로 엿볼 수 있는 게 아닙니다. 오직 초자연적인 영역인 하늘에서 비롯된 계시만이 내세의 삶에 대해 의미 있는 지식을 전달해 줄 수 있습니다. 그 계시의 결정체인 성경은 죽음 이후 혹은 이 세상의 마지막에 이루어질 궁극적인 상황에 대해 명확하게 언급하고 있습니다. 그 결정적인 한 구절을 소개합니다. "하나님의 계획은, 때가 차면, 하늘과 땅에 있는 모든 것을 그리스도 안에서 그분을 머리로 하여 통일시키는 것입니다."[to bring all things in heaven and on earth together under one head, even Christ. (에베소서 1:10)] 즉 내세의 주인공은 예수 그리스도라는 것입니다. 하나님의 아들로 이 세상에 임하여 모든 인류의 죄를 짊어지고 십자가형을 받으신 후에 부활하시고 승천하심으로 온 세상의 주관자로 등극하신 분이십니다. 그분으로 인해 새 하늘과 새 땅이 재창조되고, 우리는 신령한 몸으로 부활하며, 하나님과 우리 사이에 온전한 관계가 이루어져 영광스러운 공동체가 형성될 것입니다(요한계시록 21 장 참조). 이승의 삶에 내재한 일시성과 비가역성이 그 의미를 잃는 **재창조된 영원한 세상**이 펼쳐집니다. 바로 이것이 우리가 직면하게 될 **궁극적인 미래**이며, 성경에 근거하여 하나님을 신뢰하고 사랑하는 모든 그리스도인의 **소망**입니다.

리처드 커티스 감독과 칼 필레머 교수와 빅터 프랭클 박사가 밝힌 대로 미래와의 접속이 현재의 매 순간을 풍요롭고 의미 있게 누릴 수 있게 한다면, 죽음 이후 혹은 이 세상의 종말 이후에 펼쳐질 궁극적인 미래와의 접속은 어떤 열매를 맺을 수 있을까요? 단순히 현재의 매 순간에 주목하면서 즐겁게 삶을 누리는 데만 초점을 맞추는 게 아니라, 온 세상의 주님 되신 예수 그리스도께 영광을 돌리며 당신께서 허락해 주신 사람들을 섬기는 데 더욱 심혈을 기울이게 될 것입니다. 그야말로 하나님 사랑과 이웃 사랑이라는 **지상**

명령을 실행하는 일에 혼신의 힘을 쏟게 되겠지요. 이승의 모든 재물과 재화는 다 파괴되거나 사라지더라도, 하나님께서는 영원히 유일하신 신이요 왕으로 군림하실 것이기 때문입니다. 그리고 우리의 이웃은 하나님의 형상대로 창조된 존재로서 장차 새로운 몸을 입고 재창조되어 영원히 우리와 함께 새 하늘과 새 땅이라는 복낙원에서 살게 될 것이기 때문입니다.

이 궁극적 미래가 너무 영광스럽고 신비롭게 보여 우리가 아무 일도 하지 않고도 득의만만할 수도 있고, 온갖 일을 다 하느라 탈진 상태에 빠질 수도 있습니다. 그렇지만 죽음 이후에 혹은 세상의 끝 이후에 우리가 직면해야 할 심판이란 요소는 이런 경향을 교정해 줄 것입니다. 이 세상에서 우리가 자신의 책무를 어떻게 감당했는지 주님의 심판대 앞에서 직고하는 날이 엄존하기 때문입니다(고린도후서 5:10). 주님께서 당신의 자녀 된 우리에게 기대하시는 것은 몸으로 실행하는 일상의 삶을 예배로 드리는 것입니다(로마서 12:1). 이 일상에 경건한 하나님 사랑과 실천적인 이웃 사랑이 포함되어 있을 것입니다. 이런 복된 삶의 기본은 12:3에 기록된 대로, "자신을 과대평가하지 말고 하느님께서 각자에게 나누어주신 믿음의 정도에 따라 분수에 맞는 생각을 하는 것"(공동번역)입니다. 그리고 그 결과, 맡은 본분과 소명을 생애 다하는 날까지 지켜가야 합니다. C. S. 루이스가 지적한 대로, "나가서 돼지를 먹이는 일이건, 100년 후에 닥칠 거대한 악에서 인류를 구해 낼 선한 계획을 세우는 일이건, 자신의 소명을 열심히 감당하다가 심판을 맞는 사람은 복됩니다."[happy are those whom it (judgment) finds labouring in their vocations, whether they were merely going out to feed the pigs or laying good plans to deliver humanity a hundred years hence from some great evil.] 우리가 직면할 심판은 처벌(punishment)을 위한 선고(sentence)나 보상(award)이라기보다는 **평결**(the Verdict)일 것입니다. 우리 각자의 삶에 대한, 절대적으로 정확한 평결(absolutely correct verdict)이자 완전한 비평

(perfect critique)이 되겠지요. (C. S. 루이스, "The World's Last Night", 1960)

이 '오류 없는 심판'(infallible judgment)에 직면하게 될 궁극적 미래를 그리며 염두에 두고 사는 삶이 복됩니다. 장차 새 하늘과 새 땅에서 우리 위에 저항할 수 없는 빛(the irresistible light)이 쏟아질 때 매 순간 우리가 하는 말과 행동이 어떻게 보일지 돌아보는 삶이기 때문입니다. C. S. 루이스는 이 세상을 사는 우리가 처한 상황을, 여자들이 가끔 인공조명 아래서 자기 옷을 살피면서 그것이 대낮에 어떻게 보일지 판단하려는 것과 같다고 비유합니다. "이것은 현세의 전깃불이 아니라 내세의 대낮의 빛에 대비하여 영혼의 옷을 입는 우리 모두의 문제와 매우 흡사하다. 좋은 옷은 그 빛을 감당할 수 있는 옷이다. 그 빛은 더 오래 지속될 것이기 때문이다."(That is very like the problem of all of us: to dress our souls not for the electric lights of the present world but for the day light of the next. The good dress is the one that will face that light. For that light will last longer.) 덧없는 재물에 연연하는 대신, 매 순간 마음을 챙겨 그 순간을 주님과 함께 더불어 향유합시다. 우리의 궁극적 미래를 기억하고 염두에 둠으로써 매일 맞이하는 오늘을 여생의 첫날이자 마지막 날인 것처럼 살아갑시다. 다른 이들과 비교하지 말고, 오직 주님의 선물인 은사와 재능에 따라 맡겨 주신 직무와 소명에만 충실합시다. 그리하여 주님의 심판대 앞에서 "잘하였도다 착하고 충성된 종아"(Well done, good and faithful slave, 마태복음 25:21)라는 영광스런 평결을 들읍시다.

8. 행복과 신앙: 성서인문학의 행복론

-들어가는 말-

행복은 자기 안에서 비롯됩니다. 외부적인 요소들이 중요하지 않다는 말이 아닙니다. 우선순위의 문제라는 말입니다. 244 조나 되는 재산(현재 전 세계 최고 부자인 베르나르 아르노의 재산)을 가지고 있어도 마음속에 평화와 기쁨이 자리 잡고 있지 않다면 무슨 소용입니까? 그 반대로 마음속에 평강과 희락이 넘친다면 244 조나 되는 재산을 소유하는 게 무슨 대수일까요? 외부 상황보다 내적 상태가 더 중요하고 우선적입니다. 그리고 일단 살아 있다면, 사는 게 우선입니다. 먹었다면 살아야 합니다. 먹기 위해 사는 게 아니라, 살기 위해 먹기 때문입니다. 그래서 내일 무엇을 먹을까 염려하느라 삶을 누리지 못하는 것보다 어리석은 일은 없습니다. 염려하는 것 자체가 이루는 일은 아무것도 없기 때문입니다. 다만 몸과 마음을 지치게 할 뿐이지요. 더구나 현재라는 소중한 삶의 현장을 허비하게 합니다. 그런데 그 현재의 삶이 바로 우리 내면에서 비롯된다는 것입니다.

-무슨 생각을(WHAT)? 〈생각 내용의 선택〉-

현재의 삶이 내면에 뿌리를 두고 있다는 말은 우선 무엇을 생각할 것인지를 자기가 선택한다는 말입니다. 삶의 토대인 생각 자체도 내면적인 것이지만, 그 생각의 내용과 방식을 결정하는 곳도 내면 세계입니다. 하루에 '오만' 가지 생각이 우리 마음을 오갑니다. 자기가 주도적으로 생각하는 것도 있겠지만, 대부분은 습관적으로 떠오르거나 우연히 마음을 스치는 것들이지요. 그러므로 떠오르는 생각들을 막을 수는 없겠지만, 어떤 생각을 취할 것인가는 자기 책임입니다.

캐서린 메이의 "우리의 인생이 겨울을 지날 때"("Wintering: How to Survive When Life is Frozen") 속에 등장하는 한 사람이 그 실례가 됩니다. 건전하지 못한 생각을 품고 삶을 영위하던 중 잘못된 결혼 상대를 고른 메리앤이라는 여성입니다. "나는 불행했어. 그런데 나는 좋은 것들을 가질 자격이 있고, 그것들을 사면 더 행복해질 거라는 **생각**을 품고 있었지."(I was unhappy, and I took **the view** that I deserved nice things, and that buying them would make me happier.) 그녀의 지론이었습니다. 이 생각과 그녀가 "경제적으로 자제력이 없는"(financially incontinent) 남편을 택한 것과는 긴밀한 상관관계가 있습니다. 그가 자기와 같은 생각을 실천하는 동지로 보였을 테니까요. 결혼한 지 5년 만에 그들은 15,000파운드(2,500만 원)의 빚을 진 채 이혼하게 됩니다. 설상가상으로 무능한 남편의 빚까지 떠안게 되어 그녀의 빚은 38,000파운드(6,080만 원)까지 늘게 됩니다. 급기야 다니던 회사를 나오면서 파산하게 되지요. 그렇지만 그 이후로 점차로 빚을 줄여 가던 중에 뜻하지 않은 소득(an unexpected windfall)이 생겨 3년 만에 빚을 다 청산하게 됩니다. 그녀가 나중에 한 고백이 이러합니다.

"나는 이 모든 돈을 다 쓰면 더 행복해질 거로 **생각하고** 다 써버렸어. 결국 이렇게 됐지. 이전보다 전혀 행복하지 않아. 이게 중요한 교훈이었어. 나는 내가 사는 **물건**이 아니었다는 거야. 나는 그 물건이 내게 어떤 **지위**를 부여해 주기를 바랐어. 내가 **아주 근사한 인생**을 살고 있지 못해서, 내가 선망하는 인생을 돈으로 사려고 했던 거지."('I'd spent all this money **thinking** that it would make me happier, and here I was, no happier than before. It was an important lesson: I wasn't **the stuff** I'd bought. I'd wanted it to give me some kind of **status**. I haven't lived **a very big life**, and I was trying to buy the life I aspired to.')

정리해 보면 메리앤의 생각은 이러합니다. 돈으로 멋진 물건을 사면 그 물건이 자기에게 어떤 사회적 지위를 부여해 줌으로써 아주 근사한 삶을 누리게 된다. 돈으로 어떤 물건을 사면 그것이 어떤 종류의 지위를 부여해 준다는 것은 부분적으로는 맞는 말입니다. 남이 사지 못하는 값비싼 물건을 샀다면 그것만으로도 경제적인 지위는 부여되는 법이니까요. 그렇지만 영어에서 'status'라는 단어가 품고 있는 함의는 경제적인 것이라기보다는 사회적이고도 전문적인 위치(social and professional position)와 관련이 깊고, 누군가가 공적이고 특정한 그룹에서 누리고 있는 존경(respect)이나 권위(importance)를 가리킵니다. 결국 돈으로 산 물건 때문에 지위가 생긴다는 말은 인과관계의 왜곡이지요. 한발 더 나아가 그 지위가 아주 멋진 삶을 보장해 준다는 것은 또 다른 논리의 비약입니다. 우리나라의 경우, 자격 미달의 전, 현직 대통령들이나 수준 미달의 국회의원들을 한번 떠올려 보기만 하면 이 생각이 얼마나 근거 없는 환상인지 절감할 수 있으니까요. 사정이 이러한데도 우리 주위를 둘러보면 이런 '메리앤'들이 삼천리 방방곡곡에 등장합니다. 값비싼 외제 차나 고급 국산 차가 자기의 사회적 신분을 상승시키고 공적인 존경을 받게 해 준다고 믿는 이들이 전국 온 도로와 주차장을 주름잡고 있습니다. 초호화 대형 아파트가 근사하고 모양새 나는 인생의 필수 요소로 믿는 이들 또한 부지기수입니다. 이런 생각을 품고 살아가던 메리엔이 불행했듯이, 그녀와 똑같은 전철을 밟고 있는 개인과 공동체가 전혀 행복하지 않다는 것을 작금의 우리 사회가 증명하고 있지 않습니까?

그런데 혹시 이런 메리앤 같은 사람 중에 오리지널 메리앤에게 이런 멘트를 날리는 이들이 있지 않을까요? "너는 빚으로 그런 물건들을 사서 그래. 자기 수중의 돈으로 그것들을 사 봐. 지위도 얻고 행복도 얻을 수 있을 테니까." 이 정글 같은 세상에서 그렇게 값비싼 것들을 현찰로 살 수 있을 만큼 부를 일군 그들이 경이롭긴 하지만, 경제적 지위를 자랑하고 자기만의 행복을 구가하기 위해 그것들을 구입하는 그들이 부럽지는 않군요. 그들의 지위 상승 성취감(sense of accomplishment)과 행복감(euphoria)을 두고 왈가왈부하는 것이 더 이상 의미 있을 것 같진 않지만, 레오나르도 다 빈치가 한 말이 그들에게 잠시나마 묵상 거리가 되었으면 합니다. "세상에는 세 종류의 사람이 있다. 보려는 사람, 보여주면 보는 사람, 보여줘도 안 보는 사람이다." 요점은 자기 안에서 비롯되는 행복의 근간은 무엇을 생각할 것인지를 스스로 선택하는 것이라는 점입니다.

그렇다면 주도적으로 무슨 생각을 하고, 떠오르는 생각 중에는 어떤 것을 취해야 할까요? 각자의 삶에서 가장 의미 있고 가치 있는 것들을 의도적으로 생각하고, 이런 것들과 연관된 생각들을 취해야 하겠지요. 그리스도인들에게는 그 지침이 이미 마련되어 있습니다.

성경은 "하나님의 나라와 그의 의"를 먼저 추구하라고 명령하고 있기 때문입니다(마태복음 6:33). 하나님의 주권적 통치가 나 자신과 온 세상에 편만하게 실현되도록 하는 일과 "정의와 자비와 신의"(마태복음 23:23)가 우리의 일상적 삶 속에서 구현되도록 하는 일에 진력하라는 말씀입니다. 이러한 하나님 나라 백성 노릇의 이모저모가 우리 생각을 사로잡아야 합니다. 그렇다면 하나님과 긴밀한 관계를 지속해 가야 합니다. 당신의 말씀에 귀 기울이고 그 말씀을 지속적으로 묵상하는 것뿐 아니라, 그 말씀을 구체적으로 순종하는 데 있어 성령의 인도와 능력을 의지해야 하기 때문입니다.

하나님을 믿지 않는 이들도 마찬가지일 것입니다. 문화와 시대와 지역을 초월해서 존재하는 보편적 원리와 가치가 자신들의 내부 회로에 작동되도록 늘 주의를 기울이고 애써야 합니다. 그 원리와 가치에 부합하는 생각을 의식적으로 할 수 있도록 깨어 있어야 합니다. 그렇지 않으면, 자기중심적이면서도 돈과 권력과 명예 혹은 인기를 좇는 세상 풍조에 휩쓸려 가는 것은 시간문제일 뿐입니다. 본격적으로 그 세상 풍조에 밀려가게 되면, 그것에서 벗어나기란 여간 난감한 일이 아닙니다. 박노해 시인이 "싱그런 레몬 한 개"라는 시 속에서 "레몬의 사명은 쥐어짜지는 것 / 한 방울도 남김없이 쥐어짜지는 것"이라고 서두를 열고는 그런 상황을 인생에 빗댄 것에 귀 기울여 보세요. "여기 단 한 번뿐인 인생을 / 삶의 목적에 짜내어주지 않는다면 / 삶의 수단이 내 인생을 쥐어짜리라" 늘 깨어 있어 좋은 생각을 선택하는 것이 행복의 근간을 이룹니다.

-어떻게 생각을(HOW)? 〈생각 방식의 선택〉-

행복이 우리 내면에서 비롯되는 다른 이유는 외부적인 환경의 의미를 결정하는 것도 내적인 시각과 통찰력에 달려 있기 때문입니다. 우리가 직면하는 외부 환경 중 대부분은 각자가 과거에 심은 씨앗의 열매입니다. "사람이 무엇으로 심든지 그대로 거두리라"(갈라디아서 6:7)라는 성경 말씀 그대로이지요. 각양각색으로 삶을 일구어 가는 온 세상 대부분의 사람이 인정하는 우주적인 원리입니다. 현재 우리가 직면하고 있는 참혹한 팬데믹과 파국적인 기후 변화가 성장 일변도로 직진해 온 우리 인류의 과거에 기인한다고 믿지 않을 이들은 거의 없습니다. 그렇지만 이 인과율이 우리를 괴롭게 하는 이유는 그것의 예외로 보이는 일들이 셀 수 없이 많이 발생하기 때문입니다. 자기가 심은 좋은 씨앗이 열매 맺지 않아서 고뇌하는 경우가 많습니다. 자기가 심은 좋은 씨앗의 양에 비해 그 수확이 너무 빈약해서 실망하는 이들도 적지 않습니다. 심지어는 자기가 좋은 씨앗을 심었지만, 고난과 핍박이라는 쭉정이 세례를 받는 이들도 많습니다. 이런 경우와는 반대로 좋은 씨앗을 심기는커녕 나쁜 씨앗만 심은 이들이 온갖 좋은 열매들을 풍성하게 누리는 경우들은 바라보는 이들을 좌절하게 만듭니다. 이런 경우들 외에도 그 원인을 도무지 알 수 없는 우연한 일들이 우리 인생사에는 단골손님처럼 다가옵니다. 이 모든 경우에 긴요한 것이 바로 그러한 것들에 대해 건전한 시각과 통찰력을 선택하는 일입니다.

먼저 개인적인 예를 한 가지 들겠습니다. 우리를 안다고 하면서 정작 우리가 어떤 사람인지 알아보지 못하는 이들이 우리를 비난하거나 오해하는 일은 드문 일이 아닙니다. 그렇지만 그런 비난과 오해가 우리의 행복을 앗아간다면, 그것은 우리 자신의 책임입니다. 그 비난과 오해에 대해 지혜로운 안목을 선택하지 못했기 때문입니다. 이때 우리가 취할 수 있는 안목은 어떤 게 있을까요? 우선은 그것들을 수용하지 않는 방법이 있습니다. 개그맨 박영진처럼 "그건 니 생각이고."라고 반응하는 것이지요. 부처님도 그렇게 하셨다고 합니다. 자기를 향해 근거 없는 비난을 해대는 사람에게 그 비난을 받아들이지 않겠다고 하시면서 그것은 그의 것이라고 지적하신 것이지요. 그 비난은 결국 그에게 머물러 있게 되어 그만 불행해질 뿐이었습니다. 다음으로 설령 그 비난에 화를 내며 반응했더라도, 그 화를 재빨리 덜어내는 방식이 있습니다. "분을 내어도 죄를 짓지 말며 해가 지도록 분을 품지 말고"(에베소서 4:26)라는 성경 말씀이 권고하는 방향입니다. "화를 붙들고 있는 것은 독약을 마시고 상대가 죽기를 기대하는 것과 같다."라는 부처님 말씀이 가리키는 지혜이기도 합니다. 마지막으로 박노해 시인이 발휘한 방식이 있습니다. 박 시인은 "비난자"라는 시 속에서 자기를 알지도 못하고 비난하는 사람에 대해 자기가 취한 통찰력을 한 가지 나누고 있습니다. 그는 그 비난자를 참 고마운 자기의 일꾼으로 여긴다고 합니다. 그 이유가 무엇일까요? 그가 자기에게 쏜 화살이 빗나가는 것을 보고, 자기가 자기의 위치를 올바로 점검할 수 있었기 때문입니다. 그러면서 이렇게 덧붙이지요. "그들은 나에게 거기에 / 그렇게 머물러 있으라 요구하나 / 난 이미 여기 와있고 / 나날이 새로 와지고 있는 중이니" 과녁을 빗나간 피드백은 자신의 성장을 확인하는 도구로 삼고 놓아 버리는 게 지혜라는 것입니다. 그 피드백으로 드러난 성숙하고 진전된 자신의 모습을 기뻐하고 누리면 되지요.

다음으로 집단적인 예를 한 자기 소개합니다. 극적인 실례입니다. 현재 이란에서는 회교 정부에 대한 국민들의 시위와 저항 활동이 한창입니다. 그 기폭제가 된 것은 작년 9월 16일에 마흐사 아미니 (Mahsa Amini)라는 여성이 지하철역에서 머리카락이 삐져나오게 스카프[히잡]를 썼다는 죄목으로 도덕 경찰에 체포되었다가 구금 중에 사망한 사건이었습니다. 이란인들은 즉각적으로, 거리로 나와 데모에 가담하기 시작하면서, **"여성, 생명[혹은 삶], 자유"**(women, life, freedom)라는 구호를 외치기 시작했습니다. 화들짝 놀란 이란 정부와 폭력배 무리가 시민들에게 발포하고 그들을 구타하던 중에 사상자들이 날이 갈수록 늘게 되었습니다. 2022년 12월 8일 현재까지 적어도 322명이 죽임을 당했습니다. 히잡 때문에 한 여성이 비참하게 희생당한 어처구니없는 사태를 두고 이란인들이 선택한 것은 체념 어린 침묵이 아니라 시민 불복종 운동이었습니다. 히잡 반대를 넘어 자기들 사회의 근원적인 문제에까지 생각을 진전시킨 결과였지요. 그리하여 각계각층의 사람들이 연대하여 성차별이 불식되고 삶의 자유를 구가할 수 있는 사회 변혁, 즉 회교 신정 통치 체제의 변화를 요구하게 된 것입니다. 특히 1979년 이란 혁명 직후부터 히잡 착용을 비롯한 여성 차별 정책에 반대하는 시위에 적극적으로 가담해 온 이란 여성들이 이번에도 "마흐사 아미니에게 일어난 일은 내게도 일어날 수 있다."라고 고백하며 목숨을 내건 투쟁을 이어가고 있습니다. 모쪼록 이란인들의 용감하고 성숙한 시민 불복종 운동이 그들의 소원대로 보편적 가치와 원리가 선양되고 각 개인의 다양성이 존중되며 자유롭게 삶을 일구어 갈 수 있는 사회 구현이라는 아름다운 열매로 맺히기를 기원합니다.

이렇듯 우리의 행복은 우리가 평상시에 무슨 생각을 선택하고, 우리에게 일어나는 상황에 대해 어떤 생각으로 어떻게 반응하느냐에 달려 있습니다. 그런데 여기서 한 가지 의문이 생기지 않습니까? 일상생활 중에 공정하고 진실하며 선한 생각을 선택하거나, 외부 상황에 대해 건전하고 지혜로운 안목으로 응대하기가 왜 그토록 힘이 들까요?

-왜 그런 생각을(WHY)? 〈자기중심성으로부터의 자유〉-

단적으로 우리의 내면세계가 지독하게도 자기중심적이기 때문입니다. 미국 작가 데이비드 포스터 월리스(David Foster Wallace)가 지난 2005년에 미국 캐니언 대학(Kenyon College)의 졸업 식사에서 진지하게 논의한 내용입니다. 그는 이 자기중심성을 우리 마음의 **"자동적인 초기 설정 상태"**(default setting)라고 일컬었습니다. 그 연설문의 요지는 이러합니다. "인문학[혹은 교양 과목]은 지식을 채우는 것에 대한 학문이 아니라 '**생각하는 법을 가르치는 것**'에 대한 학문이다."(a liberal arts education is not so much about filling you up with knowledge as it is about '**teaching you how to think.**') 월리스가 생각하는 법이라고 할 때, 그것이 가리키는 바는 '생각할 수 있는 능력'(the capacity to think)이 아니라, '**생각할 내용을 선택하는 것**'(the choice of what to think about)입니다. 즉 무엇에 주목할 것인가를 선택하고 경험에 근거하여 의미를 어떻게 형성할 것인가를 선택하는 것이 그 핵심이라는 것이지요.

그런데 문제는 우리 내면세계가 문자 그대로 자기중심적으로 되어 이 자기라는 렌즈(this lense of self)로만 모든 것을 보고 해석하려는 뿌리 깊고 자연스러운 자동적인 초기 설정 상태(default setting)에 놓여 있다는 것입니다. 월리스는 이 'default setting'이란 표현을 그 연설문 속에서 무려 12번씩이나 사용하면서, 죽은 것처럼 자각 없이 이런 상태의 종으로 지내면서도 그저 편안하고 부유하고 존경받는 삶을 영위하는 것으로 만족하는 세상 풍조에 대해 개탄하고 있습니다. 도리어 주의를 기울이고 주변을 인식하면서 날마다 무수하게 많은 사소하고 평범한 방식으로 다른 사람들을 돌보아 주고 그들을 위해 헌신하는 선택을 하는 자유를 누리라고 권면하지요. "날마다 깨어 있으면서 성숙한 세계 속에 살아가기"(to stay conscious and alive in the adult world day in and day out)란 상상하기 어려울 만큼 힘든 교육의 장이지만, 우리가 힘써야 할 평생 과업(the job of a lifetime)이라고 역설하며 연설을 맺습니다.

월리스가 지적한 인간의 자기중심적인 'default setting'은 문학 작품의 전제입니다. 인류 역사의 상수입니다. 성경이 지적하는 인간의 근본 문제이기도 합니다. 성서상의 표현은 아니지만, 아우구스티누스가 사용한 '원죄'(original sin)라는 표현이 가리키는 인간의 근원적인 사악함(sinfulness)이지요. 이 범죄성은 태어날 때부터 모든 사람들을 특징짓는 것으로서 실제적인 죄(actual sins)를 짓기 이전에 "왜곡된 방식으로 자극된 마음"(motivationally twisted heart)의 형태로 존재합니다. 이 내면적인 죄성이 모든 실제적인 죄의 뿌리이자 근원인 셈입니다. 그런데 우리가 이런 죄의 경향성을 신비롭지만 실제적인 방식으로 첫째 인간인 '아담'으로부터 물려받았다는 점도 이 원죄라는 개념 속에 포함되어 있습니다. 아담을 단순히 하나님께 죄를 범한 최초의 인간이라기보다는 "하나님 앞에서 존재한 최초의 인간 대표자"(our first representative before God)로 인식하는 성서적 관점이 반영되어 있기 때문입니다. 아담이란 단어가 고유명사이면서도 사람 혹은 인류 전제를 가리키는 보통명사로 사용되는 이유를 알 수 있는 대목이지요. 개인의 범죄도 결코 사적일 수 없다면, 인류 대표자의 범죄는 그 파장이 전 우주에 미칠 수 있다는 게 타당하지 않나요? 이런 아담의 대표성이 급기야 구세주 예수 그리스도의 대표성과 직결된다는 점을 인식할 때 원죄의 신비로운 측면이 납득될 수 있습니다. 성경은 예수님을 "마지막 아담"(the last Adam, 고린도전서 15:45), 또는 "둘째 사람"(the second man, 고린도전서 15:47)으로 부르고 있기 때문이지요. 최초의 인간 대표자가 범한 죄악의 대가를 마지막 인간 대표자가 자기의 목숨으로 지불함으로써 인간을 구원했다는 것이 성경의 복음입니다.

그렇다면 어떻게 이 자기중심성에서 벗어날 수 있을까요? 성서적인 해결책은 하나님께로 돌이킴(turning away from self to God)으로써 마음을 새롭게 하는 것(the renewing of mind)입니다. 이것이 바로 '회개'(repentance)입니다. 우리가 자기중심적인 태도에 등을 돌리고 하나님께로 돌이키면 우리 마음이 변혁됩니다(be transformed). 우리에게서 돌같이 굳은 마음이 제거되고 살갖처럼 부드러운 새 마음이 부여됩니다(에스겔 36:26). 하나님의 영이 우리 영혼에 작용한 결과이지요. 새로워진 이 마음을 가꾸고 단련해 가야 합니다. 그렇게 하지 않으면 어린아이의 마음 상태로 머물러 있을 수밖에 없습니다. 어린아이의 특징은 "인간의 속임수나, 간교한 술수에 빠져서, 온갖 교훈의 풍조에 흔들리거나, 이리저리 밀려다니"는 것입니다(에베소서 4:14). 새로운 마음이라는 땅이 부여되었지만, 거기에 새로운 씨앗을 심고 물을 주고 가꾸어 아름다운 열매를 맺도록 하지 않는다면 거기는 잡초만 무성한 곳으로 전락할 수밖에 없지요. 인류의 역사는 이 '잡초만 무성해진 새로운 마음'(new weedy hearts)이라는 모순어법(oxymoron)이 빚어낸 온갖 참극들로 점철되어 있습니다.

이 새로운 마음을 가꾸는 방법에는 어떤 것이 있을까요? 우선 성경 말씀을 통해 하나님을 더 알아가야 합니다. 지적인 이해가 선행되긴 하겠지만, 그 지적 측면은 정서적으로 하나님과 교제하는 측면과 하나님의 말씀에 순종해 가는 의지적인 측면으로 연결되어야 합니다. 특히 예수님의 행적을 통해 우리가 좇아야 할 긍정적인 덕목들을 모색해야 하겠지만, 그릇된 삶을 영위한 부정적인 사례들을 통해서도 피해야 할 성품들을 탐구함으로써 마음의 성숙을 도모할 수 있습니다. 다음으로 인문학을 통해 "행동하는 덕의 이미지"(images of virtue in action)와 "덕을 발휘하는 대리적 실천"(vicarious practice in exercising virtue)을 지속적으로 접함으로써, "마음의 습관"(habits of mind) 및 "사고하고 인식하는 방식"(ways of thinking and perceiving)이 자라도록 도울 수 있습니다(캐런 프라이어). 데이비드 윌리스와 마찬가지로, 영문학 교수인 캐런 프라이어도 "위대한 책들은 **생각하는 법**(생각할 *내용*이 아니라)을 가르친다"[GREAT BOOKS TEACH US *HOW* (NOT *WHAT*) TO THINK]라고 역설하고 있으니까요.

-나가는 말-

김용규 작가의 "골든 시크릿"에 보면 행복을 위한 모든 외적 환경을 갖추고 있는 '아리'(그리스 선박왕인 아리스토텔레스 오나시스)와 '티나' 부부에 대한 코멘트가 한 자락 등장합니다.

"행복이란 한 인간이 가진 외적 조건보다는 내적 능력에서 나오는 감정이다. 그래서 사람은 행복해지려면 다른 무엇보다도 스스로 행복을 가꾸고 즐길 수 있는 능력을 길러야 한다. 그것은 마치 음악을 즐기려면 음악 감상 능력을 길러야 하고, 미술품을 즐기려면 미술 감상 능력을 길러야 하는 것과 같다. 음악을 감상할 줄 모르는 사람이 좋은 음반만 모은다고 음악을 즐길 수는 없다. 마찬가지로 그림을 감상할 줄 모르는 사람이 비싼 그림만 모은다고 그림을 즐길 수 없다."

행복의 근간이 우리의 내면세계에 있고, 그 핵심은 일상생활 중에 무슨 생각을 할 것인가와 주위 환경에 대해 어떻게 생각하고 반응할 것인가를 선택하는 데 있다는 점을 아는 것은 행복 짓기의 시발점에 불과합니다. 그 생각하는 내적 능력을, 실생활을 통해 가꾸고 길러가야 합니다. 모쪼록 하늘로부터 내려온 하나님의 계시인 성경 말씀과 땅에서 하늘을 향해 나아가는 인문학이 만나는 접점에서 진행되는 논의와 실천을 통해, 성숙하게 생각하고 덕스럽게 행동하는 습관과 성품이 우리 속에 더욱 풍성하게 열매 맺기를 소원합니다.

9. 성품 개발과 신앙: '항상 기뻐하라'가 불가능한 명령이라고?

신약성경을 읽어 보면 "항상 기뻐하라"(Rejoice always)라는 명령이 두 번 나옵니다. 빌립보서 4:4 와 데살로니가전서 5:16 입니다. 이 명령에 사용된 영어 단어 rejoice 는 아주 만족해하는(very pleased) 상태를 가리킵니다. 그런데 항상 기뻐하는 것이 가능할까요? 이런 상태는 감정의 본질상 우리가 용을 쓴다고 해서 형성되는 게 아닙니다. 더구나 감정이란 것은 항상 똑같은 상태로 유지될 수도 없습니다. 항상 가변적인 특성을 보이고 있지요. 그러므로 이 명령은 그런 감정 상태를 항상 만들어내라는 의미일 수가 없습니다. 그렇다면 이 명령은 어떤 의미일까요? 아마도 우리가 항상 기뻐할 수밖에 없는 영적 실존의 세계를 누리고 있다는 점에 늘 주목하라는 의미일 것입니다. 주목하는 것은 의지적인 요소가 개입되어 있기에 순종할 수 있지요. 의지적인 노력을 들여 기쁨의 근원이 되는 그 영적 실체에 계속 주목하게 되면, 미소를 띤다든지 노래를 부른다든지 활기찬 행동을 하게 되어 기쁜 감정이 동반됩니다. 이런 내적 회로가 계속 반복되면, 그것이 습관이 되고, 급기야 우리 인격의 한 부분으로 자리 잡을 수 있을 것입니다. 이것이 바로 '성령의 열매' 중 한 가지인 '희락'입니다(갈라디아서 5:22-23). 희락은 폈다가 금방 사라지는 '성령의 꽃'이 아니라, 오랫동안 지속되는 '성령의 열매'입니다. 그러므로 항상 기뻐할 수 있습니다.

-기쁨: 성경상의 용례-

성경의 용례는 그 영적 실존의 세계를 열어 밝혀줍니다. 성경상의 기쁨은 대개의 경우에 주님의 존재 혹은 주님과의 관계와 연관되어 있고 우리가 그것을 누리기를 기대하고 있습니다. 예컨대, 아래 성구와 같이 **삼위일체 하나님이 바로 그 기쁨의 원인이자 대상이 되십니다.**

■ "여호와로 인하여 기뻐하는 것이 너희의 힘이니라"(for the joy of the LORD is your strength, 느헤미야 8:10)
■ 또 여호와를 기뻐하라 그가 네 마음의 소원을 네게 이루어 주시리로다(Delight thyself also in the LORD: and he shall give thee the desires of thine heart, 시편 37:4)
■ "하나님 나라는 (...) 성령 안에서 의와 평강과 희락이라"(for the kingdom of God is (...) righteousness and peace and joy in the Holy Spirit, 로마서 14:17)
■ "주 안에서 항상 기뻐하라 내가 다시 말하노니 기뻐하라"(Rejoice in the Lord always; again I will say, rejoice! 빌립보서 4:4)
■ "또 너희는 많은 환난 가운데서 성령의 기쁨으로 말씀을 받아 우리와 주를 본받은 자가 되었으니"(You also became imitators of us and of the Lord, having received the word in much tribulation with the joy of the Holy Spirit, 데살로니가전서 1:6)

그러므로 하나님께서 영원히 살아 계시기에 우리가 당신과 사랑의 관계를 맺고 살아가기만 한다면, 이 기쁨은 지속적인 것이 될 뿐 아니라 급기야 영원한 것으로 자리 잡을 것입니다. **이 기쁨에 내재한 한 가지 주요한 특징은 어떠한 외부적인 환경에도 예속되지 않는다는 점입니다.** 위에 언급된 로마서 14:17, 빌립보서 4:4, 데살로니가전서 1:6 의 문맥을 보면 각 구절은 공동체 안팎에 존재하는 다양한 문제들과 연관되어 있습니다. 로마서 14장에서는 먹고 마시는 문제로 인해 로마인들 간에 벌어진 논쟁이 묘사되어 있습니다. 즉 믿음이 '약한 자'와 '강한 자'로 불리는 그리스도인들 간에 우상에게 바친 고기를 먹고 포도주를 마시는 문제와 종교적 절기를 지키는 문제로 인한 논쟁이 발생한 것이지요. 빌립보서 4장에서는 교회의 주요한 일꾼들 간에 발생한 분쟁 문제가 드러나 있습니다. 데살로니가전서 1 장에서는 성도들이 직면한 다양한 난관과 역경이 제시되어 있습니다. 그러함에도 불구하고 사도 바울은 하나님의 나라를 구현하시는 성령의 기쁨으로 성도들 간의 논쟁을 극복하고(로마의 상황), 이제 막 재림하실 주님을 기뻐함으로 지도자들 간의 분쟁을 해소하며(빌립보서 4:5절 참조), 성령의 기쁨으로 온갖 종류의 고난을 헤쳐 나갈 것을 기대하고 있습니다(데살로니가 상황). 즉 우리 그리스도인이 품고 누리는 이 기쁨은 환경상의 조건의 지배 아래 매이지 않으므로, 주님을 주목하기와 성령으로부터 비롯된 기쁨으로 인해 온갖 종류의 난관과 역경이라는 환경을 초월하여 주님의 말씀을 받들어 순종할 수 있다는 것이지요.

왜 이 기쁨은 환경을 초월하는 것일까요? 근본적으로는 그 기쁨의 근원이 삼위일체 하나님이시기 때문이겠지요. 즉 사시고 참되시며 영원히 변치 않으시는 하나님과의 관계에 이 기쁨이 뿌리내리고 있기 때문입니다. 이 영적 현실을 이해하는 데 로마서 14:17이 제게 큰 도움이 되었습니다. 이 구절에서 하나님 나라의 본질로 규명된 '의와 평강과 희락'(righteousness and peace and joy)이 의롭고 평화롭고 즐거운 주관적인 상태를 가리키기보다는, 그리스도를 통한 칭의와 하나님과의 평강 및 하나님의 영광을 소망하는 기쁨을 의미한다는 점이 드러났기 때문입니다(존 스토트). 그것들이 전자의 상태라면 주위 환경의 변화에 따라 얼마든지 변할 수 있습니다. 그야말로 주관적인 것이기 때문이지요. 그렇지만 그것들이 후자의 상태라면 객관적이고도 역사적인 그리스도의 희생과 부활 사건에 근거해 있기 때문에, 우리가 그것들을 붙들고 누리는 한 우리의 것이 됩니다. 즉 이전에는 하나님과 원수 되었던 우리가 예수 그리스도의 십자가 희생을 통해 용서받고 의롭게 되어(righteousness), 하나님과 화해하게 되었을 뿐 아니라(reconciliation=peace) 당신과 교제하면서 당신의 영광을 체험하는 기쁨을 누리게 된 것이지요(rejoicing=joy).

여기에 언급된 '의'(righteousness)란 단어는 '칭의'(justification)라는 단어와 동일한 그리스어와 히브리어 단어에서 비롯되었습니다. 이 두 단어는 "언약의 요구 사항에 부합하는 행동"(behavior in conformity with the covenant requirements)을 의미하거나(N. T. 라이트), 언약 공동체(a covenant community)에서 누리는 올바른 지위나 법정에서 옳다고 선언 받은 상태를 의미합니다. 본질적으로 의로우신 하나님께서는 항상 당신의 언약 속에서 당신을 위해 정한 기준에 따라 행동하십니다. 당신을 찾는 사람들을 구원하고 보호하겠다고 약속하셨기 때문에 그렇게 하실 뿐 아니라, 죄를 심판하겠다고 약속하셨기 때문에 십자가에서 죄를 심판하셨고 그리스도께서 재림하실 때 심판하실 것입니다. 예수님의 사역은 무력한 자들을 구원하고 죄를 다루는 데 있어서 하나님께서 의로우시다는 것을 증명했습니다. 그리하여 하나님은 당신의 은혜로, 당신과의 언약을 계속해서 어긴 우리가 예수님을 믿을 때 예수님의 의를 전가해 주셨습니다(imputes). 그러므로 우리가 하나님의 공동체 안에서 올바른 지위를 누리려면 복음을 믿기만 하면 되고, 하나님의 법정에서 무죄 판결을 받으려면 예수님에게 속해 있다고 주장하기만 하면 됩니다. (Karen Lee-Thorp, "A Compact Guide to the Christian Life") 이제 우리는 하나님의 언약과 예수 그리스도의 희생으로 의롭다고 인정받아 하나님과 화목한 상태를 누리게 된 것입니다. 이것이 바로 제가 가장 소중하게 여기는 영어 단어 중 하나인 'atonement'가 열어 밝히는 영적 실상입니다. 영한사전은 이 단어를 보상 혹은 속죄라고 번역하지만, 영영사전은 <u>그리스도의 삶과 고난 및 희생적인 죽음을 통해 하나님과 인류가 화해한 것</u>"(the reconciliation of <u>humankind with God</u> through the life, sufferings, and <u>sacrificial death of Christ</u>)이라고 풀이해 두고 있습니다.

  우리가 의롭게 되어 하나님과 화목하게 되고 당신의 영광을 체험하는 기쁨을 누리게 된 것은 하나님의 아들 예수 그리스도의 십자가 피로 이뤄진 것입니다. 결코 무효로 할 수 없고 무효가 되지도 않을 것입니다. 셰익스피어의 "로미오와 줄리엣"(Romeo and Juliet)에서 그 두 젊은이의 비극적인 죽음은 캐퓰렛 가문과 몬터규 가문에게 평화를 안겨다 주었습니다. 비록 '우울한 평화'(a glooming peace)이긴 했지만, 두 원수는 서로 기꺼이 화해의 손을 내밀었을 뿐 아니라 각각 로미오와 줄리엣의 동상을 베로나에 세워 그들의 진실하고 신실한 면모를 기리기로 했습니다. 예기치 않은 두 젊은 이의 죽음이 이러한 평화를 일구어냈다면, 창세 전부터 예정된 예수 그리스도의 죽음(에베소서 1:4, 베드로전서 1:20)은 어떠한 평화를 이루었을까요? 하나님과 인류뿐 아니라 하나님과 만물이 온전히 화목하게 되는 결말을 낳았습니다. "[아버지께서는, 18절] 그[예수 그리스도]의 십자가 피로 화평을 이루사 만물 곧 땅에 있는 것들이나 하늘에 있는 것들이 그로 말미암아 자기와 화목하게 되기를 기뻐하심이라"(골로새서 1:20) 특히 당신의 자녀와 백성이 된 우리에게는 화목 단계를 넘어선 영광스러운 장래가 예정되어 있습니다. "전에 악한 행실로 멀리 떠나 마음으로 원수가 되었던 너희를 이제는 그의 육체의 죽음으로 말미암아 화목하게 하사 너희를 **거룩하고 흠 없고 책망할 것이 없는 자**로 그 앞에 세우고자 하셨으니"(골로새서 1:21-22) 결국 그리스도인들이 성령 안에서 누리는 기쁨은 예수 그리스도의 역사적인 희생을 기반으로 하면서, 하나님 아버지의 우주적인 화목의 역사와 궤를 같이하고 있는 것이지요. 기꺼이 항상 기뻐할 만하지 않나요? 하나님과 화해할 뿐 아니라 당신의 영광을 누리는 기쁨보다 더 소중하고 보배로운 게 이 세상 어디에 있을까요? 현세에서 누리는 이 복된 교제의 기쁨은 내세의 영원한 시점까지 이어집니다. 환경을 초월하는 이 복된 신앙의 여정은 사도 바울이 이미 로마서 앞부분에서 확연히 드러낸 바 있습니다.

■"그러므로 우리가 **믿음으로 의롭다 하심을 받았으니**(having been justified by faith) 우리 주 예수 그리스도로 말미암아 **하나님과 화평을 누리자**(peace with God) 또한 그로 말미암아 우리가 믿음으로 서 있는 이 은혜에 들어감을 얻었으며 **하나님의 영광을 바라고 즐거워하느니라**(exult in hope of the glory of God) 다만 이뿐 아니라 우리가 **환난 중에도 즐거워하나니**." (로마서 5:1-3)

이 어찌 "온 백성에게 미칠 **큰 기쁨의 좋은 소식**"(good news of great joy which will be for all the people, 누가복음 2:10)이 아니겠습니까?

-항상 기뻐하기: 실제적 제안 사항-

인생을 살다 보면 냉혹한 현실에 직면하면서 고뇌하고 슬퍼할 때가 있습니다. 그렇지만 성경은 더 크나큰 진리를 선포합니다. G. K. 체스터턴이 말한 대로입니다. 사람이 온전한 인간이 되는 때는, "기쁨(joy)이 자기 내면의 근본적인(fundamental) 것이 되고 슬픔은 피상적인(superficial) 것이 될 때입니다. 우울(melancholy)은 천진난만한 막간(innocent interlude), 즉 예민하고 도피적인 마음의 상태여야 하지만, 찬양(praise)이 영혼의 영원한 박동(permanent pulsation)이어야 합니다. 비관주의(pessimism)는 기껏해야 감정에 잠기는 반쪽짜리 휴일(emotional half-holiday)에 불과하지만, 기쁨(joy)은 만물이 살아가는 길이 되는 폭소가 터지는 노동(uproarious labor)입니다." 그리스도인의 내면세계는 기쁨이 토대가 되어야 하고, 그 영혼의 박동은 기쁨 어린 찬양이어야 한다는 외침입니다. 슬픔이 주조를 이루는 신앙, 우울함에 잠식된 그리스도교는 사라져야 합니다. 이제 주님으로 인해, 성령으로 기뻐하기의 기반이 마련된 이상, 우리가 어떻게 항상 기뻐할 수 있을까요? 몇 가지 제안의 말씀을 드리겠습니다.

(1) *성구를 암송하라.* 우리에게 기쁨을 허락해 주시는 성령께서는 성경 말씀을 활용하여 우리 영혼에 위로를 안겨다 주십니다. 앞에서 살펴본 로마서 14장 말씀에 이은 로마서 15장에 보면 아래의 두 구절을 발견하게 됩니다.

■"무엇이든지 전에 기록된 바는 우리의 교훈을 위하여 기록된 것이니 우리로 하여금 인내로 또는 **성경의 위로**로 <u>소망</u>을 가지게 함이니라"(로마서 15:4)

■"소망의 하나님이 **모든 기쁨과 평강**을 **믿음** 안에서 너희에게 충만하게 하사 **성령의 능력**으로 소망이 넘치게 하시기를 원하노라"(Now may the God of hope fill you with all joy and peace in believing, so that you will abound in hope by **the power of the Holy Spirit**.) (로마서 15:13)

먼저 13 절은 '기쁨과 평강'이 하나님 나라의 본질(로마서 14:17)로서, '믿음'에 의해 우리 영혼을 충만하게 하는 단계까지 자라간다는 점을 지적하고 있습니다. 이렇게 될 때 장차 나타날 결과는 넘치는 '소망'입니다. 그런데 이 모든 과정을 주관하시는 분이 바로 성령이십니다. 이 점에 주목하면서 3 절을 보세요. 우리가 소망을 품게 되는 것이 성령의 능력을 통한 것이기도 하지만, 성경의 위로에 의한 것이기도 하다는 것입니다. 성경이 바로 성령의 영감에 의해 기록된 것이기 때문이지요. 이처럼 성경은 성령의 도구로서 우리 심령 속에 위로와 소망이 넘치게 해 줍니다. 저는 성경 말씀을 읽을 때마다 주님께서 허락해 주시는 위로와 기쁨을 새롭게 발견하곤 합니다. 시편 119 편 여러 곳에서 열어 밝히고 있는 그대로입니다. 아래 구절들을 참조해 보세요.

(시 119:14) "내가 모든 재물을 즐거워함 같이 주의 증거들의 도를 **즐거워하였나이다**"
(24) "주의 증거들은 **나의 즐거움**이요 나의 충고자니이다"
(35) "나로 하여금 주의 계명들의 길로 행하게 하소서 내가 이를 **즐거워함이니이다**"
(47) "내가 사랑하는 주의 계명들을 스스로 **즐거워하며**"
(54) "내가 나그네 된 집에서 주의 율례들이 **나의 노래가 되었나이다**"
(77) "주의 긍휼히 여기심이 내게 임하사 내가 살게 하소서 주의 법은 **나의 즐거움이니이다**"
(92) "주의 법이 **나의 즐거움이 되지** 아니하였더면 내가 내 고난 중에 멸망하였으리이다"

(111) "주의 증거들로 내가 영원히 나의 기업을 삼았사오니 이는 **내 마음의 즐거움이 됨이니이다**"

(143) "환난과 우환이 내게 미쳤으나 <u>주의 계명</u>은 **나의 즐거움이니이다**"

(174) "여호와여 내가 주의 구원을 사모하였사오며 <u>주의 율법</u>을 **즐거워하나이다**"

특히 54절, 92절, 143절이 언급한 대로, 제 인생 여정에서 숱한 고비를 만났을 때마다 주님의 말씀이 제 영혼의 노래가 되어주었습니다. 그 말씀이 제 기쁨과 위로가 되지 않았더라면, 저는 수많은 환난과 우환 중에 벌써 무너졌을 것입니다. 하나님의 말씀을 마음판에 새김으로 영광의 소망에 주목합시다!

(2) ***죄를 고백하라.*** 우리의 기쁨은 근본적으로 하나님과 누리는 새로운 관계에서 비롯되고 성령을 통해서 허락되는 것입니다. 그러므로 이 관계에 악영향을 미치고 성령을 근심케 하는 죄악들은 발견되고 인식될 때마다 하나님께 참회하고 용서받아야 합니다. 그렇게 할 때야 비로소 "주님께서 베푸시는 **구원의 기쁨**을 내게 회복시켜" 주십니다(Restore to me **the joy of Your salvation**) (시편 51:12). 우리 죄를 고백함으로 항상 주님의 빛과 교제 가운데 거합시다! (요한일서 1:7-9)

(3) ***미소를 지으라.*** 미국에서 사역하는 칼 베이터스라는 목사님이 교회를 오가는 길에 사는 할머니 한 분을 주일마다 차로 모시곤 했습니다. 어느 날 집으로 돌아오는 길에 할머니는 그에게 고통스러운 진실을 한 가지 언급했습니다. 그가 주의를 기울이지 않을 때면, 가히 핏불테리어(pit bull)도 겁먹을 정도로 찡그린 표정을 짓곤 했다는 것입니다. '적대적으로 휴식하는 얼굴'(Hostile Resting Face)로 알려진 그 찌푸린 얼굴 말입니다. 잠깐 그는 당황했지만, 이내 그 할머니가 자기에게 선의를 베푼 것을 깨닫게 되었습니다. 그래서 자기가 위대한 교회[교회로 가는 길이 아니라 집으로 돌아오는 길에 진실을 말해줄 만큼 그를 사랑해 준 솔직한 자매님을 포함한]

를 섬기고 있다는 진실을 상기하면서, 교회에 갈 때마다 무슨 일이 있어도 의도적으로라도 얼굴에 미소를 지었습니다. 처음에는 가짜처럼 느껴지고, 연기한다는 생각에 끔찍한 느낌이 들기도 했습니다. 그렇지만 실제로 연기한 것(acting)은 맞지만, 가식적으로 행동한 것(being fake)은 아니었습니다. 누군가를 속일 의도를 품고 거짓으로 지어낸 미소가 아니라, 미소를 짓고 싶지 않더라도 그렇게 하는 것이 옳다고 믿었기에 실행한 순종의 미소였기 때문입니다. 마치 하나님의 거룩한 백성으로서 '긍휼과 자비와 겸손과 온유와 오래 참음을 옷 입듯이'(골로새서 3:12), 하나님의 은혜를 누리는 자녀로서 얼굴에 미소의 옷을 입힌 것이지요. 이런 과정을 거쳐 그는 서서히 미소 짓는 법을 배우게 되었습니다.

그런데 그에게 이상한 일이 발생했습니다. 교회에서 사역하는 것이 행복하게 느껴지기 시작한 것입니다. 자기 얼굴에 강제적으로 미소를 안긴 것으로 인해 더 위대한 현실(the greater reality)을 누리게 된 것이지요. 급기야, 그의 얼굴(face)은 그의 감정(emotions)에 영향을 미치기 시작했습니다. "겉으로 보이는 미소가 내면의 미소로 바뀐 것입니다."(The smile on the outside became a smile on the inside.) 자기 미소가 거짓된 가식이 아니라 더 깊은 진실에 기반한 것이었기 때문에, 상황이 나빠져도 더 자연스럽고 자동으로 미소를 지을 수 있게 되었습니다. 아직도 이를 드러내면서 활짝 웃는 편(big grinner)은 아니지만, 이제는 일이 잘 풀리지 않을 때도 억지로 찡그린 얼굴을 지을 때가 거의 없다고 그는 고백합니다. 자기에게 일어나는 모든 문제가 미소를 짓는 것처럼 간단한 것으로 생각할 만큼 순진하진 않지만, 그것이 효과가 있다는 것을 알 만큼 자기가 현실주의자(realist)라는 점도 덧붙입니다. 행동과 감정은 동행합니다. 미소는 기쁨의 마중물이 될 수 있습니다. 미소로 기쁨을 끌어 냅시다!

(4) **찬송(노래)을 부르라**. 제가 가장 좋아하는 소설 중에 윌리엄 사로얀의 "인간 희극"(The Human Comedy)이 있습니다. 제 2 차 세계대전 중인 1943 년에 출간되어 많은 이들의 심금을 울린 소설

이지요. 가상의 세계인 미국 캘리포니아 이타카를 배경으로 14세 소년 호머 매콜리의 성장기를 다루고 있는 이 소설에서 제게 가장 인상적인 부분은 아버지를 잃고 형이 전쟁에 복무하는 상황 가운데서도 온 가족이 늘 음악과 노래를 즐기고 누리는 측면입니다. 그 음악의 장은 일찍이 아버지 매튜가 깔아주었습니다. 온갖 허드렛일을 다 하면서도 아내 케이티를 위해서는 하프를(5년간 할부금을 부어), 딸 베스를 위해서는 피아노를 사주었기 때문입니다. 그 악기에 맞추어 온 가족이 노래 부르는 모습은 마커스가 전사한 후에도 빛을 발합니다. 그의 동료인 고아 토비가 그 가정을 자기 집으로 여기며 찾아왔을 때, 케이티가 하프를 뜯고, 베스가 피아노를 치고, 메리(이웃)가 노래 부르는 것을 문밖에서 듣습니다. 그를 발견한 베스가 나와 인사하고 있을 때 형의 전사 통보를 받고 집으로 돌아오는 호머를 보게 되지요. 호머에게 토비를 소개한 베스는 토비가 전해 준 마커스의 반지를 들고 집 안으로 들어갑니다. 이제는 토비를 환영하는 연주와 노래가 또다시 시작됩니다. 그 노래가 끝난 후 케이티 부인이 나와 미소를 지으며 이제 자기 아들이 된 토비와 그 양옆에서 그를 붙들고 있는 두 아들, 호머와 율리시즈를 집안으로 맞이합니다.

기쁜 환경이 마련되었기에 노래한 것이 아니라, 슬프고 처절한 상황이 전개되었음에도 불구하고 노래로 그것을 극복하는 그 가정 구성원들이 제게는 더없는 격려와 영감이 되었습니다. 이 작품을 통해 음악과 노래가 땅에 사는 우리를 하늘로 비상하게 한다는 점을 배웠습니다. 그리하여 땅에서 직면하는 현실이 아무리 슬프고 처절하더라도 그 현실은 그림자일 뿐, 도리어 그 그림자의 실상은 찬란한 하늘이란 실체임을 깨닫게 됩니다. 물론 모든 음악과 노래가 그렇다는 말은 아닙니다. 우리 주위에는 그저 지난날의 회한이나 이루지 못한 남녀 간의 애정을 읊조리는 단계 그 이상으로 우리를 더 비상하게 해 주지 못하는 노래들이 넘쳐 납니다. 물론 그 노래들도 자기 몫이 있는 법이지요. 그렇지만 한번 들으면 단번에 우리 마음을 이끌어 하늘, 즉 우리 존재의 시원으로 인도해 주는 음악과 노래들이 있습니다. 숱한 찬송가들이 그러하고, 영감 어린 가곡과 동요와 팝송들도 그러합니다. 최근에는 2019년부터 소개된 매스터(Master) KG의 "저루설레마"(Jerusalema)가 저를 하늘로 이끌어 주었습니다. 그 노래를 들으면 춤이 절로 나옵니다. 찬송(노래)과 춤으로 영광의 기쁨을 표현합시다!

(5) *함께 기뻐하라.* 존 스토트는 '항상 기뻐하라'는 명령이 포함된 데살로니가전서 5:16-22, 27을 강해하면서, 그 문맥이 공적인 예배의 상황이란 점을 지적하고 있습니다. 이 문맥의 모든 동사가 죄다 복수형으로 되어 있고, 20절의 예언도 공적인 사역이며, 27절의 '이 편지'를 읽어 줄 대상이 '모든 형제'로 특정된 상황들을 그 근거로 들고 있습니다. 그래서 '항상 기뻐하라'는 명령은 다 함께 기쁨 충만한 예배(joyful worship)를 드리자는 초대라고 볼 수 있다고 지적합니다. 그런데 많은 교회 예배가 용서할 수 없을 정도로 우울하고 지루하다(unforgivably gloomy and boring)는 점을 덧붙입니다. 전능하신 하나님을 경외하고 겸손한 자세로 당신을 경배하는 것은 언제나 옳은 일이지만, 모든 예배는 하나님이 그리스도를 통해 행하시고 베푸신 일에 대해 기쁨 충만하게 응답하는 축제가 되어야 하지요. 기쁨은 함께 나누면 배가됩니다. 피아노와 기타와 드럼과 온갖 악기로 다 함께 하나님을 찬양합시다!

10. 세계관과 신앙: 세계관이 삶의 변화를 낳지 못한다?

"힐라리온이 누이 알리스에게 안부를 전하오. 모친 베로우스와 아폴로나리온에게도 안부 전해 주오. 나는 아직 알렉산드리아에 있소. 그들이[부대가] 전부 출발하고 나는 알렉산드리아에 남아 있지만 염려하지 마오. 당신은 오직 아이만 생각하기를 간곡히 당부하오. 조만간 급료를 받으며 보내리다. 혹시 아이를 낳게 되면 사내아이일 경우 키우고, 여자아이면 내다 버리시오. 당신은 아프로디시아스 편으로 '나를 잊지 말아요.'라고 전했소. 내가 어찌 당신을 잊겠소?

그러니 부디 염려하지 마오. [카이사르 29(년), 파우니 23(BC 1 년 6 월 17 일)]"(존 딕슨, '벌거벗은 기독교 역사", 2021)

어제 "선교와 세계관"이란 제목으로 강의하는 시간에 먼저 나눈 내용입니다. 지금부터 2 천여 년 전 이집트 알렉산드리아에서 근무하던 로마 군인 힐라리온이 자기 아내에게 보낸 편지지요. 평범한 안부 편지였으나, 그 내용 중에는 21 세기 인권 수준으로 볼 때 충격적인 내용이 담겨 있습니다. 아내가 만일 여아를 낳게 되면 내다 버리라는 당부 말입니다. 그렇지만 역사는 우리에게 일러줍니다. 당시에 아이를 유기하는 것은 불법이거나 부도덕한 일로 여겨지지 않았습니다. 도리어 가족계획의 일부였을 뿐입니다. 로마인들이 물려받은 그리스 철학이 이런 행태를 용인하거나 권장했으니까요. 플라톤과 함께 서양 철학의 두 기둥을 이루는 아리스토텔레스(BC 384-322)도 이렇게 말한 적이 있을 정도였습니다. "태어날 아이를 유기할지 기를지에 관해서는, 어떤 기형아도 길러서는 안 된다는 법이 필요하다."

이 편지를 소개한 역사가 존 딕슨은 이런 제안을 합니다. 우리가 당시 이 힐라리온의 친구라고 치고, 그가 신생아를 유기하는 것이 잘못된 일이라는 점을 한번 납득시켜 보라고 말입니다. 누구도 빼앗을 수 없는 인간의 권리와 자유 30 가지를 담고 있는 "세계인권선언"(Universal Declaration of Human Rights, 1948)을 그에게 들이민다면, 아마도 그는 멍한 표정을 지으며 우리를 바라볼 것입니다. 그런 다음 당시 로마를 주름잡고 있던 세계관, 즉 그리스 철학을 인용해서 이렇게 되물을 수 있습니다. "무슨 근거로 자네는 자의식조차 거의 없는 신생아가 다른 인간들과 '평등하다'고 주장할 수 있는가? 그건 그저 자의적인 신조가 아닌가? 자네는 모든 '동물'이 평등하다고 말하겠나? 모든 '기술'이 같은 가치를 갖고 있는가? 모든 '도구'가 평등한 가치가 있는가?" 더 강하고 유능한 존재를 선호하던 당시의 세계관하에서 아이의 가치란 그가 지닌 '특정한 능력'이나 '가족 안에서의 유용성'에 달려 있었을 뿐입니다.

서양 역사는 이런 세계관을 가진 사회가 '세계인권선언'을 낳은 사회로 변혁되는 과정을 보여 줍니다. 그 선언문의 전문에 소개된, "인류 모든 구성원이 가지는 천부의 존엄성과 동등하고 양도할 수 없는 권리"(the inherent dignity and of the equal and inalienable rights of all members of the human family)라는 표현은 어떤 세계관이나 철학에 근거한 것일까요? 바로 이 세상의 모든 인간이 '하나님의 형상'(the image of God)대로 지음 받았다는 성서의 세계관에서 비롯된 것입니다. 서양 무신론 철학자 중에는 비록 이 성서적 언명을 믿지 않는 이들이 적지 않았지만, 그들조차도 그 표현 대신 인간 존엄성의 근거로 제시할 만한 대안을 찾을 수가 없었습니다. 표면적으로는 18세기 계몽주의 시대를 기점으로 성서적인 세계관이 무시되거나 폄훼되기 시작했지만, 지난 2천 년 서구 문화의 저류는 '하나님의 형상'대로 지음 받은 인간의 고귀함을 선양하는 전통을 연면히 보전해 왔습니다. 이처럼 세계관은 우리 인간 역사의 저류이자 우리 각자의 삶의 기반입니다.

-세계관의 효능에 관한 회의-

우리나라 기독교에 세계관(worldview)이 소개된 지도 벌써 40년이 넘습니다. 지난 세월을 복기하고 현재 기독교 상황을 관찰하면서, 이 세계관 교육 혹은 운동이 소기의 목적을 달성하지 못했다고 평가하는 이들이 많습니다. 그 동안 성도 수가 늘었다가 어느 시점부터 줄기 시작한 것뿐 아니라, 중대형 교회들의 세속적인 행태와 기독교를 표방하는 인물들과 단체들의 도덕적 해이와 반지성적 태도가 맞물려 기독교가 사회적인 지탄의 대상이 되어버린 현실을 두고 하는 말들입니다. 그렇지만 이런 평가를 접하면서 제게는 이런 질문이 떠올랐습니다. 과연 그 기간 동안 교회에서 세계관 교육이 제대로 진행되었을까? 만일 그렇지 않았다면, 현재 기독교 상황을 굳이 세계관 운동이 무력한 탓으로 돌리는 것은 판단 착오이겠지요. 그러면 지금부터라도 제대로 된 세계관 운동이 재개되어야 하지 않을까요?

세계관 운동 자료를 찾아보던 중 전성민 밴쿠버기독교세계관대학원(VIEW, Vancouver Institute for Evangelical Worldview) 교수의 제안을 접하게 되었습니다. 전 교수는 그리스도인에게 가장 익숙한 일상의 한 부분인 성경 읽기가 **창조, 타락, 구속**이라는 기독교 세계관의 세 가지 주제와 연관을 맺으며 진행될 수 있다는 것이었습니다. 예컨대 하나님의 창조를 염두에 두면서 거룩한 일과 속된 일이라는 이원론적인 사고를 극복하고, 지성을 활용하여 성경 각 권의 장르와 문맥을 살피며 공부하고 묵상함으로써 현재 우리에게 말씀하시는 하나님의 음성을 들을 수 있습니다. 타락이라는 주제를 고려해 보면서, 자기중심적인 성경 읽기 사례들을 포착하여 하나님과 이웃과 창조 세계와의 관계에서 뒤틀린 부분들을 바로 잡을 수 있습니다. 구속에 초점을 맞추면서, 세상의 질서와는 온전히 다른 하나님의 통치가 이미 시작된 현실 속에서 어떻게 타인을 돌아보고 낮은 곳에 처하면서 주님과 함께 고난받을 기회를 붙잡을 수 있는 가를 모색하게 됩니다. 아마도 가장 자연스럽게 세계관 운동을 재개할 수 있는 시발점을 전 교수가 제시하지 않았나 생각됩니다.

결국 세계관 운동이라는 것의 기반은 성경일 테고 그 진행 경로는 성경을 통해 하나님의 경륜을 파악해서 순종해 가는 과정이라면, 성경 내용을 올바로 관찰하고 적절하게 해석해서 구체적인 삶의 현장 속에서 적용하는 것을 세심하게 다지는 게 무엇보다 긴요한 작업입니다. 어제 강의할 때 중점적으로 다룬 내용도 바로 이러한 것들이었습니다. 세계관이 별 효용이 없다고 말하는 대신, 기독교 신학이 응집된 그 세계관을 잘 이해한 후 그것에 근거하여 성경을 제대로 읽고 묵상하자는 내용이었습니다. 성경 읽기를 포함하여 이 세상의 모든 책 읽기가 그저 사변적인 모색에서 그치기만 한다면 창백한 지성으로 남을 수밖에 없습니다. 그렇지만 그 독서가 단순한 생각의 차원에 머무르지 않고 지속적인 묵상으로 연결되어 더 깊은 이해에 도달하게 되면, 반드시 행동으로 드러나거나 새로운 변화를 일구어냅니다. 여호수아 1:8 에서 하나님께서 여호수아에게 약속해 주신 것이 바로 이 측면입니다. 그 말씀을 지속적으로 묵상하는 것 혹은 '작은 소리로 읊조리는 것'이 순종의 관건이 된다는 말입니다. "이 율법책을 네 입에서 떠나지 말게 하며 주야로 그것을 묵상하여 그 안에 기록된 대로 다 지켜 행하라 그리하면 네 길이 평탄하게 될 것이며 네가 형통하리라"(This book of the law shall not depart from your mouth, but you shall meditate on it day and night, so that you may be careful to do according to all that is written in it; for then you will make your way prosperous, and then you will have success.) 잘 순종할 수 있도록 주야로 묵상해야 한다고 영어 성경은 일러주고 있지요. 이 과정을 하나님 아버지께서 도와주신다는 약속 또한 큰 힘이 됩니다. "그들을 진리로 거룩하게 하옵소서 아버지의 말씀은 진리니이다"[Sanctify them in the truth; Your word is truth. (요한복음 17:17)] 예수님께서 제자들을 위해 기도해 주신 내용 중에 등장하는 탄원입니다. 우리를 거룩하게 하는 것이 진리의 말씀, 즉 하나님의 말씀이므로, 우리가 이 진리의 말씀을 올바로 이해하고 그 말씀에 붙잡혀 거룩한 삶의 열매를 맺도록 우리를 위해 빌어 주신 것이지요. 예수님의 기도이므로 약속과 다를 바 없습니다.

-그리스도교 세계관의 시발점-

세계관이란 원래 칼뱅이 주장한 하나님의 주권(sovereignty)에서 비롯된 개념입니다. 세상이 비록 전적으로 타락했어도, 온 세상의 주님 혹은 통치자 되신 하나님의 주권이 여전히 강력하게 작용하여 역사가 운행된다는 것입니다. 이 하나님의 주권은 예수 그리스도의 성육신과 구속 사역을 통해서 **"자애로운 아버지의 특성을 띤 주권"**(fatherly sovereignty)임이 드러났습니다. 그러므로 가장 바람직한 인간의 길은 참되고 은혜로우신 하나님의 뜻에 순종하며 사는 것입니다. 이런 생각을 받들어 19 세기 후반에 네덜란드의 총리이자 목사였던 아브라함 카이퍼(Abraham Kuyper)가 기독교를 "삶의 체계"라고 불렀고, 스코틀랜드 신학자인 제임스 오르(James Orr)가 기독교를 "세계관"이라고 일컬었지요. 하나님의 주권이 기반을 이루는 세계관을 날마다 실행하는 그리스도인은 오만한 승리주의와 도를 넘는 낙관론에 빠지지도 않고 독신적인 패배주의와 염세적인 운명론에서 허우적대지도 않습니다. "이는 **만물이 주에게서 나오고 주로 말미암고 주에게로 돌아감이라** 그에게 영광이 세세에 있을지어다"(로마서 11:36, For from Him and through Him and to Him are all things. To Him be the glory forever. Amen.)를 확신하기에, 날마다 성령과 교통함으로 의와 평강과 희락을 누리며 아버지께서 허락해 주신 소명을 신실하게 실행해 갑니다.

-성경 읽기 지침-

세계관 중심의 성경 읽기를 위한 지침으로 세 가지를 지적해 보았습니다.

(1) 성경의 이중 저작(double authorship). 겸허한 기도와 신실한 공부를 병행하자는 것입니다. 성경은 하나님과 인간의 합작품입니다. 성경은 한편으로 "**하나님께서** 옛적에 선지자들을 통하여 여러 부분과 여러 모양으로 우리 조상들에게 **말씀하신**"(히브리서 1:1) 계시입니다. 다른 한편으로 성경은 "언제든지 사람의 뜻으로 낸 것이 아니요 오직 성령의 감동하심을 받은 **사람들이** 하나님께 받아 **말한 것**"(베드로후서 1:21)입니다. 그러므로 이 말씀을 읽는 우리는 두 가지 태도를 갖추어야 합니다. 우선은 성경이 하나님의 말씀이므로 겸손한 마음으로 성령의 도우심을 구하며 읽어가야 합니다. 다음으로 성경은 인간의 저작이므로 각 책의 장르와 문맥을 고려하며 공부하고 해석해 가야 합니다. 전자를 무시하는 게 자유주의자(liberalist)의 행태라면, 후자를 무시하는 것이 근본주의자(fundamentalist)의 태도입니다(존 스토트). 하나님께서 당신의 말씀을 선지자들과 사도들이 집필하는 과정에 역사하신 것처럼, 그 이후의 독자들이 성경을 읽는 과정 중에도 간여하신다는 점을 믿는 것이 성경에 대한 올바른 태도입니다. 성경이 형성되는 과정과 성경 독자의 해석 과정 중에 하나님께서 하시는 역할이 아무것도 없다고 보는 입장이 바로 이신론(Deism)이지요(제임스 패커). 하나님께서

는 천지를 창조하신 이후에 안드로메다은하로 날아가 버리신 것이 아닙니다. 현재 이 시간에도 역동적으로 현존해 계신 분이십니다.

(2) 계시의 일차 수신자와 이차 수혜자. 수신자의 시각으로 성경을 읽자는 것입니다. 존 월턴 휘튼 대학 교수가 지적한 대로입니다. "성경은 *우리를 위해* 쓰였지만, *우리에게* 쓰인 것은 아니다."(The Bible was written *for us*, but not written *to us*.) 먼저 해당 성경 내용을 받아 든 당시의 독자들이 그 말씀을 어떻게 이해했을까에 초점을 맞추어야 합니다. 우리가 누릴 영적 유익과 순종해야 할 내용을 모색하는 것은 그다음 일입니다. 이 기본적인 지침이 무시되는 성경 읽기가 얼마나 만연한지 모릅니다. 예컨대 창조과학이라는 이름으로 성경의 창조론을 대변하는 이들이 범한 오류가 바로 이 지침을 무시한 데서 비롯되었습니다. 창세기의 수신자가 자연에 대한 지식이 미미하여 해와 달과 별을 숭배하던 시대에 살던 이들이었다는 점을 무시한 것이요. 그들에게 천지를 만드신 유일하신 창조주가 엄존하신다는 진리를 드러내기 위해 시적 요소가 가미된 언어로 기록한 글 속에서, 구체적인 창조의 순서와 과정뿐 아니라 우주와 지구의 역사까지도 과학적으로 밝힐 수 있다고 주장합니다. 나무 위에서 물고기를 구한다는 '연목구어'의 대표적인 사례이지요. 과학자들이 편견 없는 관찰과 체계적인 실험을 통해 자연을 연구하면서 겸허하게 과학의 한계를 인정하고 지켜가듯이, 성경 독자들도 장르와 문맥 점검을 통해 창세기의 일차 수신자들이 이해한 내용을 파악하면서 명백하게 드러나지 않은 내용은 알 수 없다는 점을 겸허하게 인정해야 합니다. 이것이 바로 다음 지침입니다.

(3) 계시와 신비. 뚜렷하게 계시가 되지 않은 내용은 하나님께 맡기자는 것입니다. 창세기의 저자인 모세가 신명기 29:29 에서 지적한 내용에 귀를 기울여 보세요. "**감추어진 일**(The secret things)은 우리 하나님 여호와께 속하였거니와 **나타난 일**(the things revealed)은 영원히 우리와 우리 자손에게 속하였나니 이는 우리에게 이 율법의 모든 말씀을 행하게 하심이니라" 말씀 중에는 명시적으로 하나님의 뜻이 드러난 것도 있지만, 하나님께서 감추어 두신 정보도

존재합니다. 후자가 난해 구절을 가리키는 것은 아닙니다. 그 구절들은 어떤 형태로든 합당하게 그 의미를 밝힐 수 있으니까요. 모세의 권면은 하나님께서 분명하게 계시해 주신 말씀에 대해서는 확신을 품어야 하지만, 신비로운 영역으로 감추어 두신 내용에 대해서는 불가지론(agnosticism)을 발휘해야 한다는 말입니다. 예컨대 예수 그리스도께서 다시 임하시는 날은 아무도[심지어 예수님조차도] 알 수 없다는 언명이 분명히 제시되어 있지만(마태복음 24:36), 지난 기독교 역사를 통해 얼마나 많은 인물이 이 감추어진 일을 밝히려고 독신적인 행위를 감행했는지요. 게다가 그들에게 현혹당하는 일은 지금도 현재진행형입니다.

간략하게 나눈 이런 기본적인 지침들을 무시하는 이들은 창세기뿐 아니라, 성경의 다른 책들도 오독할 소지가 큽니다. 각 성경 본문의 장르와 문맥을 간과한 채 문자적으로, 있는 그대로 읽어야 한다고 강변하는 것은 나태하고 부실한 성경 읽기이자, 오독의 온상입니다. 사실상 그냥 성경을 통독한다는 것은 없습니다. 어떤 형태로든 해석이 동반되기 마련입니다. "성경을 해석하는 것은 선택이 아니다. 좋은 해석인가, 나쁜 해석인가만 문제일 뿐이다. 나쁜 해석에 대한 대안은 무해석이 아니라 적절한 해석이다."(전성민 교수)

-세계관 적용한 성경 읽기(3 가지 'ㅇ')-

이런 지침들을 염두에 두면서 성경적 세계관의 3 가지 주제인 창조, 타락, 구속을 적용하여 몇 가지 성경 본문을 상고해 보겠습니다.

창조. 성경 읽기에 하나님의 창조라는 측면을 적용한다는 것은 특히 **이원론**(dualism)이라는 요소를 극복한다는 의미가 내포되어 있습니다. 이 단어가 종교에서 활용될 때는 "세계(또는 현실)가 존재하는 모든 것을 설명하는, 두 가지 기본적이고(basic) 대립적이며(opposed) 환원 불가능한(irreducible) 원칙으로 구성되어 있다는 교리"를 가리킵니다. 즉 "세상을 존재하게 만든 두 개의 상반된 최고 권력 또는 신(two supreme opposed powers or gods), 혹은 거룩한 존재 또는 악마적 존재 그룹(sets of divine or demonic beings)에 대한 믿음"을 의미하지요(브리태니커백과사전). 한마디로 이 세상에서 하나님과 사단이 맞짱 뜨고 있다고 보는 시각입니다. 타락한 천사에 불과한 사단을 하나님과 대등한 권력을 갖고 당신과 독립적으로 투쟁하는 대상으로 설정하는 이것보다 더 독신에 찬 사상이 있을지 의문입니다. 이런 기본 사상에서 이 세상에는 하나님이 주관하는 영역과 사단이 관장하는 영역이 따로 존재한다고 보는 입장이 유래되었습니다. 영혼과 육체, 영적인 것과 물질적인 것, 내면적인 것과 외면적인 것, 성스러운 일과 세속적인 일들 각각을 거룩한 것과 속된 것으로 이해하거나 서로 적대적인 관계에 있다고 보는 것이지요.

누가복음 10:38-42에 등장하는 마르다와 마리아의 경우를 한번 살펴보겠습니다. 예수님께서 한 마을에 들어갔을 때 마르다라는 여인이 예수님을 자기 집으로 모셨습니다. 예수님이 집 안으로 들어가셨을 때 마르다의 동생인 마리아가 예수님의 발치에 앉아 말씀을 듣기 시작했습니다. 시중드는 모든 일로 경황이 없던 마르다가 예수님께 다가와 말을 던집니다. "주님, 제 여동생이 저 혼자 모든 봉사를 하도록 내버려둔 것을 개의치 않으십니까? 그러시다면 여동생에게 언니를 도와주라고 말씀해 주세요."(Lord, do You not care that my sister has left me to do all the serving alone? Then tell her to help me.) 이 말에 대해 예수님께서 이렇게 응대하시지요. "마르다여, 마르다여, 그대가 그렇게 많은 일에 대해 염려하고 마음을 쓰고 있지만, 단 한 가지만 필요해요. 마리아는 좋은 몫을 택했어요. 그것을 빼앗기지 않을 거예요."

이 말씀을 읽으면서 말씀을 듣는 행위가 식사 접대하는 행위보다 더 낫거나, 더 거룩한 일이라고 해석하는 것은 하나님의 창조라는 세계관의 주제와 부합하지 않습니다. 말씀 듣는 행위는 거룩한 일이나 식사 접대하는 일은 세속적이라고 생각하는 이원론적 시각이기 때문입니다. 두 가지 일 다 하나님께서 창조하시고 지속해 가시는 일입니다. 다만 각각의 일에 임하는 자세와 시기 혹은 경우가 문제가 될 뿐입니다. 그렇다면 마르다의 문제는 무엇이었을까요?

예수님의 말씀을 듣는 대신 식사 준비에 바쁜 것이 문제가 아니라, 너무 많은 일에 대해 염려하고 근심하는 태도가 문제였습니다. 식사 준비하면서 예수님을 접대하는 기쁨이 흘러나온 게 아니라, 자기 뜻대로 진행되지 않는다면서 온갖 것에 대한 염려와 근심에 사로잡혀 있었다는 말입니다. 그런 태도가 급기야 자기가 초대한 예수님을 비난하고 마리아를 헐뜯는 데까지 번지지요. 예수님께 "(...)을 개의치 않으십니까?"라고 따지고, 마리아를 언니에게 모든 일을 맡긴 채 예수님과의 교제만 즐기는 얌체로 매도했으니까요. 이 도전을 접하신 예수님의 반응에서 마르다의 이름이 두 번 언급될 만큼 마르다의 태도는 경계를 넘었습니다.

성경에서 하나님이나 예수님께서 인명을 두 번 연달아 언급하신 경우가 몇 번이나 있을까요? 단 7회에 불과합니다. 구약에 4번[아브라함(창세기 22:11), 야곱(창세기 46:2), 모세(출애굽기 3:4), 사무엘(사무엘상 3:10)], 신약에 3번[마르다(누가복음 10:41), 시몬(누가복음 22:31), 사울(사도행전 9:4)] 나오지요. 거의 모두 성경 역사의 흐름을 바꾼 인물들의 생애에 있어 결정적이고도 긴박한 순간에 하나님께서 개입하신 경우들입니다. 마르다의 경우도 이렇게 아주 희귀한 사례에 속한다는 말입니다. 주님을 섬긴다고 표방하면서 주님을 원망하고, 다른 사람을 비방하는 일꾼에게 허락된 반면교사로 제게는 읽힙니다. 하나님 나라와 당신의 의를 먼저 구한다고 지내온 지난 세월 동안 그 사실 한 가지만으로 기쁨과 평강이 넘치는 시간을 누린 경우보다, 제 뜻대로 진행되지 않는 사역을 두고 염려하고 근심하며 하나님께 한탄하고 다른 일꾼들의 무관심에 신경이 쓰인 경우가 더 많았던 것이 기억났기 때문입니다. 주님의 용서를 구합니다.

타락. 성경 읽기에 인간의 타락이라는 측면을 적용한다는 것은 특히 <u>이기심</u>(self-centeredness)이라는 요소를 극복한다는 의미가 내포되어 있습니다. 하나님의 주도로 쓰인 구속의 역사를 읽으면서도 우리는 얼마나 자주 자기중심적인 태도를 드러내는지 모릅니다. 빌립보서 4:13을 통해 이런 측면을 상고해 보겠습니다. "내게 능력

주시는 자 안에서 내가 모든 것을 할 수 있느니라” 사도 바울이 자기가 개척한 빌립보 교회 성도들에게 보낸 서신 마지막 장에 등장하는 유명한 선언입니다. 소위 긍정적 사고방식을 주창하는 이들이 금과옥조처럼 여기는 성구이지요. 그들의 성경 해석이 그릇되었다는 점을 인식하면서도, 이 말씀을 아전인수격으로 해석하는 경우가 여전히 적지 않습니다. 그들의 문제는 능력 주시는 하나님보다 모든 것을 할 수 있다는 믿음에 중점을 둔 것이라면서, 하나님께만 초점을 맞춘다면 보다 능동적이고 능력 있는 삶을 영위하기 위해 얼마든지 이 약속을 주장할 수 있다고 생각하지요. 과연 그럴까요?

이 말씀의 수신자는 누구입니까? 빌립보 교회 성도들입니다. 이 구절에 등장하는 ‘나’는 누구입니까? 로마 감옥 안에 있던 사도 바울이지요. 그렇다면 이 말씀이 그 성도들에게 어떻게 읽혔을까요? 그 사실을 알려면 이 구절 전후를 살펴야 합니다.

(빌립보서 4:11-12 / 14-15) 내가 궁핍하므로 말하는 것이 아니니라 어떠한 형편에든지 나는 자족하기를 배웠노니 나는 비천에 처할 줄도 알고 풍부에 처할 줄도 알아 모든 일 곧 배부름과 배고픔과 풍부와 궁핍에도 처할 줄 아는 일체의 비결을 배웠노라 / 그러나 너희가 내 괴로움(affliction)에 함께 참여하였으니 잘하였도다 빌립보 사람들아 너희도 알거니와 복음의 시초에 내가 마게도냐를 떠날 때에 주고 받는 내 일에 참여한 교회가 너희 외에 아무도 없었느니라

이 문맥을 통해서 성도들은 현재 수감된 사도 바울이 이전에 경제적으로 풍요로운 때나 빈곤한 때에도 하나님께서 공급해 주시는 능력으로 온전히 자족하는 법을 터득했다는 사실을 깨닫게 되었습니다. 동시에 그가 배고프고 빈곤할 때 자기들의 헌금이 그에게 큰 격려가 되었다는 점뿐 아니라, 경제적으로 그렇게 어려움에 처하는 지경에 도달할 때까지 분에 넘치는 헌금[‘내 괴로움(affliction)에 함께 참여하였다‘에서 유추되는 상황]을 한 공동체가 자기들뿐이었다는 점도 알게 되었습니다. 그렇다면 그들은 이 본문을 통해 어떤

적용을 하게 되었을까요? 자기들도 어떤 경제적 상황에 부닥치든지 하나님의 능력을 힘입어 자족하겠다고 결단했을 테고, 경제적으로 도와주는 공동체가 없어 빈곤하게 생활하는 말씀 사역자나 복음을 위해 고난 겪는 일꾼들을 물색하여 헌금하기를 시도했을 것입니다. 이 구절을 자기중심적으로 독해한 후 자기 모든 야망과 욕망을 하나님의 능력으로 이루겠다고 적용하는 것과는 천양지차가 나지 않습니까?

구속(=창조의 회복). 성경 읽기에 구속과 창조의 회복이라는 측면을 적용한다는 것은 특히 **운명론(fatalism)**이라는 요소를 극복한다는 의미가 내포되어 있습니다. 우리나라 기독교는 지난 세월 동안 창조, 타락, 구속이라는 세계관 주제 중에 창조의 의미는 피상적으로 이해했고, 타락이란 측면에 너무 집착했으며, 구속이 품고 있는 함의도 너무 축소해서 이해했습니다. 합신대에서 가르친 송인규 교수가 1980년대 초에 내놓은 세계관 입문서 제목이 당시 이러한 우리나라 기독교의 면모를 적확하게 지적했지요. "죄 많은 이 세상으로 충분한가" 이원론적인 신앙 행태가 만연하고 타락한 이 세상에 더 이상 비전이 없다고 보는 운명론적 사고가 팽배하던 그 시대에, 기독교 세계관을 새롭게 조망하던 송 교수는 외쳤습니다. "하박국의 비전-대저 물이 바다를 덮음 같이 여호와의 영광을 인정하는 것이 세상에 가득하리라(2:14)-이 우리 각자와 전 교회의 비전이 되도록 하자."

예수 그리스도께서 십자가에서 죄인 된 우리를 구속하시고 사흘 만에 부활하시고 승천하신 것을 믿는 그리스도교인이라면 이전처럼 살 수 없습니다. 부활로 인류의 구속을 확증하신 당신께서 온 세상의 주님으로 등극하신 마당에, 그 백성 된 우리가 세상에 만연한 악에 더 이상 대항할 수 없다며 맥을 놓고 주님 다시 오시기만 목을 빼고 기다리고 있는 것은 구속 신앙에 대한 배반입니다. 그렇다고 승리주의에 사로잡혀 오만한 자세로 세상을 대하자는 말은 아닙니다. "아버지께서 나를 보내신 것 같이 나도 너희를 보내노라"(요한복음 20:21)고 제자들에게 분부하신 예수님의 본을 따르면 됩니다. 하나님 아버지께서 예수님을 어떻게 보내셨나요? 그 앞 구절에 답이 있습니다. "이날 곧 안식 후 첫날 저녁때에 제자들이 유대인들을 두려워하여 모인 곳의 문들을 닫았더니 예수께서 오사 가운데 서서 이르시되 너희에게 평강이 있을지어다 이 말씀을 하시고 **손과 옆구리를 보이시니** 제자들이 주를 보고 기뻐하더라"(20:19-20) 하나님께서 예수님을 **성육신적인 삶과 십자가의 길**로 보내셨듯이, 예수님께서도 우리를 성육신적인 선교와 십자가의 길로 보내시는 것입니다. 그렇지만 그 길은 부활의 영광이 보장된 길이요, 부활의 주님과 함께 동역하는 길입니다. 주님께서 오늘도 당신의 제자 공동체를 향해 말씀하십니다.

(마태복음 28:18-20) 예수께서 나아와 말씀하여 이르시되 하늘과 **'땅'**의 모든 권세를 내게 주셨으니 그러므로 너희는 가서 모든 민족을 제자로 삼아 아버지와 아들과 성령의 이름으로 세례를 베풀고 내가 너희에게 분부한 모든 것을 가르쳐 지키게 하라 볼지어다 **내가 세상 끝날까지 너희와 항상 함께 있으리라** 하시니라

하늘뿐 아니라 **'땅'**의 권세까지도 죄다 보유하고 계신 주님께서 우리에게 전 세계 모든 민족에게로 나아가 그들을 당신의 제자로 삼으라고 말씀하십니다. '난 여기 하늘에 있을 테니 너희들만 모든 땅으로 나아가라.'는 제안이 아닙니다. '이 세상이 끝나는 날까지 내가 너희와 함께 있겠다. 그러니 나와 함께 가자.'라고 초대하시는 것입니다. 할렐루야! **"자애로운 아버지의 특성을 띤 하나님의 주권"**(fatherly sovereignty)을 기반으로 한 성경적 세계관은 반드시 당신의 영광을 드러내는 아름다운 삶의 열매를 맺습니다.

11. 선교와 신앙(1): "하나님의 선교"로 본 선교적인 삶

-"하나님의 선교"의 유래-

'하나님의 선교'(*Missio Dei*, 혹은 Mission of God)의 나이는 70세 혹은 88세입니다. 전 세계 선교계에 등장한, 1952년 빌링언

(Willingen) 선교 대회로부터 따지면 70세입니다. 1928년 칼 바르트가 자기 강연에서 언급한 것을 바탕으로, 칼 하르텐슈타인이 1934년에 이 표현을 사용하기 시작한 것부터 따지면 88세이지요. 이 두 사람은 선교란 삼위일체 되신 하나님의 사역에 기반을 두고 역사 속에서 하나님의 능력을 현시하는 것이므로 우리가 취할 수 있는 유일한 반응은 순종뿐이라고 역설했습니다. 이 표현은 원래 "하나님의 보내심", 즉 하나님께서 성자와 성령을 보내셨다는 의미입니다. 이 시각에 의하면 모든 인간적인 선교는 이 하나님의 보내심에 참여하고 그 보내심을 확장해 가는 데 그 의미가 존재합니다. 이 개념이 빌링언 선교 대회에서 수용된 이후로, 선교를 '*missio dei*'로 이해하는 것은 개신교 주류, 동방정교, 로마가톨릭 및 복음적인 개신교를 망라한 전 세계 기독교계를 대변하는 선교적 입장이 되었습니다.

그런데 이 개념은 선교를 삼위일체 신학과 연결한다는 측면에서 장점이 있긴 했지만, 그 본래의 의미가 약화하고 훼손되는 경우도 왕왕 있었습니다. '하나님의 선교'가 교회의 어떤 특정 사역을 가리키지 않고 단지 인류의 전 역사 과정에 간여하시는 하나님의 사역만 가리킨다고 주장하는 기독교 계파들이 존재했기 때문입니다. 선교란 하나님의 것이기에 우리가 참여하는 것이 아니라는 입장이었지요. 이렇게 왜곡된 신학이 사실상 선교에서 복음 전도를 제외하는 결과를 낳기도 했습니다. 지속적으로 이 개념의 의미를 성찰하고 그 오용을 비판하는 것이 필요했던 연유입니다. 그러함에도 불구하고, '하나님의 선교'라는 개념은 주요하고 핵심적인 성경적인 진리를 표현하는 것으로 널리 인정되어 지금도 우리가 지향해 가야 할 선교적 방향을 확고하게 가리키고 있습니다.

특히 21세기 들어 회자하기 시작한 "선교적 교회"(Missional Church)라는 개념도 사실상 이 '하나님의 선교'에 대한 토의와 선교학자 레슬리 뉴비긴의 선교적 통찰력을 북미 지역 교회들에 접목하려는 시도의 일환이었습니다. 그 당시까지 미국 교회가 "기독교 세계 모델"(Christendom model), 즉 교회가 내적인 필요와 사회

내에서 문화적인 특권을 유지하는 것에만 초점을 맞추려는 기독교에 매몰되었다는 자성에서 비롯된 시도였지요. 결국 기독교 세계의 쇠퇴가 도리어 교회가 자기 신원이 하나님께서 복음의 증인으로서 세상에 보내신 백성이라는 것을 깨닫는 새로운 기회가 된 셈입니다. 이렇게 70년 이상의 신학적 성찰을 통해 복음의 증인 된 교회가 감당해야 할 선교적 역할을 크리스토퍼 라이트는 아래와 같이 정리하고 있습니다.

"근본적으로 우리의 선교는(성경에 근거하고 성경에 의해 정당성이 입증된 것이라면) 우리가 하나님의 백성으로서 하나님의 부르심과 명령에 따라 하나님의 피조물 구속을 위해 하나님의 세계 역사 내에서 진행되는 하나님 자신의 선교에 헌신적으로 참여하는 것을 의미한다."

-"하나님의 선교"의 표지-

'하나님의 선교'의 기원은 하나님께서 성육신을 통해 성자 예수님을 이 세상으로 보내신 것입니다. 그러므로 우리가 이 선교에 참여한다는 것은 세상 속으로 파송되는 것입니다. 사람들이 우리에게 오는 것을 기대하는 게 아니라 우리가 그들에게로 가는 것입니다. 선교가 교회 중심의 사역으로만 구성되는 것에 만족하지 않아야 할 이유가 여기에 있습니다. 선교는 모든 성도의 전인적 삶에 적용됩니다. 모든 성도가 각각 하나님 나라의 일꾼이므로, 선교를 자기 인생의 모든 부면 속에서 실행해 가야 합니다. 그런 의미에서 우리 각자는 불신자 사회와 문화 속으로 파송 받은 선교 동역자가 되는 셈입니다. 세상 만물(=온 우주)이 그리스도에 의해, 그리고 그리스도를 위해 창조되었고, 그리스도에 의해 유지되었으며, 그리스도에 의해 구속되었기에(골로새서 1:15-20), 선교의 영역과 그 구체적 사역 양태는 감히 다 파악하기조차 힘듭니다. 그렇지만 선교 사역의 방향을 제시한 많은 논의 중에서 존 프랭키의 제안을 소개해 드립니다. 그는 "하나님의 선교"가 드러내는 다섯 가지 특징을 아래와 같이 소개합니다.

(1) **복음 전도**(Evangelism): 하나님 나라의 복음을 선포하기.
(2) **양육 사역**(Formation): 새 신자들을 가르치기, 세례 주기 및 양성하기.
(3) **긍휼 사역**(Compassion): 인간적 필요들을 사랑의 봉사로 채워주기.
(4) **정의 구현**(Justice): 불의한 사회 구조의 변혁을 꾀하기.
(5) **피조물 돌보기**(Creation care): 피조물을 보호하기, 지상의 생명을 지속하고 회복하기.

우리나라 선교계도 이제는 이렇게 다양한 선교 사역의 의의를 깊이 이해하여, 다변화된 방식으로 국내외에서 '하나님의 선교'에 참여하고 있음을 봅니다. 감사한 일입니다. 그런데도 복음 전도와 다른 사역들이 서로 길항하지 않고 상보하는 관계에 놓여 있다는 점을 우리나라 교회가 더 깊게 성찰할 필요가 있다고 느낄 때가 한두 번이 아닙니다.

사도들이 일반 성도들에게 보낸 서신서를 보면, 서신서의 상황마다 핍박과 고난이라는 상수가 존재합니다. 그것들로 인해 성도들이 놀라거나 위축되지 말고, 도리어 성령의 도우심과 복음의 소망으로 인해 교회가 연합하여 견고히 서서 인내하라는 권면이 일관성 있게 제시됩니다. 그 가운데서도 성도들이 직업과 일상적 삶을 통해 선행을 지속적으로 행하면서 자기들을 신실하신 창조주 하나님께 의탁하라는 권면이 뒤를 잇지요. 성도들이 담당하는 선행 속에 양육 사역 일부와 긍휼 사역, 정의 구현 및 피조물 돌보기가 모두 포함될 것입니다. 그렇지만 사도들이 성도들에게 복음 전도하라고 직접적으로 권면하는 내용은 거의 눈에 띄지 않습니다. 다만 아름다운 삶을 통해 성도들이 불신자들의 존경을 받고 복음이 빛나게 되기 때문에, 그 복음의 소망에 관해 묻는 이들에게 답변할 수 있도록 준비해 두라는 권면이 있을 뿐입니다. 목회자와 선교사가 하나님께서 열어 주시는 문을 통해 직접적으로 복음을 전하는 경우를 제외하면, 이것이 선교가 진행되는 주된 시나리오입니다.

-선교적인 삶을 위한 제언-

1. *역사를 거꾸로 보자.* 카이스트의 이광형 총장은 텔레비전을 거꾸로 두고 보는 것으로 유명합니다. 구태의연한 사고 대신 보다 창의적인 사고를 하기 위해서입니다. 불가능하다고 생각되지만 가능한 일입니다. 반복해서 그렇게 보면 우리의 뇌가 그렇게 적응하기 때문이지요. 우리도 역사를 거꾸로 보면 어떨까요? 창세부터 시작해서 예수님의 재림까지를 거꾸로 보는 것입니다. 그렇게 되면 새 하늘과 새 땅이, 몸의 부활이 가장 먼저입니다. 성경은 이 소망이 바로 우리 인생의 클라이맥스라고 천명합니다(골로새서 1:5). 이 소망이 믿음과 사랑을 추동한다고 전합니다. 우리 사고의 정점에 이 소망을 둔다면 혼란한 세상사에 요동하지 않을 것입니다. 튼튼하고 견고한 이 소망이야말로 인생이라는 험난한 파도를 뚫고 나아가야 할 우리 영혼의 닻이지요(히브리서 6:19). 이 소망의 수평선을 늘 바라봅시다.

2. *우리는 아직 초대교회다.* 장구한 우주 역사 중 진전된 진화 과정을 고려해 보자면, 현재 우리도 초대교회 신자에 불과합니다(C. S. Lewis). 아직도 문제가 너무 많다고 할 수도 있겠지만, 아직도 초대교회 단계에 불과하다고 생각하면 절망은 금물입니다. 천년을 하루같이(베드로후서 3:8), 한 경점같이(시편 90:4) 여기시는 하나님의 경륜을 늘 상기해야 합니다. 예수님께서 교회를 세우신 지 무려 2천 년이 흘렀어도, 현대 교회의 모습은 고린도 교회, 라오디게아 교회 못지않습니다. 어린아이의 모습을 벗어나지 못하고 있습니다. 아직도 성숙해야 할 것투성이입니다. 그런데도 우리는 벌써 '말세지말'이라는 말을 입에 달고 다닙니다. 주님께서 오셔서 우리를 온전하게 변화하시기 전에는 소망이 없다는 자기충족적 예언만을 염치없이 되뇝니다. 절망 대신 오늘도 주님과 교제하며 주님을 바라봅시다. 주님의 영광스러운 모습으로 점점 더 성숙하게 변화될 것을 기대합시다(고린도후서 3:18).

3. **관건은 '삼성하반월'(三星下半月=心)이다.** 인류 역사는 그리스도 교인도 무신론자만큼 악을 행하고 피를 많이 흘렸음을 보여 줍니다. 전자가 후자보다 도덕적으로 더 악합니다. 자신들의 숭고한 천국 복음을 배반하는 일이기 때문입니다. 인류 역사에 드러난 기독교의 악당들(bullies)과 성인들(saints)의 행적을 두루 살핀 역사가 존 딕슨의 결론은 이러합니다. 결국엔 종교나 비종교가 진정한 문제가 아니라, "잘못된 열정(예를 들어 권력, 땅, 권리, 명예, 부, 또는 종교를 향한 열정)에 사로잡힌 인간의 마음"이 관건이라는 것입니다. 날마다 마음을 살펴 회개의 자리로 나갑시다. "여호와의 말씀에 너희는 이제라도 금식하고 울며 애통하고 마음을 다하여 내게로 돌아오라 하셨나니 너희는 옷을 찢지 말고 마음을 찢고 너희 하나님 여호와께로 돌아올지어다 그는 은혜로우시며 자비로우시며 노하기를 더디하시며 인애가 크시사 뜻을 돌이켜 재앙을 내리지 아니하시나니"(요엘 2;12-13) '하나님의 선교' 사역은 그다음입니다.

4. **진정한 지상명령을 실행하라.** 제자 삼기는 대위임령입니다. 지상명령은 하나님을 사랑하고 이웃을 자기처럼 사랑하는 제자가 되라는 것입니다. 먼저 그리스도의 제자가 되지 못하고 어떻게 제자를 삼을 수 있을까요? 오늘날 국내외에서 지탄의 대상이 되어 버린 교회들의 문제는 스스로 제자 됨에 실패한 결과입니다. 제자 삼기를 지상명령으로 착각한 채 혼신의 노력을 기울이는 열성 교회들도 마찬가지입니다. 우선순위가 잘못되었기 때문입니다. 하나님을 전인적으로 사랑하기가 가장 중요한 관건입니다. 당신과 인격적으로 교제하며 당신을 기뻐하는 것이 우리 각자에게 지상 최대의 과제입니다. 가장 중요한 이 영역이 바로 서면, 제자 삼기라는 대위임령이 올바로 수행될 것입니다. "나를 따라오라 내가 너희를 사람을 낚는 어부가 되게 하리라"(마태복음 4:19)라는 예수님의 약속 그대로입니다. 예수님만 좇아가면, 사람들을 제자 삼게 됩니다. 주님과 함께 교제하면서 성령의 능력을 얻고 당신의 말씀에 귀 기울이면서 성령의 인도를 받는 게 제자 삼기의 선결 과제입니다.

5. **작은 것이 아름답다.** "사소한 일에 목숨 걸지 말라.... 만사가 다 사소하다."(Don't Sweat the Small Stuff... and It's All Small Stuff.)라는 잠언을 제목으로 삼고 있는 책이 있습니다(리처드 칼슨). 그렇지만 "만약 우리 인생의 작고 평범한 부분들이 중요하지 않다면, 우리는 당장 원자폭탄에 의해 전멸당해도 아무 할 말이 없는 것이다."라는 권면도 존재합니다(나탈리 골드버그). 전자의 잠언은 온갖 걱정거리와 두려움의 대상에 적용이 되고, 후자의 권면은 우리의 본질을 형성하는 소명, 성품, 은사, 재능, 관계와 같은 요소들과 연관이 있는 게 아닐까요? 아무리 작게 보일지라도 고유한 나만의 것은 아름답고 고귀하기 마련입니다. 하나님의 형상으로 지음 받은 것이기 때문입니다. "그렇게 다양하게 많은 길 중에서, 가장 좋은 소명은 척박한 땅에 씨 뿌리기다."(In so many different ways, the beautiful calling of sowing a hostile earth) "미제레레"라는 판화에 새겨진 조르주 루오(Georges Rouault, 1871-1958)의 혜안입니다. 특히 회교권과 힌두권을 비롯한 전 세계 미전도 종족 내에서 고군분투하는 '하나님의 선교' 동역자들에게 드리는 힘찬 성원이기도 합니다. 작은 소명에 신실합시다.

-나가는 말-

선교학자 앤드류 월스는 기독교가 처음부터 지금껏 문화의 벽을 넘는 접촉(cross-cultural contact)을 통해 전파되었다는 특징에 주목합니다. 그 생존 자체가 그러한 접촉에 좌우되었다고까지 주장합니다. 유대교나 힌두교도 그렇지 않았다는 것이지요. 전자는 민족 공동체에 불과하고, 후자는 한 국가 내의 민족들에게만 국한되었기 때문입니다. 불교와 회교도 문화의 벽을 넘긴 했지만, 그 차원이 달랐다는 것입니다. 특히 회교는 메카라는 중심지에서 확산하여 다른 곳에 닿긴 했지만, 그곳들이 계속 메카에 충성을 바치도록 하는 점진적인(progressive) 성격을 띠었습니다. 이와 달리 기독교는 순차적(serial)이었습니다. 즉 시대마다 다른 중심 지역들에 정착했고, 한 곳에서 쇠퇴의 기미가 보이면 다른 곳에서 새롭게 탄생하는 생명력을 보여 주었기 때문입니다. 예루살렘에서 시작하여 지중해 세계와 유럽을 거쳐 북미에서 생명력을 이어가던 기독교가 20 세기 들어서는 라틴 아메리카, 아시아, 아프리카에서 꽃 피운 것을 보세요. 이제 도리어 서유럽은 우선 선교 대상 지역이 되어 버렸지요.

여기에서 월스는 기독교가 다양한 방식으로 자리 잡은 남반구 국가들의 면모들에 눈길을 주면서, 현대의 기독교가 역사상 그 어느 때보다 더 확산하고 있다는 점에 주목합니다. 지리적, 인종적, 문화적, 공동체적 측면에서 더 다양하게 확산하고 있다는 것입니다. 그래서 영토적인 '오고 감'(from-to)이라는 개념이 지난 선교 운동의 기초였다면, 이제부터는 "다양한 집단들과 다양한 차원들 속에서 함께 지내면서, 각자가 자기 집단 속과 그 집단 너머로 뚫고 들어가려 한" 초기 기독교인들(콘스탄티누스 황제 이전의 기독교인)의 자세로 돌아가야 한다고 주창합니다. 우선 선교 운동 중에 만난 기독교의 쇠퇴는 그 확장과 마찬가지로 기독교 역사의 한 부분으로, 다시 말하자면 우리가 그리스도를 증거하도록 하나님께서 정해 주신 수단의 일부라고 수용하자고 권면합니다. 그런데 주목할 점은 월스가 그 수단을 '연약함'(vulnerability)이라고 지적한 것입니다. 지난 선교 운동은 기독교의 산물이자 유용한 도구였던 교육 및 기술과 제휴하면서 발전해 왔지만, 지금은 "복음의 전달자들이 복음 자체를 제외하고는 가지고 갈 선물이 아무것도 없는 듯" 하기 때문입니다. 다시 한번 초대교회의 상황에 놓였다는 것이지요. 우리나라 교회에서 쌀 나눠주고, 새로운 문화를 선보이던 시대가 있었습니다. 지금은 더 이상 통하지 않습니다. 이제 교회에 남은 것은 그리스도의 십자가 복음뿐입니다. 그 복음이 우리 교회 속에 있습니까? 그렇다면 걱정할 것 없습니다. 우리나라 신앙 영성가 중 한 분으로서 개신교 수도 공동체인 동광원을 설립한 이현필 선생이 집회하고 나면 집을 떠나 수도하려는 수도자들이 부지기수였습니다. 교회와 가정이 그를 두려워했다고 하지요. 가장 연약한 것처럼 보이는 그리스도의 십자가 복음이 '하나님 선교'의 생명이자 최고 동력입니다!

12. 선교와 신앙(2): 성숙한 선교사 양성의 주안점

-기독교인 수 감소에 담긴 하나님의 뜻-

레슬리 뉴비긴은 1980년대 말에 출간한 "다원주의 사회에서의 복음"(1989)을 다음과 같은 언명으로 마감했습니다. "어쩌면 다가오는 수십 년 동안, 세계의 다른 지역에 있는 교회는 급성장하는 반면에 유럽의 그리스도인은 계속 줄어들어 아주 극소수로 전락할지 모른다. 이런 현상이 발생하면, 그것은 교회가 더 많은 열매를 맺도록 하나님이 가지를 손질하고 계신 것으로 보아야 한다(요한복음 15:1 이하). 그런 일이 발생하면 많은 고통이 따를 것이다. 그러나 예수께서는 '내 아버지는 정원사다.'라고 우리를 안심시키신다. 그분은 자신이 하는 일을 잘 알고 계시므로, 우리는 그분을 신뢰할 수 있다. 그것은 우리를 자아 성찰과 회개와 새로운 헌신으로 부르는 소리임이 분명하다. 이는 염려할 문제가 아니다. 하나님은 신실하시며, 자신이 시작하신 일을 온전히 이루실 것이기에."

그리스도인 수가 주는 것은 유럽만의 얘기가 아니지요. 우리나라도 기독교인의 수가 계속 줄고 있으니까요. 한국기독교목회자협의회가 최근에 출간한 "한국 기독교 분석 리포트"를 참조해 보면, 2022년 종교인의 비율은 37%, 무종교인은 63%로 1998년 처음으로 조사한 이후 무종교인의 비율이 처음으로 60%대로 상승했습니다. 더 주목할 점은 종교인의 비율[2004년(57%), 2012년(55%), 2017년(47%), 2022년(37%)]과 기독교인 비율[2012년(22.5%), 2017년(20.3%), 2022년(15%)]의 하락 속도가 매우 빠르다는 것입니다. 이런 속도가 그대로 유지된다면, 2027년쯤에는 기독교인 10% 시대를 접하게 된다는 얘기입니다. 상상하기도 싫은 시나리오이지만, 이런 상황이 도래할 때 정원사이신 하나님을 바라보고 신뢰해야 한다고 뉴비긴은 권면해 줍니다. 도리어 이것은 시작하신 일을 온전히 이루시는 신실하신 하나님께서 우리를 '자아 성찰과 회개와 새로운 헌신으로 부르는 소리'라는 것입니다. 아마도 성도들 숫자 감소는 선교사 수의 감소로 이어지겠지요. 교인 수가 정점을 찍었던 2012 년 이후 지난 10 년 동안 선교사로 지원하는 이들의 수가 급감했을 뿐 아니라, 선교사를 지원할 수 있는 교회들의 수와 그 재정 지원 능력도 계속 줄어들고 있기 때문입니다. 아직도 현재로는 통계에 잡힌 선교사 수의 감소가 미미해 보이지만[2020 년 (22,259 명), 2021 년(22,210 명), 2022 년(22,204 명)], 세대별 선교사 비율의 편중 현상[2022 년 기준-50 대 이상(65.5%), 40 대 (26.52%), 30 대 이하(약 7.98%)]을 고려하면 두드러진 선교 인력 하락은 시간문제일 뿐입니다. 이런 우리나라의 선교적 상황이 우리나라 교회와 선교단체와 선교사들에게 선사해 줄 자성의 주제는 어떤 것일까요?

-선교 과열 현상에 대한 자성-

우선 실천신대 조성돈 교수가 2016 년에 지적했듯이 우리나라 선교가 과열되어 있다는 점을 무시할 수 없습니다. 조 교수가 꼽은 그 주된 이유는, 2 만 명이 넘는 선교사를 파송했으나, 그들을 위한 **시스템이 부족**하다는 점이었습니다. 사역을 마치고 귀국한 후 딸과 함께 고시원에서 지내고 있는 한 선교사의 예를 들면서, 귀국하는 선교사들이 머리 둘 곳조차 없는 우리나라 선교 현실을 개탄했습니다. 교회가 그들을 위한 거처도 염두에 두고 있지 않으니, 그들을 위한 노후연금에 대한 배려는 언감생심이겠지요. 하나님께서 교회를 통해 선교사를 파송하셨기에 그 선교사의 삶과 사역을 책임져 주시겠지만, 교회도 하나님의 심정으로 그 선교사의 필요를 돌보는 책임을 다해야 합니다.

선교 과열 현상을 심도 있게 논의해야 할 또 다른 이유가 있습니다. 선교 사역의 **방향성 부재**가 심각하기 때문입니다. 러시아 선교사였던 남정우 목사는 2005 년 인도차이나 한 국가에서 기독교의 퍼주기식 선교로 인해 선교 행위 금지 명령이 선포된 적도 있다는 점을 지적합니다. 그 배경에는 우리나라 선교사들이 있었지요. 이것은 1970 년대에 아프리카와 아시아 현지 교회들이 선언한 "선교사 모라토리엄"(Missionary Moratorium)[모라토리엄=주로 공식적인 동의의 결과로 특정 활동이나 과정을 일정한 기간 멈추는 것]의 재판(再版)입니다. 물론 그 대상은 서구권 선교사들이었지요. 그 모라토리엄의 대상에 우리나라 선교사들이 등장했다는 것이 역사의 아이러니입니다. 1925년에 존 모트[John R. Mott(1865-1955), "우리 세대 안에 세계복음화를!"(The Evangelization of the World in This Generation)이라는 표어로 학생자원운동의 불을 지핀 선교운동가, 노벨평화상 수상.]가 서울을 방문해서 조선 기독교 지도자들과 선교사들의 의견을 듣는 간담회를 가졌을 때 유사한 상황이 전개되었으니까요. 그때 우리나라 대표 31명을 대신하여 한석진 목사는 동석한 선교사 대표 31명을 향해 공개 비판을 했습니다. 요약하자면, 한 목사는 선교사들에게 "있어서는 안 될 자리를 미련 없이 떠날 수 있는 용기와 물러날 시간과 때를 정확하게 파악하고 그때를 놓치지 않는 지혜"를 요구했습니다(남정우, "이야기로 푼 선교학"). 이 시점에서 선교 과열 현상의 두 가지 요인, 시스템 부족과 방향성 부재에 대한 대대적인 성찰이 필요합니다.

-근본주의에 포획된 선교 현실-

다음으로 자성할 주제는 우리나라 교회와 선교계가 미국 교회와 선교계의 판박이라는 점입니다. 현재 미국에서 사역 중인 김재영 목사가 나눈 에피소드 한 가지를 소개합니다. 김 목사가 애틀랜타에서 콜롬비아 신학교에서 공부할 때 칼 바르트에게서 직접 배운 노교수 한 사람이 자기에게 이런 말을 하더라는 것입니다. 한국의 장로교회 출신 유학생 중에는 자기가 아주 어릴 때 출석한 미국 장로교회의 자기 부모님들 세대 성도들의 신앙 행태와 닮은 이들이 많다고 말입니다(제레미 잭슨, "현대인을 위한 교회사"). 우리나라 성도들과 목회자들이 무려 100여 년 동안이나 부지불식간에 서구 선교사, 특히 미국 선교사들의 신앙 행태를 답습해 왔다는 말은 빈말이 아닙니다. 그들이 전수해 준 보수적인 근본주의 신학이 아직도 그 위세를 떨치고 있기 때문입니다. '근본주의자'(fundamentalist)라는 용어가 미국에서 생긴 것은 1920년이었으나 그 단어의 기원이 19 세기까지 거슬러 올라갈 수 있다는 점을 고려한다면, 지금까지 100 여 년간 우리나라 보수적인 기독교계와 선교계를 주름잡았다는 말이 되지요.

처음 이 단어가 사용될 때는 명예로운 의미를 내포하고 있었습니다. 당시 기독교 신앙의 근본을 부정하는 도전 세력으로 다가온 사회적 진화론이나 자연주의적 과학 및 타협적인 기독교에 반대하여 신앙의 근본(the fundamentals of faith)을 옹호하는 입장을 취한다고 여겨졌기 때문입니다. 그렇지만 점차로 관련된 용어들의 의미가 변질되면서, 오늘날 '근본주의'(fundamentalism)라는 용어는 많은 이들의 마음속에 특정한 극단적 태도와 과도한 경향성이 떠오르게 합니다. 근본주의가 드러낸 8 가지 사고방식이라고 존 스토트가 지적한 것 중 5 가지만 짚어 보겠습니다. 먼저 학문과 과학에 대한 일반적인 의심이 팽배해서 때로는 철저한 반지성주의로 변질되는 경향이 있었습니다. 성경의 영감설에 대해서도 '받아쓰기 이론'(dictation theory)을 주장하면서, 성경의 인간적, 문화적 요소를 부정했습니다. '성경 비평'과 신중한 해석학이 설 자리가 없었지요. 흠정역 영어성경(KJV)에 대해 거의 미신에 가까운 경외심을 바치면서, 본문 비평을 소홀히 하는 빌미를 마련했습니다. 모든 성경에 대해 문자주의적 해석, 즉 '성경의 모든 단어를 문자 그대로 진리로 해석하기'를 적용함으로써, 성경에서 흔히 활용되는 시, 은유 및 상징이 차지하는 역할을 제대로 인식하지 못했습니다. 게다가 전천년설에 입각한 종말론(premillennial eschatology)을 주장하면서, 시온주의(Zionism)를 비판 없이 옹호하고 성경의 예언을 독단에 찬 현대적 시각으로 해석했습니다(존 스토트, "복음주의가 자유주의에 답하다").

20 여 년간의 해외 사역을 마치고 귀국한 후 제가 받은 가장 큰 충격은 이 근본주의의 망령이 아직도 우리나라 교계와 선교계를 지배하는 상황이었습니다. 반지성적이고 반과학적일 뿐 아니라 인문학마저도 백안시하는 보수 기독교계 풍조는 지금도 저를 숨 막히게 합니다. 주일학교가 비고 대학생들과 청년들이 교회를 떠나는 것이

조금도 이상한 일이 아닙니다. 하나님을 창조주로 인정하는 전 세계 그리스도교계가 창조론에는 크게 3 가지[즉각적 창조론(=창조과학), 점진적 창조론(=오랜 지구론), 진화적 창조론(=유신 진화론)]가 있다는 데 동의하면서, 겸허하고 열린 자세로 더 진전된 과학적 발견과 더 적절한 신학적 해석에 귀 기울이고 있습니다. 이런 마당에 우리나라에서는 왜 유독 이 근본주의적인 창조과학만이 보수 기독교회의 설교단까지 장악하는 특권을 누리고 있을까요? 천체물리학 박사로 서울대 사범대에서 가르치면서 장신대 학부생들에게도 강의하는 최승언 교수가 경험한 일을 한번 생각해 보세요. 출석하던 교회에서 성도들과 함께 성경 공부하면서 정상 과학적 시각으로 볼 때 창조과학은 과학이 아니라고 설명하자, 돌아온 것은 그가 진보적인 신학을 품고 있다는 핀잔이었고 어떤 목사님이 '창조과학이 바른 과학'이라고 말했기 때문에 그것을 믿는다는 반응이었다고 합니다. 과학과 구약학의 비전문가가 과학 전문가를 대상으로 한판승을 거둔 것이지요. 비일비재한 일입니다.

최 교수가 우리나라의 대표적 보수 신학교로 꼽히는 총신대 학부생들에게도 빅뱅 이론을 강의할 수 있을지는 모르지만, 그 대학 구약학과 김희석 교수가 자신의 페이스북에 올린 글 한 가지만 소개하고 넘어가겠습니다. "성경은 과학을 설명하는 책이 아니다. 그러니, 성경이 옳다는 것을 입증하기 위해 성경을 과학적 언어로 설명하려 하지 말라. 젊은 지구론, 오래된 지구론 등등은 과학의 관점에서 토론해야 할 문제이며, 성경은 그러한 과학적 이론에 대한 판단 기준으로 사용될 만한 현대적 의미의 과학적 증거를 제공하고 있지 않다. 성경은 창조-타락-구속에 관한 하나님 나라의 구속 역사를 기술하고 있는 책이다. 따라서 우리는 그런 렌즈에서 성경을 읽고 해석해야 한다. 과학적 토론은 기독교 과학자들에게 맡기자."(이택환 목사의 요약) 창조과학을 그것에 적합한 자리로 연착륙하도록 돕는 일은 우리나라 보수 기독교계의 화급한 과제입니다. 한발 더 나아가 이 **근본주의 신학에 대한 자성**은 우리나라 목회자와 선교사들의 당면 과제입니다. 현재와 미래 우리나라 교회와 선교계의 향방을 가늠할 시금석입니다. 세상과 인간과 역사를 편협하게 이해하는 근본주의를 고수하는 한 우리나라 교회는 사회적인 게토로 치부되는 현 입지에서 벗어날 수 없을 것입니다. 더구나 근본주의에 물든 선교사가 어떻게 하나님의 영광스러운 주권을 기반으로 창조-타락-구속의 복음을 온전히 전파하면서, 자기 삶과 창의적인 사역을 통해 하나님 나라의 영광을 현시해 갈 수 있을까요?

-깨어 있기, 사람 세우기, 먼저 제자 되기-

신자 수가 급감하고 선교사 수도 서서히 저하될 우리나라 교계와 선교계의 현실을 자아 성찰하라는 하나님의 선물로 알고, 이 시점에서 어떻게 건강하고 성숙한 선교사를 양성할 수 있을까를 이상에서 살펴보았습니다. 우선 파송 교회와 선교 단체의 역할로서 '시스템'을 점검하고 새롭게 구축할 필요가 뚜렷합니다. 다음으로 선교사는 자신의 '세계관과 신학'을 진단하고 평가해서 부족한 부분을 보충하고 심화해 갈 뿐 아니라, 그것들의 지평을 넓혀야 한다는 점도 드러났습니다. 교회, 선교단체 및 선교사가 함께 머리를 맞대고 논의해야 할 사항은 선교의 '방향성'입니다. 최근에 접한 선교 현장 이야기 한 가지가 이 측면에서 제 가슴을 뛰게 했습니다. 네팔의 기독교 학교인 "언약학교"에서 사역하는 진태훈 선교사 이야기입니다. 직장 생활 경험도 없이 대학을 졸업하자마자 뛰어든 선교 현장에서 바로 이사장직을 수행해야 했던 그의 선교 사역을 통해 선교의 방향성에 대해 세 가지 교훈을 얻을 수 있었습니다.

첫째, **열린 마음**입니다. 자기가 비빌 지식이나 특정한 틀이 없었기에 자기가 안다고 생각하는 것을 다 내려놓고 열린 마음으로 나아갔을 때, 현지인의 입장에서 학교를 운영하는 것을 배워 자기 것으로 소화할 수 있었다고 고백합니다. 둘째, **사람 세우기**입니다. 그는 처음에 학교의 방향성을 두 가지로 잡았습니다. 우선은 학생보다 선생님을 위한 학교를 만들자는 것이었습니다. 성경 속에서 말하는 교육의 중요한 요소가 "제자는 선생만큼 자란다."라는 점을 확신했기 때문입니다. 다음으로는 그러기 위해서 똑똑한 사람을 뽑아야 한다는 것이었습니다. 그 후에 학교가 교사들이 자기 능력을 최대한 발휘할 수 있는 시간을 제공해 주기 위해 탈바꿈을 했고, 학교의 모든 커리큘럼이 바뀌는 역사가 이루어졌습니다. 교사의 교수 능력 향상을 위해 아이패드를 보급해서 잘 활용하도록 계도한 이후로, 언약학교에서 7년 정도 함께 동역하면 어디에 내놓아도 손색없는 탁월한 교사로 자란다는 점을 발견했습니다. 그 결과 언약학교는 두 가지 미션이 생겼다고 합니다. '교사 지원'과 '네팔 학교 섬기기'입니다. 셋째, **먼저 제자 되기**입니다. 진 선교사는 고백합니다. "새로운 세계관을 가르치려면 제가 그 세계관을 가지고 먼저 살아야 한다고 생각해요. 돈의 이슈, 힘의 이슈 그리고 수많은 유혹으로부터 정말 기독교적인 가치관을 가지고 살지 않는 이상 제가 전달하는 메시지엔 힘이 없는 것이죠. 그래서 우리 학교 선생님들과 학생들을 사랑하는 만큼, 살아 보려고 노력하는 거예요." 열린 마음, 사람 세우기 및 먼저 제자 되기라는 선교적 방향성을 세우고 그 본을 보인 진 선교사의 사역이 하나님 나라를 네팔 땅에 영광스럽게 현시하는 열매를 풍성히 맺기를 기원합니다.

-나가는 말-

1980년대 말에 네슬리 뉴비긴은 영국 교회가 세계 복음화라는 큰 비전을 품고 세계 선교에 임했다가 교만을 깨닫고 자성하는 과정에서 당시에 소심해지고 염려하는 분위기에 휩싸였다고 진단했습니다. 그렇지만 성도들이 지녀야 할 태도는 **'자신감'**(confidence)이라고 지적했습니다. 그의 지론이지요. 공적으로 우리가 하나님의 행위와 계시에 근거하여 그리스도께서 구원자요 주(主) 되심을 자신감 있게 선포할 수 있어야 한다는 것입니다. 그것이 궁극적인 신념인 이상 순환성(circularity)을 품고 있기 때문에, 과학주의자나 합리주의자 앞에서 주눅이 들 필요가 없습니다. 그들에게 각각 왜 경험과 이성이 최고의 잣대가 되는지 물어보면 그 답은 뻔합니다. 경험과 이성이 자기들의 사고와 삶의 기반이라고 말하겠지요. 그런 그들이 우리에게 "왜 예수로 시작하지?"라고 우리에게 물으면, 우리는 이렇게 되물을 수 있겠지요. "예수로 시작하면 왜 안 되지?" 비록 시기와 장소와 여건은 달라도 그의 제안은 우리에게도 유효합니다. 자신감을 품고 하나님께서 문을 열어 주시는 대로 공적으로 그리스도의 주 되심을 선언해야 합니다. 다만 그 조건은 이성과 감성의 가치를 존중하여 그것들의 한계를 인식하면서도 신앙과 통합하는 것입니다. 하나님께서 자연계와 인간 만사에 당신의 주권과 섭리로 역사하심을 믿는다면, 죽음과 파괴를 통해서도 신생 창조의 세계가 열릴 수 있다는 점을 명심해야 합니다. 현재는 위축되고 있는 우리나라 교회와 선교계가 새롭게 태어날 날을 고대합니다.

*본문 중 표시되지 않은 인용문 출처는 모두 기독교학문연구회 학술지인 "신앙과 학문"입니다. '선교와 신앙(1)', '선교와 신앙(2)'은 "선교대구"에 게재된 원고의 원본입니다.

맺는말

성서인문학의 키워드: 분별(Prudence)

-성서인문학은 무엇인가?-

성서인문학은 성서와 인문학의 공통 분모 속에서 지성, 감성, 영성이 한데 어우러지는 향연의 한마당입니다. 인간이란 무엇인가를 탐구하는 인문학은 인간의 본질이 흙 혹은 땅이라는 점을 인정합니다. 흙에서 나서 흙으로 돌아가는 존재임을 명심하는 것이 인간의 겸허한 자기 인식이지요. 영어의 인간(human)과 겸손(humility)이란 단어가 흙 또는 땅을 의미하는 그리스어와 라틴어 단어에서 비롯된 것이 우연이 아닙니다. 그런 의미에서 "만물의 척도는 인간"이란 언명은 인간의 본분을 망각한 선언입니다. 그 말은 인간 개개인이 척도라는 말이기에 상대주의라는 자기모순의 다른 표현일 뿐입니다. 다른 한편으로 인간은 영혼을 가진 생명체입니다. 생각하고 말하고 창조하는 초자연적인 존재입니다. 흙에서 난 존재 중에 인간과 같은 생명체가 없습니다. 이런 인간의 초자연적인 측면은 하늘 혹은 신(神)과 맞닿아 있습니다. 인간의 전인적 측면을 이해하려면 하늘에서 비롯된 메시지가 필요한 연유입니다. 그리하여 성서인문학은 땅에서 비롯된 인간적 측면을 탐색하는 인문학과 하늘에서 연유한 인간적 면모를 궁구하는 성서의 시각들을 통섭하고 통합하는 과정을 통해 다층적인 인간 이해와 전인적인 인간 성숙을 모색하는 장이 됩니다.

인간을 이해하는 일과 성숙을 도모하는 과정엔 **분별(prudence)**이란 미덕이 필수적입니다. 이 덕목이 절제, 용기, 정의와 같은 행동적인 덕에 비해 지적인 덕이긴 하지만, "우리의 도덕적인 삶 전체를 형성하고 지도하여, 우리를 도덕적으로 탁월한 인간으로 만드는 데 필수적이기 때문입니다."(W. 제이 우드) 그래서 가톨릭에서는 이 미덕을 "덕으로 구성된 마차를 운행하는 마부"(charioteer of the virtues)로 일컫고 있지요. 다른 모든 덕목의 기반이 되면서 악은 피하고 선을 성취하는 방식으로 일반 원리들을 특수 상황들에 적용하도록 돕기 때문입니다. 제가 선정한 **성서인문학의 5 가지 주제[심(心), 아(我), 도(道), 시(時), 학(學)]** 중에 분별의 덕목에 해당하는 '심'(心)이 가장 먼저 제시된 이유도 바로 여기에 있습니다. 내가 누구이고[아(我)], 어떤 원리로 살아야 하며[도(道)], 어떻게 장기적 안목을 품어야 할 것인지[시(時)]에 대해 구체적으로 분별하여 실행해 가는 삶이 바로 성숙의 과정[학(學)]이라고 보았기 때문입니다.

이번 글에서는 우리가 일상에서 접하는 실례들을 통해 이 분별의 미덕을 발휘해야 할 필요성과 그 구체적인 방안에 대해 나누어 보겠습니다. 먼저 우리가 깨어 있지 않을 때 우리 사고와 행동을 장악하기 쉬운 대상 4 가지를 짚어 본 후에, 분별하는 데 도움이 되는 지침 4 가지를 제시하겠습니다.

-우리가 휘둘리기 쉬운 대상들은 무엇인가?-
〈첫인상〉

그 첫째가 첫인상(first impressions)입니다. 심리학 용어 중에 "후광 효과"(halo effect)라는 게 있습니다. "하나의 탁월한 특질 때문에 그 인물[상품] 전체의 가치가 과대 평가되는 효과"입니다. 어떤 사람이 A 라는 일을 잘하게 되면, B, C, D 와 같은 일도 잘할 것이라고 간주하는 상황입니다. 그 반대의 경우도 마찬가지이지요. 어떤 사람이 A 라는 일을 잘못하게 되면, B, C, D 와 같은 일도 잘못하게 될 거라고 간주하지요. 이 개념이 언제 형성되었을까요? 약 백 년 전인 1920 년에 에드워드 손다이크(Edward Thorndike)라는 심리학자가 제안한 것입니다. 그런데 이 후광 효과에 지대한 영향을 미치는 것이 바로 첫인상입니다. "첫인상이 중요하다."(First impressions count.)라는 금언이 그냥 생긴 게 아닙니다. 한번 사람을 좋게 보면 그 첫인상을 지우기가 힘듭니다. 그 첫인상 때문에 그 사람이 다른 것들도 죄다 잘할 것이라고 믿게 되지요. 고급 차량이나 화장품을 광고하면서 유명한 인물이나 아름다운 배우들을 내세우는 이유도 바로 여기에 있습니다. 그들이 이미 누리고 있는 명성이나 미모 때문에, 그들이 마치 차 엔진이나 주름 방지 화장품에 대해 깊은 지식과 경험을 가진 것으로 간주하지요. 제인 오스틴이 집필한 "오만과 편견"의 원제가 "First Impressions"이었다는 점이 시사하는 바가 바로 이 측면입니다. 첫인상이 자리 잡게 되면 곧바로 오만한 안목과 편견에 찬 시각을 품게 되지요.

첫인상과 후광 효과가 얼마나 비합리적인 것들인지에 대해서는 앞에서 소개한 그것들의 정의와 사례들이 밝히 드러내 줍니다. 그런데도 우리의 일상생활 중에 이것들이 미치는 영향은 지대합니다. 그것들을 경계하고 깨어 있는 영성을 유지해야 할 이유가 여기에 있습니다. 첫인상의 폐해는 사람들을 만날 때뿐 아니라, 사건을 접할 때도 생길 수 있습니다. 당장 보기에 내게 유리하면 행운의 사건, 내게 불리하면 불운의 사건으로 치부하는 경우가 얼마나 많은지 모르기 때문입니다. 그런 첫인상이 그릇되었다는 것이 판명되는 데는 그다지 오랜 시간이 걸리지 않는 경우가 대부분입니다. 당장에는 그 사건의 전모가 한눈에 바로 들어오지 않았다가 시간이 흘러감에 따라 그 전체 맥락을 파악하게 되는 것이지요. 이런 첫인상의 본질에 대해 제게 경종을 울려준 작가가 있습니다. 영화 "남태평양"의 원작인 "남태평양 이야기"(Tales of the South Pacific)를 집필한 제임스 A. 미치너(James A. Michener, 1907-1997)입니다. 그가 이런 말을 한 적이 있습니다.

"나는 평생 여러 번의 실수를 저질렀다. 그러나 유일하게 '운이 좋았던 실수'(the only 'fortunate stumble')는 젊은 시절에 스와스모어에 있는 스트라스 헤이븐 여관에서 일하면서 겪은 일이다. 만일 그때 한 투숙객을 적시에 깨우지 못해 그의 기차를 놓치게 하는 실수를 저지르지 않았더라면, 나는 여관 주인(inn-keeper)이 되었을지도 모른다."

이런 실수를 저질러 그는 바로 해고되었거나 스스로 그만두었던 것 같습니다. 그는 그 이후로 "자기 인격과 교육을 연마한 결과 그가 감당할 수 있게 된 바로 그 글쓰기 스타일을 우연히 만나는 크

낙한 행운을 얻게 되었습니다."(who had the great good <u>fortune</u> <u>to stumble</u> into precisely the style of writing for which my personality and education fitted me.) 사실상 이 실수와 작가 경력 시작 사이에는 또 다른 엄청난 '운 좋은 사건'이 자리 잡고 있습니다. 그가 미 해군의 종군기자로 일할 때 경험한 치명적인 사건이었습니다. 자기가 탄 비행기가 남태평양 뉴칼레도니아섬에 착륙하기 위해 몇 번 시도를 거듭하다가 그만 추락해 버린 것입니다. 가까스로 살아남은 그는 자기 막사로 바로 가서 이렇게 글을 씁니다. "난 이제 내가 마치 위대한 사람인 것처럼 여생을 보낼 거야. (...) 내가 다룰 수 있는 가장 위대한 이상과 사상에 내 생애를 집중할 거야."(I'm going to live the rest of my life as if I were a great man. ⟨...⟩ I'm going to concentrate my life on the biggest ideals and ideas I can handle.) 그 이튿날부터 써 내려간 것이 바로 "남태평양 이야기"(1947 년)였고, 이 작품으로 퓰리처상을 수상하게 되지요. 그는 1997 년에 작고할 때까지 무려 40 권의 작품을 발표했으며, 그의 책은 무려 7,500 만 권이나 팔렸습니다. 결국 젊은 시절 그가 범한 '운 좋은 실수'와 '운 좋은 사건'은 당장 보기에는 불운이었으나, 자기를 퓰리처 작가요 베스트셀러 작가로 인도한 행운이었던 셈이지요. 사람이나 사건을 접할 때 첫인상을 경계하고 잘 분별합시다.

⟨전통과 관례⟩

그 둘째가 전통 및 관례입니다. 그것들의 가치를 헐뜯자는 게 아닙니다. 어떤 사회가 정상적으로 유지되기 위해서는 그 사회가 간직해 온 사상이나 행동이나 관습을 존중하는 게 필요합니다. 예컨대 우리나라 사회에서 한 해에 두 차례씩 전국민적인 명절을 지키면서 가족이나 친지들 간의 관계를 돌아보는 전통은 값진 것입니다. 비록 다른 곳으로 이동하는 데 따른 일시적인 교통 체증과 혼잡함을 감내해야 하지만, 소중한 인간관계를 유지하고 진작하는 가치를 고려해 본다면 얼마든지 치를 수 있는 대가입니다.

그러나 전통과 관례 중에는 그 배후의 정신이 퇴색되어 개선해야 할 것들도 얼마든지 존재할 수 있고, 비인간적이고 반인류적이어서 폐기되어야 마땅한 것들도 있습니다. 전자의 예라면 명절 때 제사 지내는 방식을 들 수 있습니다. 작년 9월 5일에 성균관의례정립위원회가 발표한 '차례상 표준안'에 의하면, 추석 차례상에는 기본 6가지(송편, 나물, 구이, 김치, 과일, 술)에다 3가지(육류, 생선, 떡)를 더할 수 있지만 수고롭게 만들어야 하는 전은 올리지 말라고 되어 있습니다. "큰 예법은 간략해야 한다"(大禮必簡)라는 퇴색된 유학 경전('예기')의 기본 정신이 다시 정립된 경우입니다. 조상을 사모하는 후손들의 정성이 담겨야 할 예식이 가족들 간에 불화의 소지로 남아 있는 경우가 너무 많았기에 성균관에서 개입한 것이지요. 그리고 후자의 예라면 남존여비 사상입니다. 이 21세기 대명천지 세상에 아직도 이 고루한 생각이 배어 있는 전통과 관례가 얼마나 많이 존재합니까? 오늘이라도 당장 그 사상에 근거한 전통이나 관례들을 무효화하고 무력화해야 할 것입니다.

그리스도교 내에도 이런 것들이 적지 않습니다. 그 기본 정신이나 사상의 빛이 바랜 전통과 관례가 수두룩합니다. 예컨대 십일조나 주일 성수나 금주 전통입니다. 이 민감한 세 가지 전통은 각각 그 차원이 다릅니다. 십일조는 성서적인 표현이지만, 그 의미와 정신이 왜곡되어 적용되는 경우가 많은 사례입니다. 주일 성수는 성서적인 표현이라기보다는 성서의 정신을 가리키는 용어이지만, 그 실행의 묘를 더해야 할 사례입니다. 금주 전통은 성서적인 표현도, 성서의 정신을 가리키는 것도 아니고 순전히 문화적인 맥락에서 빚어진 사례이므로, 지금에라도 올바른 자리매김을 해야 합니다.

먼저 십일조의 정신은 하나님께서 허락해 주신 수입 중 일부를 떼어 풀타임 사역자나 가난한 자들을 돕는 것입니다. 1/10이란 숫자가 율법적으로 적용되지 않아야 한다는 점은 십일조에 대한 신약의 빈약한 용례와 새로운 헌금 원리를 참조해 보면 밝히 드러납니다. 예수님이 언급하신 것은 단 두 번(마태복음 23:23=누가복음 11:42, 누가복음 18:12)뿐이었고, 그것도 바리새인들의 외식과 연관련 것이었습니다. 일반서신서에서는 단 한 차례 소개되었으며(히브리서 7 장, "십분의 일"이란 표현 7 번), 멜기세덱이 아브라함에게서 십일조를 취한 경우였습니다. 사도 바울은 자신의 서신서에서 그 단어를 단 한 번도 언급하지 않았습니다. 그 대신 예수님께서는 "주는 것이 받는 것보다 복이 있다."라고 천명하셨고(사도행전 20:35), 사도 바울은 자발적이고도 수입에 비례하여 헌금하라고 권면하고 있습니다(고린도후서 9:6-7). 얼마든지 신앙 양심과 분별력에 따라 그 헌금의 양과 대상을 정할 수 있다는 것이지요. 이런 헌금의 기본 정신을 무시한 채, 세례를 시행하거나 교회 일꾼들을 임명하면서 '자기 교회에만 내는 십일조'를 그 조건으로 내거는 행태는 그리스도의 십자가 복음에 대한 독신 행위입니다. 자신의 믿음으로 십일조를 자신이 출석하는 교회에 내는 것은 얼마든지 타당한 선택이겠지만, 그것을 세례받거나 임직되는 조건으로 제시하는 것이 어떻게 그리스도의 복음에 합한다고 할 수 있을까요? 제대로 분별해야 합니다.

다음으로 주일 성수는 안식일 준수에 대한 성경의 정신을 주일에 적용한 것입니다. 십계명 중 안식일 준수를 명하는 4 계명이 어떻게 주일 성수로 적용될 수 있는지, 그리고 주일 성수라는 의미가 무엇인지에 대해서는 여러 가지 엇갈리는 견해가 존재합니다. 개혁주의 계통 안에서만 보더라도 상이한 의견들이 개진되었습니다. 예컨대 "웨스트민스터 신앙고백"(The Westminster Confession of Faith)에는 그리스도의 부활 이후에 안식일이 주일로 바뀌었으므로 세상 끝 날까지 준수되어야 한다고 되어 있습니다. "하이델베르크 요리문답"(Heidelberg Catechism)에서는 안식일과 주일의 관계를 지적하는 대신에, 공중 예배에 참석하고 성령께서 내주하여 역사하시도록 함으로써 누리는 영원한 안식을 강조하고 있습니다. 그리고 "제 2 스위스신앙고백"(The Second Helvetic Confession, 1566)에서는 유대인의 안식일 준수 방식이나 미신적인 요소를 전혀 용납하지 않고, 주일을 종교적인 의식과 거룩한 안식의 날로 거룩히 구별하여 바친다고 되어 있습니다. 아마도 이런 입장들을 요약한 것이 바로 "기독교 강요"(The Institutes)에서 칼뱅이 취한 입장일 것입니다. "주님이신 그리스도의 강림으로 이 계명의 의식적인 요소가 폐지된 것은 의심할 여지가 없다. (...) 따라서 그리스도인들은 미신적인 태도로 날들을 지키는 행위를 절대로 해서는 안 된다." 그는 주일이 안식일 대신 제정된 것이기에 동일한 원리에 따라 기능해야 한다면서, 주일은 예배를 드리기 위해 모이는 날이자, 노동을 멈추고 안식하는 날이라고 천명했습니다.

이런 안식일 혹은 주일 성수의 정신을 명심한다면, 하나님께 예배를 드리고 성도들이 흡족한 안식을 누릴 수 있도록 잘 분별하여 얼마든지 다양한 실행 방식이 용인되어야 하고 모색되어야 할 것입니다. 심지어 "제2 스위스신앙고백"이 조금도 용인하지 않았던 유대인의 안식일 준수 방식 중에도 배울 점은 취해야 할 것입니다. 그 신앙고백이 성경이 아닌 이상, 그 내용도 글귀에 매이지 않고 잘 분별해서 독해해야 하기 때문입니다. 이스라엘에서 오랫동안 사역한 한 선교사님이 실행하고 있는 삶의 방식이 감동적으로 다가온 적이 있었습니다. 그분 가정에서는 오래전부터 유대인의 본을 좇아 금요일 저녁 식사를 온 가족이 함께 모여 나눈다고 합니다. 동생분이 모시고 있는 어머님과 그 가족까지도 함께 초대하여 그 시간을 가집니다. 몇 안 되는 한 가족이 다 함께 저녁 식사를 나누는 것도 쉽지 않은데, 이렇게 매주 안식일이 시작되는 시점에 두 가족과 연로하신 어머님까지 온 가족이 함께 모여 만찬을 나누는 것을 실행하는데 얼마나 난관이 많았을까요?

그렇지만 그 이야기를 들었을 때, 안식일을 어떻게 지내는 것이 바람직한가라는 오래된 질문에 대한 힌트를 얻을 수 있었습니다. "엿새 동안은 힘써" 열심히 일한 온 가족이 일감으로부터 온전히 해방되어 함께 모여 서로의 삶을 나누는 만찬이야말로, "너나 네 아들이나 네 딸이나 네 남종이나 네 여종이나 네 가축이나 네 문안에 머무는 객이라도 아무 일도 하지 말라"는 "여호와의 안식일"(출애굽기 20:9-10)을 누리는 최상의 적용 방식 중 한 가지였습니다. 우리나라 어느 교회가 토요일 만찬이나 수일 아침 식사를 온 가족이 함께 모여 안식을 누리는 방식으로 격려하고 배려한 적이 있는지 과문한 저는 알 길이 없습니다. 주일 새벽기도회부터 시작해서 오전 예배를 거쳐 오후 혹은 저녁 예배까지 다 참석하는 것을 주일 성수로 가르치고 수용하는 전통과 관례가 뿌리 깊게 내려 있을 뿐이지요. 공중 예배의 전통만 있고 가족과 개인이 거룩하게 누리는 안식의 전통은 온데간데없이 사라진 형국입니다. "법대로 경기해야 합니다."(디모데후서 2:5). 제대로 분별해야 합니다.

금주 전통에 대해서도 다시 돌아보아야 합니다. 우선 금주는 성서상의 가르침이 아닙니다. 유대인에게 포도주는 음료수나 다름없었습니다. 때로는 약의 처방으로 사용되기도 했습니다. 그런데 금주가 우리나라 기독교인의 표지가 된 것은 기독교 선교 초기의 사회, 문화적 상황에다 미국 선교사들의 영향이 컸다고 봅니다. 그들이 선교할 당시에 과도한 음주로 인한 폐해가 사회 곳곳에서 발견되긴 했지만, 기독교인의 덕목으로 금주를 강력하게 주장한 것은 아마도 그들이 자기 조국에서 받은 영향이 컸을 것입니다. 캐런 스왈로우 프라이어에 의하면 현대 알코올 생산 기술의 발달로 주류의 도수가 높아짐에 따라 19세기 초 미국에서는 수십 년간 알코올 소비가 만연하여 과음이 그 사회의 심각한 문제로 대두되고 있었습니다. 급기야 국민 일 인당 26.5 리터를 소비하는 단계까지 진전되었으니까요. 이 소비량이 얼마나 치명적인 것인지는 2014년 일 인당 소비량이 8.8리터에 '불과'한 점을 고려해 보면 압니다. 이 문제를 해결하기 위한 일환으로 1920년에 미국 수정 헌법 제18조가 통과되어 주류의 생산, 유통, 판매가 불법이 되었습니다. 그렇게 함으로써 과음 문제가 해결되었을까요? "이 법은 너무나 과도해서 악덕만 낳을 뿐이었습니다."(The law was so intemperate that it could only result in vice.) 그리하여 1933년 미국 수정 헌법 제21조가 통과됨으로써 "금주법"(Prohibition)이 폐지되었습니다. F. 스콧 피츠제럴드의 "위대한 개츠비"(1925)의 배경이 되었던 것이 바로 이 금주법 시행 시대였지요.

육체적 쾌락에 대해 억제(restraint)를 가르치는 스토아학파(Stoicism)와 방종(indulgence)을 권장하는 에피쿠로스학파(Epicureanism)는 **절제(temperance)**를 권면하는 성서상의 지혜의 양극단입니다. 절제라는 **중용(moderation)**의 길 대신 이 양극단을 이리저리 헤맨 것이 지난 인류 역사였고, 이 극단 추구 문화는 현재진행형입니다. "무한정 뷔페와 디톡스 다이어트, 포르노와 순결 문화, 패스트푸드와 슬로푸드, 성 혁명과 성의 죽음, 호화 주택과 협소 주택, 번영 복음과 자기 부인의 복음."(all-you-can-eat buffets and detox diets, pornography and purity culture, fast food and slow food, the sexual revolution and the death of sex, McMansions and tiny houses, the prosperity gospel and the gospel of self-denial.)이 바로 그 사례들이지요. 그리스도의 복음으로 해방된 그리스도인들은 마땅히 절제하는 삶을 추구함으로써 그 자유를 향유해야 합니다. "절제가 해방을 안겨 주는 것은 절제 '덕분에 우리가 즐거움의 노예가 되지 않고 즐거움의 주인이 될 수 있기 때문입니다.'"(Temperance is liberating because it 'allows us to be masters of our pleasure instead of becoming its slaves.') (캐런 스왈로우 프라이어, "On Reading Well") 술에 대해서도 마찬가지일 것입니다. 마셔야 하는가, 금주해야 하는가가 본질이 아니라, 덕을 세우는 절제의 자유를 누리기가 핵심입니다. 전통과 관례들을 제대로 분별해야 합니다.

〈영적 지도자〉

그 셋째는 목회자나 영적 지도자입니다. 그리스도인들을 인도하는 이들이 목회자나 영적 지도자들이지만, 그들의 가르침과 됨됨이도 분별해야 합니다. 말씀을 전파하는 일과 가르치는 일에 수고하는 영적 지도자를 두 배로 존경해야 하지만(디모데전서 5:17), 양의 탈을 썼으나 속은 굶주린 이리인 거짓 예언자를 삼가야 하기 때문입니다(마태복음 7:15). 현재 우리나라 그리스도교의 최대 비극은 신뢰미프 꽃을 빌린 영적 스승을 찾기 어렵다는 데 있습니다. 신생성 있는 지나온 삶의 궤적과 시대를 꿰뚫는 혜안으로 고뇌하는 그리스도인들을 위무하고 계도해 줄 수 있는 목회자나 영적 지도자 말입니다. 강력한 권위와 화려한 언변으로 강단을 쥐락펴락한 이들은 수도 없이 많았지만, 그들 중 탐욕의 우상 앞에 무릎 꿇는 추태를 드러내지 않은 경우를 찾기란 쉽지 않았습니다.

더구나 요즘 시대에는 이 영역에서 더욱 분별의 덕목을 발휘해야 합니다. 언택트(Untact=비대면) 시대를 거쳐 온택트(Ontact=온라인을 통한 대면) 시대가 열려, 인터넷을 통해 온갖 설교자와 영적 지도자들을 접할 수 있기 때문이지요. 정체불명의 설교자는 피하고 낯선 지도자도 경계하며 대하는 게 필요합니다. 잘 안다고 생각하는 메신저의 설교도 트인 마음으로 듣되, 그 내용이 진실한 것인지 알아보기 위해 성경을 상고하는 자세가 요구됩니다(사도행전 17:11). 한 발 더 나아가 듣기에 치중하는 데서 신앙 양서들을 읽기로 서서히 이동하는 것이 절실합니다. 신앙의 제반 영역에 대해 깊이 있게 성찰하고 통찰하기 위해서입니다. 목회자나 영적 지도자를 제대로 분별해야 합니다.

〈양심〉

마지막은 양심입니다. 양심에 휘둘린다는 말이 어색하게 들리기도 하지만, 양심도 폭군이 될 소지가 다분합니다. "선한 양심"(디모데전서 1:5, 히브리서 13:18, 베드로전서 3:16, 21)이나 "깨끗한 양심"(디모데전서 3:9)이나 "청결한 양심"(디모데후서 1:3)이 있는 반면에, "약한 양심"(고린도전서 8:7, 12)이나 "더러운 양심"(고린도전서 8:7, 디도서 1:15)이나 "화인[a branding iron] 맞은 양심"(디모데전서 4:2)도 있기 때문입니다. 그러니까 양심이 분별의 기준이 되어야 한다는 말은 반쪽짜리 진리에 불과합니다. 그 양심의 상태에 달린 것이지요. 예컨대 마크 트웨인의 "허클베리 핀의 모험"이 풍자하는 한 가지 모티프는 "타락한 문화로 인해 일그러진 양심"(the conscience that is malformed by a corrupt culture)입니다 (캐런 스왈로우 프라이어, "On Reading Well"). 성경 원리에 비추어 볼 때 그릇된 것이 확연한 노예 제도에 대해 헉이 품고 있던 관념이 이런 양심으로 오도된 것이었기 때문입니다.

헉이 자란 사회에서는 노예제란 좋은 것이고, 노예는 인간이 아닐 뿐 아니라 주인의 재산이므로 그 재산을 훔치는 것은 잘못이라고 가르쳤습니다. 비록 19세기 당시 캐나다와 영국 및 미국 북부에 거주하던 개신교도 대부분은 노예제가 성경에 전적으로 위배되는 제도라고 비난했지만, 헉이 사는 지역의 분위기는 사뭇 달랐던 것이지요. 그래서 흑인 노예인 짐이 자기 가족에 대한 사랑과 그리움을 표현하자, 헉은 그것이 백인들이 가족들을 아끼는 마음과 다르지 않다는 사실을 접하고는 어찌할 줄 모릅니다. 더구나 짐에게서 나중에 돈을 벌어 노예 생활하고 있는 자기 가족들을 사 오거나 훔쳐 오겠다는 계획을 듣게 되자, 헉은 "그런 이야기를 듣자, 내 등골이 오싹했다."(It most froze me to hear such talk.)라고 기겁을 하면서 그런 범죄를 돕는 것에 죄책감을 느끼게 되지요. 나중에 톰 소여의 숙모인 샐리 펠프스의 집에서 짐을 구출하려고 할 때, 헉이 톰에게 이런 말을 하기도 합니다. 그렇게 하는 것이 "더럽고 비열한 짓"(dirty, low-down business)이라고 톰이 말하겠지만, 자기는 야비한 인간이니까("I'm low down") 짐을 훔쳐낼 작정이라고. 그러니까 입 다물고 누설하지 말아 달라고. 헉에게는 짐의 탈출을 돕겠다는 결정이 정의를 지향하는 고결한 행동이 아니었고, 도리어 자기 양심에 반하여 잘못을 저지르라는 유혹에 불과했습니다. 그렇지만 헉은 짐의 탈출을 돕는 모험을 감행하지요. 결국 헉의 경우는 자신의 의도가 불의하다는 오도된 양심을 갖고 있었지만, 노예 친구의 자유를 위해 자기 영혼이라도 기꺼이 희생하겠다는 용기를 보여 준 위대한 사례였던 것입니다. 자기 양심의 상태도 분별해야 합니다.

-분별력을 키우는 길은 무엇인가?-

1. *경성(警省)하자.* 첫인상의 폐해를 극복하고 풍성한 삶을 누리는 길은 깨어 있는 것입니다. 묵상에 들어 인기를 끌고 있는

'mindfulness'라는 개념과 상통합니다. '마음 챙김'이나 '의식 집중'으로 번역되는 이 단어는 일반적으로 "부드럽게, 판단하지 않는 태도로 과거나 미래보다는 현재에 두뇌를 집중시키는 명상 훈련법"으로 이해됩니다(존 메디나). 그렇지만 이 분야의 최고 권위자인 미국 하버드대학 심리학자 앨런 랭어(Ellen Langer)에 의하면, 마음 챙김은 "적극적으로 대상을 구별 짓는 단순한 과정"(the simple process of actively drawing distinctions)입니다. 즉 우리가 이미 알고 있다고 생각하는 대상에서 "무언가 새로운 것을 발견하는 일"(finding something new)이지요. 그것이 영리한(smart) 것인지 어리석은(silly) 것인지는 상관없고, "단순히 주목하는 것"(simply noticing)이 중요하다고 주장합니다. 그렇게 되면 우리는 현재에 발을 딛고 살면서, 콘텍스트와 관점을 더 잘 파악하게 되어 주목하지 못한 채 지나치게 되는 기회를 이용할 태세를 갖추게 된다고 하지요. 이러한 마음 챙김이나 경성은 날마다 우리가 마주치는 사람들과 사건들에 적용해야 할 첫 번째 분별의 자세입니다.

2. *질의(質疑)하자*. 신앙이나 일상의 문제 중 익히 알고 있다고 생각하는 내용에서 새로운 것을 찾아내는 데는 질문하는 것이 효과적인 방도입니다. 적극적으로 질문하지 않으면, 깨어 있기나 마음 챙기기가 자연스럽게 진행되지 않을 때가 많습니다. 먼저 하나님께 여쭙는 것이 필요하지만, 자신에게나 기회가 되는대로 다른 사람들에게 질문하는 게 유효합니다. 지난 세월을 돌이켜 보면, 제가 질문한 내용과 그 빈도만큼 성장했다는 점을 깨닫게 됩니다.

3. *탐색(探索)하자*. 질문하는 것과 동시에 진행해야 할 것이 바로 탐색 과정입니다. 이용할 수 있는 정보를 수집하여 서로 비교하고 대조해 보면서 합리적이고 객관적인 시각을 형성해 가는 것이지요. 이때 절실한 것이 바로 독서입니다. 더구나 온갖 거짓 정보들이 SNS와 인터넷 매체에 난무하는 현시대에는 더욱 그렇습니다. 특히 자체 알고리즘에 연동된 유튜브 영상 정보를 연속적으로 접합으로써 자신의 선입견이나 편견을 더욱 강화하는 경우가 허다합니다.

사실 확인된 유용한 정보들을 편집해서 제공해 주는 양서들이 시급한 연유입니다.

4. *실행(實行)하자.* 분별은 실행으로 열매 맺어야 합니다. 깨어 있는 상태에서 질의하고 탐색한 과정을 통해 얻게 된 시각과 안목은 구체적인 삶의 현장에서 실행되어야 합니다. 이 단계에서 명심해야 할 일은 이렇게 분별된 지혜를 우선 자기에게 적용하는 것이 필요하다는 점입니다. 남의 의견이나 반응에 휘둘릴 필요도 없지만, 남에게 자기 시각을 강요하거나 남이 자기 안목을 수용할 것을 기대하지 말 일입니다. 사고의 전환은 어렵습니다. 자신을 돌아보면 바로 알 일입니다. 탄탄한 분별력이라는 기반 위에 확고하게 서서, 자신에게 허락된 은사와 재능과 기회를 통해 진정성 있는 실천적인 사랑의 삶을 날마다 실행해 갈 수 있다면 더 바랄 게 무엇이 있겠습니까? (끝)